小李飞刀 2

边城浪子（上）

古龙 著

河南文艺出版社
·郑州·

古龙

1938—1985

作为华语小说界一代宗师，“古龙”二字本身已成为一个文化符号。

古龙以惊人的才华，创作出《小李飞刀》《陆小凤》《楚留香》等七十多部精彩绝伦的经典。这些作品中涌动着永恒的热血、自由和生命力，不仅征服了一代代读者，更引发了巨大的文化浪潮，被无数次改编为影视、游戏、动漫，风靡整个中文世界，半个世纪风行不衰。

古龙为人，像他笔下的英雄们一样，豪气干云、放浪形骸、嗜酒如命、风流倜傥。其传奇一生的尽头，在医生下达严禁饮酒的告诫之后，豪饮三天三夜，大醉归西。

古龙是孤独的，一颗滚烫狂放的自由灵魂，与冷漠的现实世界显得那么格格不入；古龙又是幸运的，无数读者通过他的作品与他成为了知己。

中文世界如果没有古龙，将多么寂寞！没有读过古龙的人生，将多么寂寞！

目　录

楔　子

红 雪

屋子里没有别的颜色，只有黑！

连夕阳照进来，都变成一种不吉祥的死灰色。

夕阳还没有照进来的时候，她已跪在黑色的神龛前，黑色的蒲团上。

黑色的神幔低垂，没有人能看得见里面供奉的是什么神祇，也没有人能看得见她的脸。

她脸上蒙着黑纱，黑色的长袍乌云般散落在地上，只露出一双干瘪、苍老、鬼爪般的手。

她双手合十，喃喃低诵，但却不是在祈求上苍赐予多福，而是在诅咒。

诅咒着上苍，诅咒着世人，诅咒着天地间的万事万物。

一个黑衣少年动也不动地跪在她身后，仿佛亘古以来就已陪着她跪在这里。而且一直可以跪到万物都已毁灭时为止。

夕阳照着他的脸。他脸上的轮廓英俊而突出，但却像是远山上的冰雪塑成的。

夕阳暗淡，风在呼啸。

她忽然站起来，撕开了神龛前的黑幔，捧出了一个漆黑的铁匣。

难道这铁匣就是她信奉的神祇？她用力握着，手背上青筋都已凸起，却还是在不停地颤抖。

神案上有把刀，刀鞘漆黑，刀柄漆黑。

她突然抽刀，一刀劈开了这铁匣。

铁匣里没有别的，只有一堆赤红色的粉末。

她握起了一把：“你知道这是什么？”

没有人知道——除了她之外，没有人知道！

“这是雪，红雪！”

她的声音凄厉、尖锐，如寒夜中的鬼哭：“你生出来时，雪就是红的，被鲜血染红的！”

黑衣少年垂下了头。

她走来，将红雪撒在他头上、肩上：“你要记住，从此以后，你就是神，复仇的神！无论你做什么，都用不着后悔，无论你怎么样对他们，都是应当的！”

声音里充满了一种神秘的自信，就仿佛已将天上地下所有神魔恶鬼的诅咒，都已藏入这一撮赤红的粉末里，都已附在这少年身上。

然后她高举双手，喃喃道：“为了这一天，我已准备了十八年，整整十八年，现在总算已全都准备好了，你还不走？”

黑衣少年垂着头，道：“我……”

她突又挥刀，一刀插入他面前的土地上，厉声道：“快走，用这把刀将他们的头全都割下来，再回来见我，否则非但天要咒你，我也要咒你！”

风在呼啸。

她看着他慢慢地走出去，走入黑暗的夜色中，他的人似已渐渐与黑暗融为一体。

他手里的刀，似也渐渐与黑暗融为一体。

这时黑暗已笼罩大地。

第一章

不带刀的人

他没有佩刀。

他一走进来，就看到了傅红雪！

这里本已有很多人，各式各样的人，可是他这种人，却本不该来的。

因为他不配。

这里是个很奇怪的地方。

现在已是残秋，但这地方还是温暖如春。

现在已是深夜，但这地方还是光亮如白昼。

这里有酒，却不是酒楼。

有赌，却不是赌场。

有随时可以陪你做任何事的女人，却也不是妓院。

这地方根本没有名字，但却是附近几百里之内，最有名的地方。

大厅中摆着十八张桌子。

无论你选择哪一张桌子坐下来，你都可以享受到最好的酒菜——只有酒菜，你若还要享受别的，就得推门。

大厅四面有十八扇门。

无论你推哪扇门走进去，都绝不会后悔，也不会失望。

大厅的后面，还有道很高的楼梯。

没有人知道楼上是什么地方，也没有人上楼去过。

因为你根本不必上楼。

无论你想要的是什么，楼下都有。

楼梯口，摆着张比较小的方桌，坐着个服装很华丽、修饰很整洁的中年人。

他好像总是一个人坐在那里，一个人在玩着骨牌。

很少有人看见他做过别的事，也很少有人看见他站起来过。

他坐的椅子宽大而舒服。

椅子旁，摆着两根红木拐杖。

别的人来来去去，他从不注意，甚至很少抬起头来看一眼。

别的人无论做什么事，好像都跟他全无关系。

其实他却正是这地方的主人。

一个很奇怪的地方，通常都有个很奇怪的主人。

傅红雪的手里握着刀。

一柄形状很奇特的刀，刀鞘漆黑，刀柄漆黑。

他正在吃饭，吃一口饭，配一口菜，吃得很慢。

因为他只能用一只手吃。

他的左手握着刀，无论他在做什么的时候，都从没有放过这柄刀。

漆黑的刀，漆黑的衣服，漆黑的眸子。

黑得发亮。

所以他坐的地方虽离大门很远，但叶开走进来的时候，还是一眼就看到了他，也看到了他手里的刀。

叶开是从不带刀的。

秋已深，夜已深。

长街上只有这门上悬着的一盏灯。

门很窄，昏暗的灯光照着门前干燥的土地，秋风卷起满天黄沙。

一朵残菊在风沙中打着滚，既不知是从哪里吹来的，也不知要被吹到哪里去。

世人岂非也都正如这瓣残菊一样，又有谁能预知自己的命运?

所以人们又何必为它的命运伤感叹息?

菊花若有知，也不会埋怨的，因为它已有过它自己的辉煌岁月，已受过人们的赞美和珍惜。

这就已足够。

长街的一端，是无边无际的荒原；长街的另一端，也是无边无际的荒原。

这盏灯，仿佛就是这荒原中唯一的一粒明珠。

天连着黄沙，黄沙连着天。

人已在天边。

叶开仿佛是从天边来的。

他沿着长街，慢慢地从黑暗中走过来，走到了有灯光的地方。

他就在街心坐了下来，抬起了脚。

脚上的靴子是硝皮制成的，通常本只有大漠上的牧人才穿这种靴子。

这种靴子也正如大漠上的牧人一样，经得起风霜，耐得起劳苦。

但现在，靴子的底已被磨成了个大洞，他的脚底也被磨出血来。

他看着自己的脚，摇着头，仿佛觉得很不满——并不是对这双靴子不满，而是对自己的脚不满。

“像我这种人的脚，怎么也和别人的脚一样会破呢？”

他抓起一把黄沙，从靴子的破洞里灌进去。

“既然你这么不中用，我就叫你再多受些折磨，多受些苦。”

他站起身，让沙子摩擦自己脚底的伤口。

然后他就笑了。

他的笑，就像这满天黄沙中突然出现的一线阳光。

灯在风中摇曳。

一阵风吹过来，卷来了那朵残菊。

他一伸手，就抄住。

菊瓣已残落，只有最后几瓣最顽强的，还恋栖在枯萎的花梗上。

他拍了拍身上一套早已该送到垃圾箱里去的衣裳，将这朵残菊仔仔细细地插在衣襟上的一个破洞里。

看他的神情，就好像个已打扮整齐的花花公子，最后在自己这身价值千金的紫罗袍上，插上一朵最艳丽的红花一样。

然后他对自己的一切就都已完全满意。

他又笑了。

窄门是关着的。

他昂起头，挺起胸，大步走过去，推开了门。

于是他就看见了傅红雪。

傅红雪和他的刀！

刀在手上。

苍白的手，漆黑的刀！

叶开从他的刀，看到他的手，再从他的手，看到他的脸。

苍白的脸，漆黑的眸子。

叶开目中又露出笑意，仿佛对自己看到的一切也都觉得很满意。

他大步走过来，走到傅红雪对面，坐下。

傅红雪的筷子并没有停，一口菜，一口饭，吃得很慢，却没有停下来看他一眼。

叶开看着他，忽然笑道："你从来不喝酒？"

傅红雪既没有抬头，也没有停下来。

他慢慢地将碗里最后两口饭吃完，才放下筷子，看着叶开。

叶开的微笑就像是阳光。

傅红雪苍白的脸上却连一丝笑容都没有，又过了很久，才一字字道："我不喝酒。"

叶开笑道："你不喝，请我喝两杯怎么样？"

傅红雪道："你要我请你喝酒？为什么？"

他说话很慢，仿佛每个字都是经过考虑之后才说出的，因为只要是从他嘴里说出的话，他就一定完全负责。

所以他从不愿说错一个字。

叶开道："为什么？因为我觉得你很顺眼。"

他叹了口气，又道："这地方除了你之外，简直连一个顺眼的人都没有。"

傅红雪垂下眼，看着自己的手。

他不愿开口的时候，总是会有这种表情。

叶开道："你肯不肯？"

傅红雪还是看着自己的手。

叶开道："这是你最好的机会了，你若错过，岂非很可惜？"

傅红雪终于摇摇头，缓缓道："不可惜。"

叶开大笑，道："你这人果然有趣。老实说，除了你之外，别人就算跪下来求我，我也不会喝他一滴酒的。”

他说话的声音就好像将别人都当作聋子，别人想要不听都很难。

只要听到他的话，想不生气也很难。

屋子里已经有几个人站起来，动作最快的，是个紫衫佩剑的少年。

他的腰很细，肩很宽，佩剑上镶着闪闪发光的宝石，剑穗是紫红色的，和他衣服的颜色正相配。

他手里端着杯酒，满满的一杯，一转身，竟已蹿到叶开面前。

手里一满杯酒，居然连一滴都没有溅出来。

看来这人非但穿衣服很讲究，练功夫的时候必定也很讲究。

只可惜叶开没有看见，傅红雪也没有看见。

紫衫少年脸上故意做出很潇洒的微笑，因为他知道每个人都在看着他。

他轻轻拍了拍叶开的肩，道：“我请你喝杯酒好不好？”

叶开道：“不好。”

紫衫少年道：“你要怎么样才肯喝？跪下来求你好不好？”

叶开道：“好。”

紫衫少年大笑，别的人也笑了。

叶开也在笑，微笑着道：“只不过你就算跪下来，我还是不喝的。”

紫衫少年道：“你知不知道我是谁？”

叶开道：“不清楚，我连你究竟是不是个人，都不太清楚。”

紫衫少年的笑容冻结，手已握住了剑柄。

“锵”的一声，剑已出鞘。

但他手里拿着的还是只有个剑柄。

剑还留在鞘里。

他的剑刚拔出来，叶开突然伸手一弹，这柄精钢长剑就断了。

从剑柄下一寸处折断的，所以剑柄虽拔起，剑身却又滑入剑鞘里。

紫衫少年看着手里的剑柄，一张脸已惨白如纸。

屋子里也没有人笑了，非但笑不出，连呼吸都已几乎停顿。

只剩下一种声音。

推骨牌的声音。

刚才发生的事，好像只有他一个人没看见。

傅红雪虽然看见了，但脸上却还是全无表情。

叶开看着他，微笑道："你看，我没有骗你吧，别人想请我喝酒都困难得很。"

傅红雪慢慢地点了点头，道："你没有骗我。"

叶开道："你请不请呢？"

傅红雪慢慢地摇了摇头，道："我不请。"

他站起来，转过身，似已不愿再讨论这件事。

但却又回过头来看了那紫衫少年一眼，缓缓道："你应该用买衣服的钱，去买把好剑的。但最好还是从此不要佩剑，用剑来做装饰，实在危险得很。"

他说得很慢，很诚恳，这本是金石良言。

但听在这紫衫少年的耳朵里，那种滋味却是不太好受的。

他看着傅红雪，惨白的脸已发青。

傅红雪正在慢慢地往外走，走路比说话更慢，而且很奇特。

他左脚先迈出一步后，右腿才慢慢地从地上跟着拖过去。

"原来他是个跛子。"

叶开仿佛觉得很惊奇，也很惋惜。

除此之外，他显然并没有别的意思。

紫衫少年紧握着双拳，又愤怒，又失望——他本来希望叶开将傅红雪一把揪回来的。

叶开的武功虽可怕，但这跛子却不可怕。

紫衫少年便施了个眼色，本来和他同桌的人，已有两个慢慢地站了起来，显然是想追出去。

就在这时，屋子里忽然响起了个很奇怪的声音："你不愿别人请你喝酒，愿不愿意请别人喝酒呢？"

声音低沉而柔和，但每个人都听得清清楚楚。

说话的人，明明好像就在自己耳畔，却又偏偏看不见。

最后才终于有人发现，那服装华丽、修饰整洁的中年人，已转过头来，正在看着叶开微笑。

叶开也笑了，道："别人请我是一回事，我请不请别人，又是另外一回事。"

中年人微笑道："不错，那是完全不同的。"

叶开道："所以我请，这屋子里每个人我都请。"

他说话的神情，就好像已将自己当作这地方的老板似的。

紫衫少年咬着牙，突然扭头往外走。

叶开缓缓道："只不过我请人喝酒的时候，谁不喝都不行，不喝醉也不行。"

紫衫少年胸膛起伏，突又回头，道："你知不知道请人喝酒要银子的？"

叶开笑道："银子？你看我身上像不像带着银子的人？"

紫衫少年笑道："你的确不像。"

叶开悠然道："幸好买酒并不一定要用银子的，用豆子也行。"

紫衫少年怔了怔，道："豆子？什么豆子？"

叶开道："就是这种豆子。"

他手里忽然多了个麻袋，手一抖，麻袋里的豆子就溜了出来，就像是用什么魔法似的。

他撒出的竟是金豆。

紫衫少年看着满地滚动的金豆，怔了很久，才抬起头，勉强笑道："我只有一样事不懂。"

叶开道："你不懂的事，我一定懂。"

紫衫少年道："你不要别人请你喝酒，为什么要请别人，那又有什么不同？"

叶开眨眨眼，走到他面前，悄悄地道："若有条狗要请你去吃屎，你吃不吃？"

紫衫少年变色道："当然不吃。"

叶开笑道："我也不吃的，但我却时常喂狗。"

傅红雪走出门的时候，门外不知何时已多了两盏灯。

两个白衣人手里提着灯笼，笔直地站在街心。

傅红雪带上门，慢慢地走下石级，走过来，才发现这两个提着灯笼的人身后，还有第三个人。

灯笼在风中摇荡，这三个人却石像般站在那里，动也不动。

灯光照在他们身上，他们的头发、衣褶间，已积满了黄沙，在深夜中看来，更令人觉得说不出的诡秘可怖。

傅红雪根本没有看他们。

他走路的时候，目光总像是在遥望着远方。

是不是因为远方有个他刻骨铭心、梦魂萦绕的人在等着他？

可是他的眼睛为什么又如此冷漠，纵然有情感流露，也绝不是温情，而是痛苦、仇恨、悲怆？

他慢慢地穿过街心，那石像般站在灯笼后的人，突然迎上来，道："阁下请留步。"

傅红雪就站住。

别人要他站住，他就站住，既不问这人是谁，也不问理由。

这人的态度很有礼，但弯下腰去的时候，眼睛却一直盯在他手中的刀上，身上的衣服也突然绷紧，显然全身都已充满了警戒之意。

傅红雪没有动，手里的刀也没有动，甚至连目光都还是在遥视着远方。

远方一片黑暗。

过了很久，这白衣人神情才松弛了些，微笑着，问道："恕在下冒昧请教，不知阁下是不是今天才到这里的？"

傅红雪道："是。"

他的回答虽只是一个字，但还是考虑了很久之后才说出。

白衣人道："阁下从哪里来？"

傅红雪垂下眼，看着手里的刀。

白衣人等了很久，才勉强一笑，道："阁下是否很快就要走呢？"

傅红雪道："也许。"

白衣人道："也许不走了？"

傅红雪道："也许。"

白衣人道："阁下暂时若不走，三老板就想请阁下明夜移驾过去一叙。"

傅红雪道："三老板？"

白衣人笑道："在下说的，当然就是'万马堂'的三老板。"

这次他真的笑了。

居然有人连三老板是谁都不知道，在他看来，这的确是件很可笑的事。

但在傅红雪眼中看来，好像天下根本就没有一件可笑的事。

白衣人似也笑不出了，干咳两声，道：“三老板吩咐在下，务必要请阁下赏光，否则……”

傅红雪道：“否则怎样？”

白衣人勉强笑道：“否则在下回去也无法交代，就只有站在这里不走了。”

傅红雪道：“就站在这里？”

白衣人道：“嗯。”

傅红雪：“站到几时？”

白衣人道：“站到阁下肯答应为止。”

傅红雪道：“很好……”

白衣人正在等着他说下去的时候，谁知他竟已转身走了。

他左脚先迈出一步，然后右腿才慢慢地从地上跟着拖过去。

他这条右腿似已完全僵硬麻木。

白衣人脸色变了，全身的衣服又已绷紧，但直到傅红雪的身子已没入黑暗中，他还是站在那里，动也没有动。

一阵风沙迎面卷来，他甚至连眼睛都没有眨一眨。

提灯笼的人忍不住悄声问道：“就这样放他走？”

白衣人紧闭着嘴，没有说话，却有一丝鲜血，慢慢地自嘴角沁出，转瞬间又被风吹干了。

傅红雪没有回头。

他只要一开始往前走，就永不回头。

风更大，暗巷中一排木板盖的屋子，仿佛已被风吹得摇晃起来。

他走过这排木板屋，在最后一间的门口停下。

他脚步一停下，门就开了。

门里却没有人声，也没有灯光，比门外更黑暗。

傅红雪也没有说什么，就走了进去，回身关起了门，上了门闩。

他似已完全习惯黑暗。

黑暗中忽然有一只手伸过来，握住了他的手。

这是只温暖、光滑、柔细的手。

傅红雪就站着，让这只手握着他的手——没有握刀的一只手。

然后黑暗中才响起一个人的声音，耳语般低语道："我已等了很久。"

这是个温柔、甜美、年轻的声音。

这是少女的声音。

傅红雪慢慢地点了点头，过了很久，才缓缓道："你的确等了很久。"

少女道："你是什么时候来的？"

傅红雪："今天，黄昏。"

少女道："你没有直接到这里来？"

傅红雪道："我没有。"

少女道："为什么不直接来？"

傅红雪道："现在我已来了。"

少女柔声道："不错，现在你已来了，只要你能来，我无论等多久都值得。"

她究竟已等了多久？她是谁？为什么要在这里等？

没有人知道，除了他们自己之外，世上绝没有别的人知道。

傅红雪道："你已全都准备好了？"

少女道："全都准备好了，无论你要什么，只要说出来就行。"

傅红雪什么都没有说。

少女的声音更轻柔，道："我知道你要的是什么，我知道……"

她的手在黑暗中摸索，找着了傅红雪的衣纽。

她的手轻巧而温柔……

傅红雪忽然已完全赤裸。

屋子里没有风，但他的肌肤却如在风中一样，已抽缩颤抖。

少女的声音如梦呓，轻轻道："你一直是个孩子，现在，我要你成为真正的男人，因为有些事只有真正的男人才能做……"

她的嘴唇温暖而潮湿，轻吻着傅红雪的胸膛。

她的手在探索着……

傅红雪倒下，倒在床上，可是他的刀并没有松手。

这柄刀似已成为他身体的一部分，成为他生命的一部分。

他已永远无法摆脱！

曙色照进高而小的窗户。

人在沉睡，刀在手上。

一共只有两间屋子，后面的一间是厨房。

厨房中飘出饭香。

一个白发苍苍的老太婆，正用锅铲小心翼翼地将两个荷包蛋从锅里铲出来，放在碟子里。

她的身子已佝偻，皮肤已干瘪。

她的双手已因操作劳苦，变得粗糙而丑陋。

外面的屋子布置得却很舒服、很干净，床上的被褥是刚换过的。

傅红雪犹在沉睡。

但等到这老太婆轻轻从厨房里走出来的时候，他的眼睛已张开。

眼睛里全无睡意。

两间屋子里，只有他们两个人。

昨夜那温柔而多情的少女呢？难道她也已随着黑夜消逝？

难道她本就是黑夜的精灵？

傅红雪看着这老太婆走出来，脸上全无表情，什么也没有说，什么也没有问。

他为什么不问？

难道他已将昨夜的遭遇当作梦境？

蛋是刚煎好的，还有新鲜的豆腐、蒿笋和用盐水煮的花生。

老太婆将托盘放在桌上，赔着笑道：“早点是五分银子，连房钱是四钱七分，一个月就算十两银子，在这地方已算便宜的了。”

她脸上的皱纹太多，所以笑的时候和不笑时也没什么两样。

傅红雪将一锭银子放在桌上，道：“我住三个月，这锭银子五十两。”

老太婆道：“多出的二十两……”

傅红雪道：“我死了后替我买口棺材。”

老太婆笑了，道："你若不死呢？"

傅红雪道："就留着给你自己买棺材。"

走出这条陋巷，就是长街。

风已住。

太阳照在街上，黄沙闪着金光。

街上已经有人了，傅红雪第一眼看见的，还是那白衣人。

他还站在昨夜同样的地方，甚至连姿势都没有改变过。

雪白的衣服上已积满沙土，头发也已被染黄，可是他的脸却是苍白的，苍白得全无一丝血色。

他在忍受。

到处都有好奇的眼光在偷偷地看着他，这种眼光甚至比秋日的骄阳更灼人，更无法忍受。

忍受虽是种痛苦，但有时也是种艺术。

他很懂得这种艺术。

懂得这种艺术的人，通常都能得到他们希望的收获。

傅红雪正向他走过来，但目光却还是凝视在远方。

远方忽然扬起了漫天黄沙。

密鼓般的蹄声，七匹快马首尾相连，箭一般冲入了长街。

马上的骑士骑术精绝，驰到白衣人面前时，突然自鞍上长身而起，斜扯顺风旗，反手抽刀，整个人挂在马鞍上，向他扬刀行礼。

这是骑士们最尊敬的礼节。

从他们这种礼节中，已可看出这白衣人身份绝不低。

他本不必忍受这种事的，但却宁可忍受。

无论谁如此委屈自己，都必定有目的。

他的目的是什么？

刀光闪过他全无表情的脸，七匹快马转瞬间已冲到长街尽头。

突然间，最后的一匹马长嘶人立，马上人缰绳一带，马已回头，又箭一般冲了回来。

人已站在马鞍上，手里高举着一杆裹着白绫的黑铁长枪。

快马冲过，长枪脱手飞出，笔直插入白衣人身旁的地上。

枪上白绫立刻迎风展开，竟是一面三角大旗。

旗上赫然有五个鲜红的擘窠大字：“关东万马堂”。

大旗迎风招展，恰巧替白衣人挡住了初升的阳光。

再看那匹马，已转回头，追上了他的同伴，绝尘而去。

一人一马，倏忽来去，只留下满街黄沙和一面大旗。

旭日正照在大旗上！

街上几十双眼睛都已看得发直，连喝彩都忘了。

突听一个人放声长笑，道：“关东万马堂！好一个关东万马堂！”

第二章

关东万马堂

窄门上的灯笼已熄灭。

一个人站在灯笼下，仰面而笑，笑声震得灯笼上的积沙，雪一般纷飞落下，落在他脸上。

他不在乎。

无论对什么事，叶开都不在乎。

所以身上穿的还是昨夜那套又脏又破又臭的衣服——无论他走到哪里，哪里立刻就会充满一种仿佛混合着腐草、皮革和死尸般的臭气。

可是他站在那里，却好像认为每个人都应该很欣赏他身上这种臭气。

他衣襟上的破洞中，还插着朵花，但已不是昨夜的残菊，而是朵珠花。

也不知是从哪个女人发鬓上摘下来的珠花。

他从不摘枝上的鲜花，只摘少女发上的珠花。

傅红雪的目光忽然从远方收回来，凝视着他。

他却已走到街心，走到那白衣人面前，脚步踉跄，似已醉得仿佛要在水中捉月的太白诗仙，但一双眼睛张开时，却仍清醒得如同正弯弓射雕的成吉思汗。

所以他眯着眼，看着这白衣人，道："昨天晚上，你好像已在这里？"

白衣人道："是。"

叶开道："今天你还在？"

白衣人道："是。"

叶开道："你在等什么？"

白衣人道："等阁下。"

叶开笑了，道："等我？我又不是绝色佳人，你为什么要等我？"

白衣人道："在三老板眼中，世上所有的绝色佳人，也比不上一个阁下这样的英雄。"

叶开大笑，道："我今天才知道我原来是个英雄，但三老板又是个什么样的人呢？"

白衣人道："一个识英雄、重英雄的人。"

叶开道："好，我喜欢这种人，他在哪里？我可以让他请我喝杯酒。"

他要别人请他喝酒，却好像是已给了别人很大的面子。

白衣人道："在下正是奉了三老板之命，前来请阁下今夜过去小酌的。"

叶开道："小酌我不去，要大喝才行。"

白衣人道："万马堂藏酒三千石，阁下尽可放怀痛饮。"

叶开抚掌大笑道："既然如此，你想不要我去也不行。"

白衣人道："多谢。"

叶开道："你既已请到了我，为什么还不走？"

白衣人道："在下奉命来请的，一共有六位，现在只请到五位。"

叶开道："所以你还不能走？"

白衣人道："是。"

叶开道："你请不到的是谁？"

他不等白衣人回答，突又大笑，道："我知道是谁了，看来他非但不愿请别人喝酒，也不愿别人请他喝酒。"

白衣人只有苦笑。

叶开道："你就算在这里站三天三夜，我保证你还是打不动他的心，这世上能令他动心的事，也许根本连一样也没有。"

白衣人只有叹气。

叶开道："要打动他这种人，只有一种法子。"

白衣人道："请教。"

叶开道："你无论想要他到什么地方去，请是一定请不动的，激他也没用，但你只要有法子打动他，就算不请他，他也一样会去，而且非去不可。"

白衣人苦笑道："只可惜在下实在不知道怎么样才能打动他。"

叶开道："你看我的。"

他忽然转身，大步向傅红雪走了过去。

傅红雪好像本就在那里等着。

叶开走到他面前，走到很近，好像很神秘的样子，低声道："你知不知道我究竟是什么人？跟你有什么关系？"

傅红雪道："你是什么人？怎么会跟我有关系？"

他苍白的脸上还是全无表情，但握着刀的一只手青筋却已凸起。

叶开笑了笑，道："你若想知道，今天晚上到万马堂去，我告诉你。"

他绝不让傅红雪再说一个字，掉头就走，走得很快，就好像生怕傅红雪会追上来似的。

傅红雪却动也没有动，只是垂下眼，看着手里的刀，瞳孔似已渐渐收缩。

叶开已走回白衣人面前，拍了拍他的肩，笑道："现在你已经可以回去交差了，今天晚上，我保证他一定会坐在万马堂里。"

白衣人迟疑着，道："他真的会去？"

叶开道："他就算不去，也是我的事了，你已经完全没有责任。"

白衣人展颜道："多谢！"

叶开道："你不必谢我，应该谢你自己。"

白衣人怔了怔，道："谢我自己？"

叶开笑道："二十年前就已名动江湖的'一剑飞花'花满天，既然能为了别人在这里站一天一夜，我为什么不能替他做点事呢？"

白衣人看着他，面上的表情很奇特，过了很久，才淡淡道："阁下知道的事好像不少。"

叶开笑道："幸好也不太多。"

白衣人也笑了，长身一揖，道："今夜再见。"

叶开道："一定要见！"

白衣人再一拜揖，缓缓转身，拔起了地上的大旗，卷起了白绫，突然用枪梢在地上一点，人已凌空掠起。

就在这时，横巷中奔出一匹马来。

白衣人身子不偏不倚，恰巧落在马鞍上。

健马一声长嘶，已十丈开外。

叶开目送着白衣人人马远去，忽然轻轻叹了口气，喃喃道："看来这万马堂当真是藏龙卧虎，高手如云……"

他伸长手，仰天打了个呵欠，回头再找傅红雪时，傅红雪已不见了。

碧天，黄沙。

黄沙连着天，天连着黄沙。

远远望过去，一面白色的大旗正在风沙中飞卷。

大旗似已远在天边。

万马堂似也远在天边！

无边无际的荒原，路是马蹄踏出来的，漫长、笔直，笔直通向那面大旗。

旗下就是万马堂。

傅红雪站在荒原中，站在马道旁，看着这面大旗，已不知道看了多久。

现在，他才慢慢地转过身。

漫天黄沙中，突然出现了一点红影，流星般飞了过来。

一匹胭脂马，一个红衣人。

傅红雪刚走出三步，已听到身后的马蹄声。

他没有回头，又走了几步，人马已冲过他身旁。

马上的红衣人却回过头来，一双剪水双瞳，只盯了他手中的刀一眼，一双纤纤玉手已勒住了缰绳。

好俊的马，好美的人。

傅红雪却似乎没有看见，他不愿看的时候，什么都看不见。

马上人的明眸却在盯着他的脸。忽然道："你就是那个人？连花场主都请不动你。"

她的人美，声音更美。

傅红雪没有听见。

马上人的柳眉扬起，大声道："你听着，今天晚上，你若敢不去，你就是混账王八蛋，我就杀了你拿去喂狗。"

她手里的马鞭，突然毒蛇般向傅红雪脸上狠狠地抽了过去。

傅红雪还是没有看见。

鞭梢一卷，突然变轻了，“叭”地，只不过在他脸上抽出了个淡淡的红印。

傅红雪还是好像全无感觉，但握刀的手背上，青筋却又凸起。

只听马上人吃吃笑道：“原来你这人是个木头人。”

银铃般的笑声远去，一人一马已远在黄沙里，转眼间只剩下一点红影。

傅红雪这才抬起手，抚着脸上的鞭痕颤抖起来。

他全身都抖个不停，只有握刀的一只手，却仍然稳定如磐石！

叶开还在打着呵欠。

若有人注意，他今天至少已打过三四十次呵欠了。

可是他偏偏不去睡觉。

他东逛西逛，左瞧右看，好像无论对什么事都很有兴趣。

就是对睡觉没有兴趣。

现在，他刚从一家杂货店里走出来，正准备走到对面的小面馆去。

他喜欢跟各式各样的人聊天，他觉得这地方每家店的老板好像都有点奇怪。

其实，奇怪的人也许只不过是他自己。

他走路也不快，却又和傅红雪不同。

傅红雪虽是个残废，走得虽慢，但走路时身子却挺得笔直，就像是一杆枪。

他走路却是懒洋洋的，好像全身的骨头都脱了节，你只要用小指头一点，他就会倒下去。

他穿过街心时，突然有一匹快马，箭一般冲入了长街。

一匹火红的胭脂马。

马上人艳如桃花——一种有刺的桃花。

人马还没有冲到叶开面前，她已扬起了马鞭，喝道：“你不要命了吗？快避开。”

叶开懒洋洋地抬起头，看了她一眼，连一点闪避的意思都没有。

她只有勒住缰绳，但手里的马鞭却已狠狠地抽了下去。

这次她比对付傅红雪时更不客气。

但叶开的手一抬，鞭梢就已在他手上。

他的手就好像有某种神奇的魔法一样，随时都可能做出一些你绝对想不到的事。

红衣女的脸上已红得仿佛染上了胭脂。

叶开只不过用三根手指夹住了鞭梢，但随便她怎么用力，也休想将鞭梢抽回来。

她又惊又急，怒道："你……你想干什么？"

叶开用眼角瞟着她，还是那副懒洋洋的样子，道："我只想告诉你几件事。"

红衣女咬着嘴唇，道："我不想听。"

叶开淡淡道："不听也行，只不过，一个大姑娘若从马上跌下来，那一定不会很好看的。"

红衣女只觉得突然有一股力量从马鞭上传了过来，只觉得自己随时都可能从马上跌下去，忍不住大声道："你有话快说，有屁快放。"

叶开笑了，道："你不应该这么凶的。不凶的时候，你本是个漂亮的小姑娘；但一凶起来，就变成个人人讨厌的母老虎了。"

红衣女忍着怒气，道："还有没有？"

叶开道："还有，无论是胭脂马也好，母老虎也好，踢死人都要赔命的。"

红衣女脸又气白了，恨恨道："现在你总可以放手了吧？"

叶开忽又一笑，道："还有一样事。"

红衣女道："什么事？"

叶开笑道："像我这样的男人，遇见你这样的女人，若连你的名字都不问，就放你走了，岂非对不起自己，也对不起你。"

红衣女冷笑道："我为什么要把名字告诉你？"

叶开道："因为你不愿从马上跌下来。"

红衣女的脸似已气黄了，眼珠子一转，突然说道："好，我告诉你，我姓李，叫姑姑，现在你总该松手了吧？"

叶开微笑着松开手，道："李姑姑，这名字倒……"

他忽然想通了，但这时人马已从他身旁箭一般的冲过去。

只听红衣女在马上大笑道："现在你该明白了吧，我就是你这孙子王八蛋的姑奶奶。"

她还是怕叶开追上来，冲出去十来丈，身子突然凌空跃起，燕子般一掠，飞入了路旁一道窄门里。

好像她只要一进了这窄门，就没有任何人敢来欺负她了。

门里十八张桌子都是空着的。

只有那神秘的主人，还坐在楼梯口的小桌上，玩着骨牌。

现在是白天，白天这地方从不招呼任何客人。

这地方的主人做的生意也许并不高尚，但规矩却不少。

你要到这里来，就得守他的规矩。

他两鬓已斑白，脸上每一条皱纹中，都不知隐藏着多少欢乐、多少痛苦、多少秘密，但一双手却仍柔细如少女。

他穿着很华丽，华丽得甚至已接近奢侈。

桌上有金樽，杯中的酒是琥珀色的，光泽柔润如宝石。

他正在将骨牌一张张慢慢地摆在桌上，摆成了个八卦。

红衣女一冲进来，脚步就放轻了，轻轻走过去，道："大叔你好。"

一进了这屋子，这又野又刁蛮的少女，好像立刻就变得温柔规矩起来。

主人并没有转头看她，只微笑着点了点头，道："坐。"

红衣女在他对面坐下，仿佛还想说什么，但他却摆了摆手，道："等一等。"

她居然肯听话，就静静地坐在那里等。

主人看着桌上用骨牌摆成的八卦，清癯、瘦削、饱经风霜的脸上，神情仿佛很沉重，过了很久，才仰面长长叹息了一声，意兴更萧索。

红衣女忍不住问道："你真的能从这些骨牌上看出很多事？"

主人道："嗯。"

红衣女眨着眼，道："今天你看出了什么？"

主人端起金杯，浅浅啜了一口，肃然道："有些事你还是不知道的好。"

红衣女道："若知道了呢？"

主人缓缓说道："天机难测，知道了，反而会有灾祸了。"

红衣女道："知道有灾祸，岂非就可以想法子去避免？"

主人慢慢地摇了摇头，神情更沉重，长叹道："有些灾祸是避不开的，绝对避不开的……"

红衣女看着桌上的骨牌，发了半天呆，喃喃道："我怎么什么都看不出来？"

主人黯然道："就因为你看不出来，所以你才比我快乐。"

红衣女又呆了半晌，才展颜笑道："这些事我不管，我只问你，你今天晚上，到不到我们家去？"

主人皱眉道："今天晚上？"

红衣女道："爹爹说，今天晚上他请了几位很特别的客人，所以想请大叔你也一起去。再过一会儿，就有车子来接了。"

主人沉吟着，道："我还是不去的好。"

红衣女噘起嘴道："其实爹爹也知道你绝不会去的，但还是要叫我来跑这一趟，害得我还受了一个小鬼的欺负，差点被活活气死。"

只听一人笑道："小鬼并没有欺负姑奶奶，是姑奶奶先要踢死小鬼的。"

红衣女怔住。

叶开不知什么时候也来了，正懒洋洋地倚在门口，看着她笑。

红衣女变色道："你凭什么到这里来？"

叶开悠然道："不应该到这里来的人，却不是我，是你。"

红衣女跺了跺脚，转身道："大叔，你还不把这人赶出去，你听他说的是什么话？"

主人淡淡一笑，道："天快黑了，你还是快回去吧，免得你爹爹着急。"

红衣女又怔了怔，狠狠一跺脚，从叶开旁边冲出了门。

她走得太急，差点被门槛绊倒。

叶开笑道："姑奶奶走好，自己若跌死了，是没有人赔命的。"

红衣女冲出去，"砰"的一声，关上了门，忽又把门拉开一线，道："多谢你这乖孙子关心，姑奶奶是跌不死的。"

这句话没说完，门又“砰”地关起，只听门外一声呼喝，就有马蹄声响起，在门口停了停，一瞬间又消失在街头。

叶开叹了口气，苦笑着喃喃道：“好一匹胭脂马，好一个母老虎。”

主人忽又笑道：“你只说对了一半。”

叶开道：“哪一半？”

主人道：“附近的人，替她们一人一马都取了个外号，人叫胭脂虎，马叫胭脂奴。”

叶开笑了。

主人接着道：“她也就是你今夜东道主人的独生女儿。”

叶开失声道：“她就是万马堂三老板的女儿？”

主人点点头，微笑道：“所以你今天晚上最好小心些，莫要被这胭脂虎咬断了腿。”

叶开又笑了，他忽然发现这人并不像外表看来这么神秘孤独，所以又问：“三老板究竟姓什么？”

这人道：“马，马芳铃。”

叶开笑道：“马芳铃，他怎么会取这样一个女人的名字？”

主人道：“父亲名字是马空群，女儿是马芳铃。”

他一双洞悉人生的眼睛，正看着叶开，微笑着又道：“阁下真正要问的，定然不是父亲，而是女儿。在下既闻弦歌，怎会听不出阁下的雅意？”

叶开大笑，道：“但愿今夜的主人，也有此间主人同样风采，叶开也就算不虚此行了。”

主人道：“叶开？”

叶开道：“木叶之叶，开门之开……也就是开心的开。”

主人笑道：“这才是人如其名。”

叶开道：“主人呢？”

主人沉吟着，道：“在下萧别离。”

叶开说道：“木叶萧萧之萧？别绪之别？离愁之离？”

萧别离道：“阁下是否觉得这名字有些不祥？”

叶开道：“不祥未必，只不过……未免要令人兴起几分惆怅而已。”

萧别离淡淡道："天下无不散的筵席，人生本难免别离，将来阁下想必要离此而去，在下又何尝不如此。所以，若是仔细一想，这名字也普通得很。"

叶开大笑，道："但自古以来，黯然销魂者，唯别而已，阁下既然取了个如此引人忧思的名字，就当浮一大白。"

萧别离也大笑，道："不错，当浮一大白。"

他一饮而尽，持杯沉吟，忽然又道："其实人生之中，最令人销魂的，也并非别离，而是相聚。"

叶开道："相聚？"

萧别离道："若不相聚，哪有别离？"

叶开咀嚼良久，不禁叹息，喃喃道："不错，若无相聚，哪来的别离？……若无相聚，又怎么会有别离？……"他反反复复低咏着这两句话，似已有些痴了。

萧别离道："所以阁下也错了，也当浮一大白才是。"叶开走过去，举杯饮尽，忽又展颜而笑，道："若没有刚才的错，又怎会有现在这杯酒呢？所以有时错也是好的。"突然间，车辚马嘶，停在门外。

萧别离长长叹息，道："刚说别离，看来就已到了别离时刻，万马堂的车子已来接客了。"

叶开笑道："但若无别离，又怎会有相聚？"

他放下酒杯，头也不回，大步走了出去。

萧别离看着他走出去，喃喃道："若无别离，又怎有相聚？只可惜有时一旦别离，就再难相聚了。"

一辆八马并驰的黑漆大车，就停在门外。

黑漆如镜，一个人肃立待客，却是一身白衣如雪。

车上斜插着一面白绫三角旗："关东万马堂"。

叶开刚走过去，白衣人已长揖笑道："阁下是第一位来的，请上车。"

这人年纪比花满天小些，但也有四十岁左右，圆圆的脸，面白微须，不笑时已令人觉得很可亲。

叶开看着他，道："你认得我？"

白衣人道："还未识荆。"

叶开道："既不认得，怎知我是万马堂的客人？"

白衣人笑道："阁下来此仅一夕，但阁下的豪华，却已传遍边城，何况，若非阁下这样的英雄，襟上又怎会有世间第一美人的珠花呢？"

叶开道："你认得这朵珠花？"

白衣人道："这朵珠花本是在下送的。"

他不让叶开说话，忽又叹息一声道："只可惜在下虽然自命多情，却还是未曾博得美人的一笑。"

叶开却笑了，拍着他的肩，笑道："我以前也被人恭维过，但被人恭维得如此的开心，这倒还真是平生第一次。"

车厢中舒服而干净，至少可以坐八个人。

现在来的却只有叶开一个人。

他见着花满天时，已觉得万马堂中卧虎藏龙，见到这白衣人，更觉得万马堂不但知人，而且善用。

纵然是公侯将相之家的迎宾使者，也未必能有他这样的如珠妙语，善体人意。

无论谁能令这种人为他奔走效忠，他都一定是个很了不起的人。

叶开忽然想快点去看看那位三老板究竟是个怎么样的角色，所以忍不住问道："还有别的客人呢？"

白衣人道："据说有一位客人，是由阁下代请的。"

叶开道："你用不着担心，这人一定会去的，而且一定是用自己的方法去，我问的是另外四位。"

白衣人沉吟着，道："现在他们本已该来了。"

叶开道："但现在他们还没有来。"

白衣人忽又一笑，道："所以我们也不必再等，该去的人，总是会去的。"

夜色渐临。

荒原上显得更苍凉，更辽阔。

万马堂的旗帜已隐没在无边无际的黑暗里。

白衣人坐在叶开对面，微笑着。

他的笑容仿佛永远不会疲倦。

马蹄声如奔雷，冲破了无边寂静。

叶开忽然叹了口气，道："今夜若只有我一个人去，只怕就回不来了。"

白衣人仿佛听得很刺耳，却还是勉强笑道："此话怎讲？"

叶开道："听说万马堂有窖藏的美酒三千石，若只有我一个人去喝，岂非要被醉死？"

白衣人笑了笑，道："这点阁下只管放心，万马堂里也不乏酒中的豪客，就连在下也能陪阁下喝几杯的。"

叶开道："万马堂中若是高手如云，我更非死不可了。"

白衣人的笑容仿佛又有些僵硬，道："酒鬼是有的，哪有什么高手？"

叶开淡淡道："我说的本是酒中的高手，那么多人若是轮流来敬我的酒，我不醉死才是怪事呢！"

白衣人展颜道："三老板此番相请，为的只不过是想一睹阁下风采，纵然令人劝酒，也只不过是意思意思而已，哪有灌醉阁下之理？"

叶开道："但我还是有点怕。"

白衣人道："怕什么？"

叶开笑了笑，道："怕的是你们不来灌我。"

白衣人也笑了。

就在这时，荒原中忽然传来一阵奇异的歌声。

歌声凄恻，如泣如诉，又像是某种神秘的经文咒语！但每个字都听得很清楚：

天皇皇，地皇皇。
眼流血，月无光。
一入万马堂，
刀断刃，人断肠！
天皇皇，地皇皇。
泪如血，人断肠。

一入万马堂，
休想回故乡。

歌声凄恻悲厉，缥缈回荡，又像是某种神秘的经咒，又像是孤魂的夜哭。

白衣人脸色已渐渐变了，突然伸手一推车窗，道：“抱歉。”

两个字还未说完，他的人已掠出窗外，再一闪，就看不见了。

第三章

刀断刃，人断肠

白衣人掠出三丈，足尖点地，一鹤冲天，身子孤烟般冲天拔起。

荒野寂寂，夜色中迷漫着黄沙，哪里看得见半条人影？

只剩下歌声的余韵，仿佛还缥缈在夜风里。

风在呼啸。

白衣人沉声喝道：“朋友既然有意寻衅，何不现身一见？”

声音虽低沉，但中气充足，一个字一个字都被传送到远方。

这两句话说完，白衣人又已掠出十余丈，已掠入道旁将枯未枯的荒草中。

风卷着荒草，如浪涛汹涌起伏。

看不见人，也听不见回应。

白衣人冷笑道：“好，只要你已到了这里，看你能躲到几时。”

他抬头看了看天色，身子倒蹿，又七八个起落，已回到停车处。

叶开还是懒洋洋地斜倚在车厢里，手敲着车窗，曼声低诵。

“……一入万马堂，刀断刃，人断肠，休想回故乡……”

他半眯着眼睛，面带着微笑，仿佛对这歌曲很欣赏。

白衣人拉开车门跨进车厢，勉强笑道：“这也不知是哪个疯子在胡喊乱唱，阁下千万莫要听他的。”

叶开淡淡一笑，道：“无论他唱的是真是假，都和我没有半点关系，我听不听都无妨。”

白衣人道：“哦？”

叶开拍了拍身子，笑道：“你看，我既没有带刀，肠子只怕也早已被酒泡烂了。何况我流浪天涯，四海为家，根本就没有故乡，三老板若真的要将我留在万马堂，我正是求之不得。”

白衣人大笑，道：“阁下果然是心胸开朗，非常人能及。”

叶开眨眨眼，微笑道：“‘烟中飞鹤’云在天的轻功三绝技，岂非也同样无人能及。”

白衣人悚然动容，但瞬即又仰面而笑，道：“云某远避江湖十余年，想不到阁下竟一眼认了出来，当真是好眼力！”

叶开悠然说道：“我的眼力虽不好，但‘推窗望月飞云式’‘一鹤冲天观云式’‘八步赶蝉追云式’，这种武林罕见的轻功绝技，倒还是认得出来的。”

云在天勉强笑道：“惭愧得很。”

叶开道：“这种功夫若还觉得惭愧，在下就真该跳车自尽了。”

云在天目光闪动，道：“阁下年纪轻轻，可是非但见识超人，而且江湖中各门各派的武功，阁下似乎都能如数家珍，在下却直到现在，还看不出阁下的一点来历，岂非惭愧得很？”

叶开笑道：“我本就是个四海为家的浪子，阁下若能看出我的来历，那才是怪事。”

云在天沉吟着，还想再问，突听车门外“笃、笃、笃”响了三声，竟像是有人在敲门。

云在天动容道：“谁？”

没有人回应，但车门外却又“笃、笃、笃”响了三声。

云在天皱了皱眉，突然一伸手，打开了车门。

车门摇荡，道路飞一般向后倒退，外面就算是个纸人也挂不住，哪里有活人？

但却只有活人才会敲门。

云在天沉着脸，冷冷道：“见怪不怪，其怪自败，只有最愚蠢的人，才会做这种事。”

他自已想将车门拉起，突然间，一只手从车顶上挂了下来。

一只又黄又瘦的手，手里还拿着个破碗。

一个阴阳怪气的声音，在车顶上道：“有没有酒，快给我添上一碗，我已经快渴死了。”

云在天看着这只手，居然又笑了，道：“幸好车上还带着有酒，乐先生何不请下来？”

两只又脏又黑的泥脚，穿着双破破烂烂的草鞋，有只草鞋连底都不见了一半，正随着车马的颤动，在摇来摇去。

叶开倒真有点担心，生怕这人会从车顶上跌下来。

谁知人影一闪，这人忽然间已到了车厢里，端端正正地坐在叶开对面，一双眼睛半醉半醒，直勾勾地看着叶开。

叶开当然也在看着他。

他身上穿着件秀才的青衿，非但洗得很干净，而且连一个补丁都没有。

先看到他的手，再看到他的脚，谁也想不到他身上穿的是这么样一件衣服。叶开看着他，只觉得这人实在有趣得很。

这位乐先生忽然瞪起了眼，道："你盯着我看什么？以为我这件衣服是偷来的？"

叶开笑道："若真是偷来的，千万告诉我地方，让我也好去偷一件。"

乐先生瞪着眼道："你已有多久没换过衣服了？"

叶开道："不太久，还不到三个月。"

乐先生皱起了眉，道："难怪这里就像是鲍鱼之肆，臭不可闻也。"

叶开眨眨眼，道："你几天换一次衣服？"

乐先生道："几天换一次衣服？那还得了，我每天至少换两次。"

叶开道："洗澡呢？"

乐先生正色道："洗澡最伤元气，那是万万洗不得的。"

叶开笑了笑，道："你是新瓶装着旧酒，我是旧瓶装着新酒，你我本就有异曲同工之妙，又何必相煎太急。"

乐先生看着他，眼珠子滴溜溜在转，突然跳起来，大声道："妙极妙极，这比喻实在妙极，你一定是个才子，了不起的才子——来，快拿些酒来，我遇见才子若不喝两杯，准得大病一场。"

云在天微笑道："两位也许还不认得，这位就是武当的名宿，也正是江湖中最饱学的名士，乐乐山，乐大先生。"

叶开道："在下叶开。"

乐乐山道："我也不管你是叶开叶闭，只要你是个才子，我就要跟你喝三杯。"

叶开笑道："莫说三杯，三百杯也行。"

乐乐山抚掌道："不错，会须一饮三百杯，莫使金樽空对月。来，酒来。"

云在天已在车座下的暗屉中，取出了个酒坛子，笑道："三老板还在相候，乐先生千万不要在车上就喝醉了。"

乐乐山瞪眼道："管他是三老板、四老板，我敬的不是老板，是才子——来，先干一杯。"

三碗酒下肚，突听"当"的一声，破碗已溜到车厢的角落里。

再看乐乐山，伏在车座上，竟已醉了。

叶开忍不住笑道："此公醉得倒真快。"

云在天笑道："你知不知道此公还有个名字，叫三无先生？"

叶开道："三无先生？"

云在天道："好色而无胆，好酒而无量，好赌而无胜，此所谓三无，所以他就自称三无先生。"

叶开笑道："是真名士自风流，无又何妨？"

云在天微笑道："想不到阁下竟是此公的知音。"

叶开推开车窗，长长吸了口气，忽又问道："我们要什么时候才能到得了万马堂？"

云在天道："早已到了。"

叶开怔了怔，道："现在难道已过去了？"

云在天道："也还没有过去，这里也是万马堂的地界。"

叶开道："万马堂究竟有多大？"

云在天笑了笑，道："虽不太大，但自东至西，就算用快马急驰，自清晨出发，也要到黄昏才走得完全程。"

叶开叹了口气，道："如此说来，三老板难道是要请我们去吃早点的？"

云在天笑道："三老板的迎宾处就在前面不远。"

这时晚风中已隐隐有马嘶之声，自四面八方传了过来。

探首窗外，已可看得见前面一片灯火。

万马堂的迎宾处，显然就在灯火辉煌处。

马车在一道木栅前停下。

用整条杉木围成的栅栏，高达三丈。里面一片屋宇，也看不出有多少间。

一道拱门矗立在夜色中，门内的刁斗旗杆看来更高不可攀。

但杆上的旗帜已降下。

两排白衣壮汉两手垂立在拱门外，四个人抢先过来拉开了车门。

叶开下了车，长长呼吸，纵目四顾，只觉得苍穹宽广，大地辽阔，绝不是局促城市中的人所能想象。

云在天也跟着走过来，微笑道："阁下觉得此间如何？"

叶开叹道："我只觉得，男儿得意当如此，三老板能有今日，也算不负此生了。"

云在天也唏嘘叹道："他的确是个非常人，但能有今日，也不容易。"

叶开点了点头，道："乐先生呢？"

云在天笑道："已玉山颓倒，不复能行了。"

叶开目光闪动，忽又笑道："幸好车上来的客人，还不止我们两个。"

云在天道："哦？"

叶开忽然走过去，拍了拍正在马前低着头擦汗的车夫，微笑道："阁下辛苦了！"

车夫怔了怔，赔笑道："这本是小人分内应当作的事。"

叶开道："其实你本该舒舒服服地坐在车厢里的，又何苦如此？"

车夫怔了半晌，突然摘下头上的斗笠，仰面大笑，道："好，果然是好眼力，佩服佩服。"

叶开道："阁下能在半途停车的那一瞬间，自车底钻出，点住那车夫的穴道，抛入路旁荒草中，再换过他的衣服，身手之快，做事之周到，当真不愧'细若游丝，快如闪电'这八个字。"

这车夫又怔了怔，道："你怎么知道我是谁？"

叶开笑道："江湖中除了飞天蜘蛛外，谁能有这样的身手？"

飞天蜘蛛大笑，随手甩脱了身上的白衣，露出了一身黑色劲装，走过去向云在天长长一揖，道："在下一时游戏，云场主千万恕罪。"

云在天微笑道："阁下能来，已是赏光，请。"

这时已有人扶着乐乐山下了车。

云在天含笑揖客，当先带路，穿过一片很广大的院子。

前面两扇白木板的大门，本来是关着的，突然"呀"的一声开了。

灯光从屋里照出来，一个人当门而立。

门本来已经很高大，但这人站在门口，却几乎将整个门都挡住。

叶开本不算矮，但也得抬起头，才能看到这人的面目。

这人满脸虬髯，一身白衣，腰里系着一尺宽的牛皮带，皮带上斜插着把银鞘乌柄奇形弯刀，手里还端着杯酒。

酒杯在他手里，看来并不太大，但别的人用两只手也未必能捧得住。

云在天抢先走过去，赔笑道："三老板呢？"

虬髯巨汉道："在等着，客人们全来么？"

无论谁第一次听他开口说话，都难免要被吓一跳，他第一个字说出来时，就宛如半天中打下的旱雷，震得人耳朵嗡嗡作响。

云在天道："客人已来了三位。"

虬髯巨汉浓眉挑起，厉声道："还有三个呢？"

云在天道："只怕也快来了。"

虬髯巨汉点点头，道："我叫公孙断，我是个粗人，三位请进。"

他说话也像是"断"的，上一句和下一句，往往全无关系，根本连不到一起。

门后面是个极大的白木屏风，几乎有两丈多高，上面既没有图画，也没有字，但却洗得干干净净，一尘不染。

叶开他们刚刚走进门，突听一阵马蹄急响，九匹马自夜色中急驰而来。

到了栅栏外，马上人一偏腿，人已下了马鞍，马也停下，非但人马的动作，全部整齐划一，连装束打扮，也完全一模一样。

九个人都是束金冠，紫罗衫，腰悬着长剑，剑鞘上的宝石闪闪生光；只不过其中一个人腰上还束着紫金带，剑穗上悬着龙眼般大的一粒夜明珠。

九个人都是很英俊的少年，这人更是长身玉立，神采飞扬，在另外八个人的蜂拥中，昂然直入，微笑着道："在下来迟一步，抱歉，抱歉。"

他嘴里虽然说抱歉，但满面傲气，无论谁都可以看得出他连半点抱歉的意思都没有。

九个人穿过院子，昂然来到那白木大门口。

公孙断突然大声道："谁是慕容明珠？"

那紫袍金带的贵公子，双眼微微上翻，冷冷道："就是我。"

公孙断厉声道："三老板请的只是你一个人，叫你的跟班退下去。"

慕容明珠脸色变了变，道："他们不能进去？"

公孙断道："不能！"

跟在慕容明珠左右的一个紫衫少年，手握剑柄，似要拔剑。

突见银光一闪，他的剑还未拔出，已被公孙断的弯刀连鞘削断，断成两截。

公孙断的刀又入鞘，说道："谁敢在万马堂拔剑，这柄剑就是他的榜样。"

慕容明珠脸上阵青阵白，突然反手一掌掴在身旁那少年脸上，怒道："谁叫你拔剑，还不给我快滚到外面去。"

这紫衫少年气都不敢吭，垂着头退下。

叶开觉得很好笑。

他认得这少年正是昨天晚上，逼他喝酒的那个人。

这少年好像随时随地都想拔剑，只可惜他的剑总是还未拔出来，就已被人折断。

转过屏风，就是一间大厅。

无论谁第一眼看到这大厅，都难免要吃一惊。

大厅虽然只不过十来丈宽，简直长得令人无法想象。

一个人若要从门口走到另一端去，说不定要走上一两千步。

大厅左边的墙上，画着的是万马奔腾，有的引颈长嘶，有的飞鬃扬蹄，每匹马的神态都不同，每匹马都画得栩栩如生，神骏无比。

另一边粉墙上，只写着三个比人还高的大字，墨渍淋漓，龙飞凤舞："万马堂"。

大厅中央，只摆着张白木长桌，长得简直像街道一样，可以容人在桌上驰马。

桌子两旁，至少有三百张白木椅。

你若未到过万马堂，你永远无法想象世上会有这么长的桌子，这么大的厅堂！

厅堂里既没有精致的摆设，也没有华丽的装饰，但却显得说不出的庄严、肃穆、高贵、博大。

无论谁走到这里，心情都会不由自主地觉得严肃沉重起来。

长桌的尽头处，一张宽大的交椅上，坐着一个白衣人。

究竟是怎么样一个人，谁也看不太清楚，只看见他端端正正地坐在那里。

就算屋子里没有别人的时候，他坐得还是规规矩矩，椅子后虽然有靠背，他腰干还是挺得笔直笔直。

他一个人孤孤单单地坐在那里，距离每个人都那么遥远。

距离红尘中的万事万物，都那么遥远。

叶开虽然看不见他的面貌神情，却已看出他的孤独和寂寞。

他仿佛已将自己完全隔绝红尘外，没有欢乐，没有享受，没有朋友。

难道这就是英雄必须付出的代价？

现在他似在沉思，却也不知是在回忆昔日的艰辛百战？还是在感慨人生的寂寞愁苦？

这么多人走了进来，他竟似完全没有听见，也没有看见。

这就是关东万马堂的主人！

现在他虽已百战成功，却无法战胜内心的冲突和矛盾。

所以他纵然已拥有一切，却还是得不到自己的安宁和平静！

云在天大步走了过去，脚步虽大，却走得很轻，轻轻地走到他身旁，弯下腰，轻轻地说了两句话。

他这才好像突然自梦中惊醒，立刻长身而起，抱拳道："各位请，请坐。”

慕容明珠手抚剑柄，当先走了过去。

公孙断却又一横身，挡住了他的去路。

慕容明珠脸色微变，沉声说道：“阁下又有何见教？”

公孙断什么话都不说，只是虎视眈眈盯着他腰悬的剑。

慕容明珠变色道：“你莫非要我解下这柄剑？”

公孙断冷然慢慢地点了点头，一字字道：“没有人能带剑入万马堂！”

慕容明珠脸上阵青阵白，汗珠已开始一粒粒从他苍白挺直的鼻梁上冒出来，握着剑的手，青筋已一根根暴起。

公孙断还是冷冷地站在那里，冷冷地看着他，就像是一座山。

慕容明珠的手却已开始颤抖，似乎也已忍不住要拔剑。

就在这时，忽然有只干燥稳定的手伸过来，轻轻按住了他的手。

慕容明珠霍然转身，就看到了叶开那仿佛永远带着微笑的脸。

叶开微笑着，悠然道：“阁下难道一定要在手里握着剑的时候，才有胆量入万马堂？”

“当”的一响，剑已在桌上。

一盏天灯，慢慢地升起，升起在十丈高的旗杆上。

雪白的灯笼上，五个鲜红的大字：“关东万马堂”。

紫衫少年们斜倚着栅栏，昂起头，看着这盏灯笼升起。

有的人已忍不住冷笑：“关东万马堂，哼，好大的气派！”

只听一人淡淡道：“这不是气派，只不过是种讯号而已。”

旗杆下本来没有人的，这人也不知在什么时候，忽然已站在旗杆下，一身白衣如雪。

他说话的声音很慢，态度安详而沉稳。

他身上并没有佩剑。

但他却是江湖中最负盛名的几位剑客之一，“一剑飞花”花满天。

紫衫少年倒显然并不知道他是谁，又有人问道：“讯号，什么讯号？”

花满天缓缓道：“这盏灯只不过要告诉过路的江湖豪杰，万马堂内，此刻正有要事相商，除了万马堂主请的客人之外，别的人无论有什么事，最好都等到明天再来。”

忽然又有人冷笑：“若有人一定要在今天晚上来呢？”

花满天静静地看着他，突然一伸手，拔出了腰悬的剑。

他们的距离本来很远，但花满天一伸手，就已拔出了他的剑，随手一抖，一柄百炼精钢的长剑忽然间就已断成了七八截。

这少年眼睛发直，再也说不出话来。

花满天将剩下的一小截剑，又轻轻插回他剑鞘里，淡淡道：“外面风沙很大，那边偏厅中备有酒菜，各位何不过去小饮两杯？”

他不等别人说话，已慢慢地转身走了回去。

紫衫少年们面面相觑，每个人的手都紧紧握着剑柄，却已没有一个人还敢拔出来。

就在这时，他们忽然又听到身后有人缓缓说道：“剑不是作装饰用的。不懂得用剑的人，还是不要佩剑的好。”

这是句很尖刻的话，但他却说得很诚恳。

因为他并不是想找麻烦，只不过是在向这些少年良言相劝而已。

紫衫少年们的脸色全变了，转过身，已看到他从黑暗中慢慢地走过来。

他走得很慢，左脚先迈出一步后，右脚也跟着慢慢地从地上拖过去。

大家忽然一起转过头去看那第一个断剑的少年，也不知是谁问道：“你昨天晚上遇见的，就是这个跛子？”

这少年脸色铁青，咬着牙，瞪着傅红雪，忽然道：“你这把刀是不是装饰品？”

傅红雪道：“不是。”

少年冷笑道：“如此说来，你懂得用刀？”

傅红雪垂下眼，看着自己握刀的手。

少年道：“你若懂得用刀，为什么不使出来给我们看看？”

傅红雪道：“刀也不是看的。”

少年道：“不是看的，难道是杀人的？就凭你难道能杀人？”

他突然大笑，接着道：“你若真有胆子就把我杀了，就算你真有本事。”

紫衫少年一起大笑，又有人笑道："你若没这个胆子，也休想从大门里走进，就请你从这栏杆下面爬进去。"

他们手挽着手，竟真的将大门挡住。

傅红雪还是垂着头，看着自己握刀的手，过了很久，竟真的弯下腰，慢慢地钻入了大门旁的栏杆。

紫衫少年们放声狂笑，似已将刚才断剑之耻，忘得干干净净。

他们的笑声，傅红雪好像根本没有听见。

他脸上还是全无表情，慢慢地钻过栅栏，拖着沉重的脚步，一步步往前走。

他身上的衣服不知何时又已湿透。

紫衫少年的笑声突然一起停顿——也不知是谁，首先看到了地上的脚印，然后就没有人还能笑得出。

因为大家都已发现，他每走一步，地上就留下一个很深的脚印。

就像是刀刻出来一般的脚印。

他显然已用尽了全身每一分力气，才能克制住自己心中的激动和愤怒。

他本不是个能忍受侮辱的人，但为了某种原因，却不得不忍受。

他为的是什么？

花满天远远地站在屋檐下，脸上的表情很奇特，仿佛有些惊奇，又仿佛有些恐惧。

一个人若看到有只饿狼走入了自己的家，脸上就正是这种表情。

他现在看着的，是傅红雪！

剑在桌上。

每个人都已坐了下来，坐在长桌的尽端，万马堂主的两旁。

万马堂主还是端端正正，笔直笔直地坐着，一双手平摆在桌上。

其实这双手已不能算是一双手，他左手已只剩下一根拇指。

其余的手指已连一点痕迹都不存在——那一刀几乎连他的掌心都一起断去。

但他还是将这双手摆在桌上，并没有藏起来。

因为这并不是羞耻，而是光荣。

这正是他身经百战的光荣痕迹！

他脸上每一条皱纹，也仿佛都在刻画着他这一生所经历的危险和艰苦，仿佛正在告诉别人，无论什么事都休想将他击倒！

甚至连令他弯腰都休想！

但他的一双眸子，却是平和的，并没有带着逼人的锋芒。

是不是因为那一长串艰苦的岁月，已将他的锋芒消磨？

还是因为他早已学会，在人面前将锋芒藏起？

现在，他正凝视着叶开。

他目光在每个人面前都停留了很久，最后才凝视着叶开。

他用眼睛的时候，远比用舌头的时候多。

因为他也懂得，多看可以使人增加智慧，多说却只能使人增加灾祸。

叶开微笑着。

万马堂主忽然也笑了笑，道：“阁下身上从来不带刀剑？”

叶开道：“因为我不需要。”

万马堂主慢慢地点了点头，道：“不错，真正的勇气，并不是从刀剑上得来的！”

慕容明珠突然冷笑，道：“一个人若不带刀剑，也并不能证明他就有勇气！”

万马堂主又笑了笑，淡淡道：“勇气这种东西很奇怪，你非但看不到，感觉不到，也根本没有法子证明的，所以……”

他目光凝注着叶开，慢慢接道：“一个真正有勇气的人，有时在别人眼中看来，反而像是个懦夫。”

叶开抚掌道：“有道理……我就认得这么样的一个人。”

万马堂主立刻追问，道：“这人是谁？”

叶开没有回答，只是微笑着，看着刚从屏风后走出来的一个人。

他笑得很神秘，很奇特。

万马堂主顺着他的目光看过去，就也立刻看到了傅红雪。

傅红雪的脸色在灯光下看来更苍白，苍白得几乎已接近透明。

但他的眸子却是漆黑的，就像是这无边无际的夜色一样，也不知隐藏着多少危险、多少秘密。

刀鞘也是漆黑的，没有雕纹，没有装饰。

他紧紧地握着这柄刀，慢慢地转过屏风，鼻尖上的汗珠还没有干透，就看到了大山般阻拦在他面前的公孙断。

公孙断正虎视眈眈，盯着他手里的刀。

傅红雪也在看着自己手里的刀，除了这柄刀外，他仿佛从未向任何人、任何东西多看一眼。

公孙断沉声道："没有人能带剑入万马堂，也没有人能带刀！"

傅红雪沉默着，沉默了很久，才缓缓道："从没有人？"

公孙断道："没有。"

傅红雪慢慢地点了点头，目光已从他自己手里的刀，移向公孙断腰带上斜插着的那柄弯刀，淡淡道："你呢？你不是人？"

公孙断脸色变了。

慕容明珠忽然大笑，仰面笑道："好，问得好！"

公孙断手握着金杯，杯中酒渐渐溢出，流在他黝黑坚硬如钢的手掌上。金杯已被他铁掌捏扁。

突然间，金杯飞起，银光一闪。

扭曲变形的金杯，"叮、叮、叮"落在脚下，酒杯被这一刀削成三截。弯刀仍如亮银般闪着光。

慕容明珠的大笑似也被这一刀砍断。偌大的厅堂中，死寂无声。

公孙断铁掌轻抚着刀锋，虎视眈眈，盯着傅红雪，一字字道："你若有这样的刀，也可带进来。"

傅红雪道："我没有。"

公孙断冷笑道："你这柄是什么刀？"

傅红雪道："不知道——我只知道，这柄刀不是用来砍酒杯的。"

他要抬起头，才能看见公孙断那粗糙坚毅，如岩石雕成的脸。

现在他已抬起头，看了一眼，只看了一眼，就转过身，目光中充满了轻蔑与不屑，左脚先迈出一步，右脚跟着慢慢地拖过去。

公孙断突然大喝："你要走？"

傅红雪头也不回，淡淡道，"我也不是来看人砍酒杯的。"

公孙断厉声道："你既然来了，就得留下你的刀；要走，也得留下刀来才能走！”

傅红雪停下脚步，还未干透的衣衫下，突然有一条条肌肉凸起。

过了很久，他才慢慢地问道：“这话是谁说的？”

公孙断道：“我这柄刀！”

傅红雪道：“我这柄刀说的却不一样。”

公孙断衣衫的肌肉也已绷紧，厉声道：“它说的是什么？”

傅红雪一字字道：“有刀就有人，有人就有刀。”

公孙断道：“我若一定要留下你的刀又如何？”

傅红雪道：“刀在这里，人也在这里！”

公孙断喝道：“好，很好！”

喝声中，刀光又已如银虹般飞出，急削傅红雪握刀的手。

傅红雪的人未转身，刀未出鞘，手也没有动。

眼见这一刀已将削断他的手腕，突听一人大喝：“住手！”

刀光立刻硬生生顿住，刀锋距离傅红雪的手腕已不及五寸。他的手仍然稳如磐石，纹风不动。

公孙断盯着他的这双手，额上一粒粒汗珠沁出，如黄豆般滚落。

他的刀挥出时，世上只有一个人能叫他住手。

第四章

与刀共存亡

这一刀总算没有砍下去！

又有谁知道这一刀砍下后，会有什么样的结果？

叶开长长吐出口气，脸上又露出了微笑，微笑着看着万马堂主。

马空群也微笑道：“好，果然有勇气，有胆量。这位可就是花场主三请不来的傅公子？”

叶开抢着道：“就是他。”

马空群道：“傅公子既然来了，总算赏光，请，请坐。”

公孙断霍然回首，目光炯炯，瞪着马空群，嗄声道：“他的刀……”

马空群目中带着深思之色，淡淡笑道：“现在我只看得见他的人，已看不见他的刀。”

话中含义深刻，也不知是说，他人的光芒，已掩盖过他的刀，还是在说，真正危险的是他的人，并不是他的刀。只是，他接着忖道：这柄漆黑的刀，似乎与多年前那柄……

公孙断牙关紧咬，全身肌肉一根根跳动不歇，突然跺了跺脚，“锵”地，弯刀已入鞘。

又过了很久，傅红雪才拖着沉重的脚步走进来，远远坐下。他手里还是紧紧握着他的刀。

他的手就摆在慕容明珠那柄装饰华美、缀满珠玉的长剑旁。漆黑的刀鞘，似已令明珠失色。

慕容明珠的人也已失色，脸上阵青阵白，突然长身而起。

云在天目光闪动，本就在留意着他，带着笑道：“阁下……”

慕容明珠不等他说话，抢着道：“既有人能带刀入万马堂，我为何不能带剑？”

云在天道："当然可以，只不过……"

慕容明珠道："只不过怎么？"

云在天淡淡一笑，道："只不过不知道阁下是否也有剑在人在、剑亡人亡的勇气？"

慕容明珠又怔住，目光慢慢从他面上冷漠的微笑，移向公孙断青筋凸起的铁掌，只觉得自己的身子已逐渐僵硬。

乐乐山一直伏在桌上，似已沉醉不醒，此刻突然一拍桌子，大笑道："好，问得好……"

慕容明珠身形一闪，突然一个箭步蹿出，伸手去抓桌上的剑。

只听"哗啦啦"的一阵响，又有七柄剑被人抛在桌上。

七柄装饰同样华美的剑，剑鞘上七颗同样的宝石在灯下闪闪生光。

慕容明珠的手在半空中停顿，手指也已僵硬。

花满天不知何时已走了进来。面上全无表情，静静地看着他，淡淡道："阁下若定要佩剑在身，就不如将这七柄剑一起佩在身上。"

乐乐山突又大笑道："关东万马堂果然是藏龙卧虎之地，看来今天晚上，只怕有人是来得走不得了！"

马空群双手摆在桌上，静静地坐在那里，还是坐得端端正正，笔笔直直。

这地方无论发生了什么事，他好像永远都是置身事外的。

他甚至连看都没有去看慕容明珠一眼。

慕容明珠的脸已全无血色，盯着桌上的剑，过了很久，才勉强问了句："他们的人呢？"

花满天道："人还在。"

云在天又笑了笑，悠然道："世上能有与剑共存亡这种勇气的人，好像还不太多。"

乐乐山笑道："所以聪明人都是既不带刀，也不带剑的。"

他的人还是伏在桌上，也不知是醉是醒，又伸出手在桌上摸索着，喃喃道："酒呢？这地方为什么总是只能找得着刀剑，从来也找不着酒的？"

马空群终于大笑，道："好，问得好，今日相请各位，本就是为了要和各位同谋一醉的——还不快摆酒上来？"

乐乐山抬起头，醉眼惺忪，看着他，道："是不是不醉无归？"

马空群道："正是。"

乐乐山道："若是醉了呢？能不能归去？"

马空群道："当然。"

乐乐山叹了口气，头又伏在桌上，喃喃道："这样子我就放心了……酒呢？"

酒已摆上。

金樽，巨觥，酒色翠绿。

慕容明珠的脸也像是已变成翠绿色的，也不知是该坐下，还是该走出去。

叶开突地一拍桌子，道："如此美酒，如此畅聚，岂可无歌乐助兴？久闻慕容公子文武双全，妙解音律，不知是否可为我等高歌一曲？"

慕容明珠终于转过目光，凝视着他。

有些人的微笑永远都不会怀有恶意的，叶开正是这种人。

慕容明珠看了他很久，突然长长吐出口气，道："好！"

他取起桌上巨觥，一饮而尽，竟真的以箸击杯，曼声而歌：

"天皇皇，地皇皇。眼流血，月无光。一入万马堂，刀断刃，人断肠。"

云在天脸色又变了。

公孙断霍然转身，怒目相视，铁掌又已按上刀柄。

只有马空群还是不动声色，脸上甚至还带着种很欣赏的表情。

慕容明珠已又饮尽一觥，仿佛想以酒壮胆，大声道："这一曲俚词，不知各位可曾听过？"

叶开抢着道："我听过！"

慕容明珠目光闪动，道："阁下听了之后，有何意见？"

叶开笑道："我只觉得这其中有一句妙得很。"

慕容明珠道："只有一句？"

叶开道："不错，只有一句。"

慕容明珠道："哪一句？"

叶开闭起眼睛，曼声而吟："刀断刃，人断肠……刀断刃，人断肠……"

他反复低诵了两遍，忽又张开眼，眼角瞟着马空群，微笑着道："却不知堂主是否也听出了这其中妙在哪里？"

马空群淡淡道："愿闻高见。"

叶开道："刀断刃，人断肠——为何不说是剑断刃，偏偏要说刀断刃呢？"

他目光闪动，看了看慕容明珠，又看了看傅红雪，最后又盯在马空群脸上。

傅红雪静静地坐在那里，静静地凝视着手里的刀，瞳孔似在收缩。

慕容明珠的眼睛里却发出了光，不知不觉中已坐下去，嘴角渐渐露出一丝奇特的笑意。

等他目光接触到叶开时，目中就立刻充满了感激。

飞天蜘蛛想必也不是个多嘴的人，所以才能一直用他的眼睛。

此刻他已下了决心，一定要交叶开这朋友。

"做他的朋友似乎要比做他的对头愉快得多，也容易得多。"

看出了这一点，飞天蜘蛛就立刻也将面前的一觥酒喝了下去，皱着眉道："是呀，为什么一定要刀断刃呢，这其中的玄妙究竟在哪里？"

花满天沉着脸，冷冷道："这其中的玄妙，只有唱出这首歌来的人才知道，各位本该去问他才是。"

叶开微笑着点了点头，道："有道理，在下好像是问错了人……"

马空群突然笑了笑，道："阁下并没有问错。"

叶开目光闪动，道："堂主莫非也……"

马空群打断了他的话，沉声道："关东刀马，天下无双。这句话不知各位可曾听说过？"

叶开道："关东刀马？……莫非这刀和马之间，本来就有些关系？"

马空群道："不但有关系，而且关系极深。"

叶开道："噢！"

马空群道："二十年前，武林中只知有神刀堂，不知有万马堂。"

叶开道："但二十年后，武林中却已只知有万马堂，不知有神刀堂。"

马空群脸上笑容已消失不见，又沉默了很久，才长长叹息了一声，一字字缓缓道："那只因神刀堂的人，已在十九年前死得干干净净！"

他脸色虽然还是很平静，但脸上每一条皱纹里，仿佛都隐藏着一种深沉的杀机，令人不寒而栗。

无论谁只要看了他一眼，都绝不敢再看第二眼。

但叶开却还是盯着他，追问道："却不知神刀堂的人，又是如何死的？"

马空群道："死在刀下！"

乐乐山突又一拍桌子，喃喃说道："善泳者溺于水，神刀手死在别人的刀下，古人说的话，果然有道理，有道理……酒呢？"

马空群凝视着自己那只被人一刀削去四指的手，等他说完了，才一字字接着道："神刀堂的每个人，都是万马堂的兄弟，每个人都被人一刀砍断了头颅，死在冰天雪地里，这一笔血债，十九年来万马堂中的弟兄未曾有一日忘却！"

他霍然抬起头，目光刀一般逼视着叶开，沉声道："阁下如今总该明白，为何一定要刀断刃了吧？"

叶开并没有回避他的目光，神色还是很坦然，沉吟着，又问道："十九年来，堂主难道还没有查出真凶是谁？"

马空群道："没有。"

叶开道："堂主这只手……"

马空群道："也是被那同样的一柄刀削断的。"

叶开道："堂主认出了那柄刀，却认不出那人的面目？"

马空群道："刀无法用黑巾蒙住脸。"

叶开又笑了，道："不错，刀若以黑巾蒙住，就无法杀人了。"

傅红雪目光还是凝视着自己手里的刀，突然冷冷道："刀若在鞘中呢？"

叶开道："刀在鞘中，当然也无法杀人。"

傅红雪道："刀在鞘中，是不是怕人认出来？"

叶开道："我不知道……我只知道这一件事。"

傅红雪在听着。

叶开笑了笑，道："我知道我若跟十九年前那血案有一点牵连，就绝不会带刀入万马堂来。"

他微笑着，接着道："除非我是个白痴，否则我宁可带枪带剑，也绝不会带刀的。"

傅红雪慢慢地转过头，目光终于从刀上移向叶开的脸，眼睛里带着种很奇怪的表情。

这是他第一次看人看得这么久——说不定也是最郑重的一次！

慕容明珠目中已有了酒意，突然大声道："幸亏这已是十九年前的旧案，无论是带刀来也好，带剑来也好，都已无妨。"

花满天冷冷道："那倒未必。"

慕容明珠道："在座的人，除了乐大先生外，十九年前，只不过是个孩子，哪有杀人的本事呢？"

花满天忽然改变话题，问道："不知阁下是否已成了亲？"

慕容明珠显然还猜不透他问这句话的用意，只好点了点头。

花满天道："有没有儿女？"

慕容明珠道："一儿一女。"

花满天道："阁下若是和人有仇，等阁下老迈无力时，谁会去替阁下复仇？"

慕容明珠道："当然是我的儿子。"

花满天笑了笑，不再问下去。

他已不必再问下去。

慕容明珠怔了半晌，勉强笑道："阁下难道怀疑我们其中有人是那些凶手的后代？"

花满天拒绝回答这句话——拒绝回答通常也是种回答。

慕容明珠涨红了脸，道："如此说来，堂主今日请我们来，莫非还有什么特别的用意？"

马空群的回答很干脆："有！"

慕容明珠道："请教！"

马空群缓缓道："既有人家，必有鸡犬。各位一路前来，可曾听到鸡啼犬吠之声？”

慕容明珠道：“没有。”

马空群道：“各位可知道这是为了什么？”

慕容明珠道：“也许这地方没有人养鸡养狗。”

马空群道：“边城马场之中，怎么会没有牧犬和猎狗？”

慕容明珠道：“有？”

马空群道：“单只花场主一人，就养了十八条来自藏边的猛犬。”

慕容明珠用眼角瞧着花满天，冷冷道：“也许花场主养的狗都不会叫——咬人的狗本就不叫的。”

花满天沉着脸道：“世上绝没有不叫的狗。”

乐乐山忽又抬起头，笑了笑道：“只有一种狗是绝不叫的。”

花满天道：“死狗？”

乐乐山大笑，道：“不错，死狗，只有死狗才不叫，也只有死人才不说话……”

花满天皱了皱眉，道：“喝醉了的人呢？”

乐乐山笑道：“喝醉了的人不但话特别多，而且还专门说讨厌话。”

花满天冷冷道：“这倒也是真话。”

乐乐山又大笑，道：“真话岂非本就总是令人讨厌的……酒，酒呢？”

他笑声突然中断，人已又倒在桌上。

花满天皱着眉，满脸俱是厌恶之色。

云在天忽然抢着道：“万马堂中，本有公犬二十一条，母犬十七条，共计三十八条；饲鸡三百九十三只，平均每日产卵三百枚，每日食用肉鸡约四十只，还不在此数。”

此时此刻，他居然好像账房里的管事一样，报起流水账来了。

叶开微笑道：“却不知公鸡有几只？母鸡有几只？若是阴盛阳衰，相差太多，场主就该让公鸡多多进补才是，也免得影响母鸡下蛋。”

云在天也笑了笑，道：“阁下果然是个好心人，只可惜现在已用不着了。”

叶开道：“为什么？”

云在天忽然也沉下了脸，一字字道：“此间的三十八条猛犬，三百九十三只鸡，都已在一夜之间，死得干干净净。”

叶开皱了皱眉，道：“是怎么死的？”

云在天脸色更沉重，道：“被人一刀砍断了脖子，身首异处而死。”

慕容明珠突又笑道：“场主若是想找出那杀鸡屠狗的凶手，我倒有条线索。”

云在天道：“哦？”

慕容明珠道：“那凶手想必是个厨子，若叫我一口气连杀这么多只鸡，我倒还没有那样的本事。”

云在天沉着脸，道：“不是厨子。”

慕容明珠忍住笑道：“怎见得？”

云在天沉声道：“此人一口气杀死了四百多头鸡犬，竟没有人听到丝毫动静，这是多么快的刀法！”

叶开点了点头，大声道：“端的是一把快刀！”

云在天道：“像这么快的刀，莫说杀鸡屠狗，要杀人岂非也方便得很。”

叶开微笑道：“那就得看他要杀的人是谁了。”

云在天目光却已盯在傅红雪身上，道：“阁下这柄刀，不知是否能够一口气砍断四百多头鸡犬的头颅？”

傅红雪脸上还是全无表情，冷冷道：“杀鸡屠狗，不必用这柄刀。”

云在天忽然一拍手，道：“这就对了。”

叶开道：“什么事对了？”

云在天道：“身怀如此刀法，如此利器的人，又怎会在黑夜之间，特地来杀鸡屠狗？”

叶开笑道：“这人若不是有毛病，想必就是闲得太无聊。”

云在天目光闪动，道：“各位难道还看不出，他这样做的用意何在？”

叶开道：“看不出。”

云在天道：“各位就算看不出，但有句话想必也该听说过的。”

慕容明珠接着问道：“什么话？”

云在天目中似乎突然露出一丝恐惧之色，一字字缓缓道：“鸡犬不留！”

慕容明珠悚然动容，失声道："鸡犬不留？……为什么要鸡犬不留？"

云在天冷冷道："若不赶尽杀绝，又怎么能永绝后患？"

慕容明珠道："为什么要赶尽杀绝？难道……难道十九年前杀尽神刀门下的那批凶手，今日又到万马堂来了？"

云在天道："想必就是他们。"

他虽然在勉强控制自己，但脸色也已发青，说完了这句话，立刻举杯一饮而尽，才慢慢地接着道："除了他们之外，绝不会有别人！"

慕容明珠道："怎见得？"

云在天道："若不是他们，为何要先杀鸡犬，再来杀人？这岂非打草惊蛇？"

慕容明珠道："他们又为何要这样做？"

云在天紧握双拳，额上也已沁出汗珠，咬着牙道："只因他们不愿叫我们死得太快，死得太容易！"

夜色中隐隐传来马嘶，更衬得万马堂中静寂如死。

秋风悲号，天地间似也充满了阴森肃杀之意。

边城的秋夜，本就时常令人从心里一直冷到脚跟。

傅红雪还是一直凝视着手里的刀，叶开却在观察着每个人。

公孙断不知何时，又开始不停地一大口、一大口喝着酒。

花满天已站起来，背负着双手，在万马奔腾的壁画下踱来踱去，脚步沉重得就像是拖着条几百斤重的铁链子。

飞天蜘蛛脸色发白，仰着脸，看着屋顶出神，也不知想着什么？

慕容明珠刚喝下去的酒，就似已化为冷汗流出——这件十九年前的旧案，若是真的和他完全无关，他为什么要如此恐惧？

马空群虽然还是不动声色，还是端端正正、笔笔直直地坐在那里，就仿佛还是完全置身事外。

可是他的一双手，却已赫然按入了桌面，竟已嵌在桌面里。

"一醉解千愁，还是醉了的人好。"

但乐乐山是真的醉了么？

叶开嘴角露出了微笑，他忽然发觉，唯一真正没有改变的人，就是他自己。

烛泪已残，风从屏风外吹进来，吹得满堂烛火不停地闪动，照着每个人的脸阵青阵白阵红，看来就好像每个人心里都不怀好意。

过了很久，慕容明珠才勉强笑了笑，道：“我还有件事不懂。”

云在天道：“哦？”

慕容明珠道：“他们已杀尽了神刀堂的人，本该是你们找他们复仇才对，他们为什么反而会先找上门来了？”

云在天沉声道：“神刀、万马，本出一门，患难同当，恩仇相共。”

慕容明珠道：“你的意思是说，他们和万马堂也有仇？”

云在天道：“而且必定是不解之仇！”

慕容明珠道：“那么他们又为何等到十九年后，才来找你们？”

云在天目光似乎在眺望着远方，缓缓道：“十九年前的那一战，他们虽然将神刀门下斩尽杀绝，但自己的伤损也很重。”

慕容明珠道：“你是说，那时他们已无力再来找你们？”

云在天冷冷道：“万马堂崛起关东，迄今已三十年，还没有人敢轻犯万马堂中的一草一木。”

慕容明珠道：“就算那时他们要休养生息，也不必要等十九年。”

云在天目光忽然刀一般盯在他脸上，一字字道：“那也许只因为他们本身已伤残老弱，所以要等到下一代成长后，才敢来复仇！”

慕容明珠悚然动容道：“阁下难道真的对我们有怀疑之意？”

云在天沉声道：“十九年前的血债犹新，今日的新仇又生，万马堂上上下下数百弟兄，性命都已系于这一战，在下等是不是要分外小心？”

慕容明珠亢声道：“但我们只不过是昨夜才刚到这里的……”

叶开忽又笑了笑，道：“就因为我们是昨夜刚到的陌生人，所以嫌疑才最重。”

慕容明珠道：“为什么？”

叶开道：“因为这件事也是昨夜才发生的。”

慕容明珠道：“难道我们一到这里，就已动手，难道就不可能是已来了七八天的人？”

叶开缓缓道："十九年的旧恨，本就连片刻都等不得，又何况七八天？"

慕容明珠擦了擦额上的汗珠，喃喃道："这道理不通，简直不通。"

叶开笑道："通也好，不通也好，我们总该感激才是。"

慕容明珠道："感激？"

叶开举起金杯，微笑道："若不是我们的嫌疑最重，今日又怎能尝到万马堂窖藏多年的美酒！"

乐乐山突又一拍桌子，大笑道："好，说得好，一个人只要能凡事想开些，做人就愉快得多了……酒，酒呢……"

这次他总算摸着了酒杯，立刻仰起脖子一饮而尽。

慕容明珠冷冷道："这酒阁下居然还能喝得下去，倒也不容易。"

乐乐山瞪眼道："只要我没做亏心事，管他将我当作杀鸡的凶手也好，杀狗的凶手也好，都跟我一点关系也没有，这酒我为什么喝不下去？……酒呢？还有酒没有？"

酒来的时候，他的人却又已倒在桌上，一瞬间又已鼾声大作。

花满天用眼角瞅着他，像是恨不得一把将这人从座上揪起来，掷出门外去。

对别的人、别的事，花满天都很能忍耐，很沉得住气。

否则他又怎会在风沙中站上一夜？

但只要一看见乐乐山，他火气好像立刻就来了，冷漠的脸上也忍不住要露出憎恶之色。

叶开觉得很有趣。

无论什么事，只要有一点点特别的地方，他都绝不会错过的，而且一定会觉得很有趣。

他在观察别人的时候，马空群也正在观察着他，显然也觉得他很有趣。

也不知是有意？还是无意？两人目光突然相遇，就宛如刀锋相接，两个人的眼睛里，都似已迸出了火花。

马空群勉强笑了笑，仿佛要说什么。

但这时慕容明珠突又冷笑道："现在我总算完全明白了。"

云在天道："明白了什么？"

慕容明珠道："三老板想必认为我们这五个人中，有一人是特地来寻仇报复的，今日将我们找到这里来，为的就是要找出这人是谁！"

马空群淡淡道："能找得出么？"

慕容明珠道："找不出，这人脸上既没有挂着招牌，若要他自己承认，只怕也困难得很！"

马空群微笑道："既然找不出，在下又何必多此一举？"

叶开立刻也笑道："多此一举的事，三老板想必是不会做的。"

马空群道："还是叶兄明见。"

慕容明珠抢着道："今夜这一会，用意究竟何在？三老板是否还有何吩咐？抑或真的只不过是请我们大吃大喝一顿的？"

词锋咄咄逼人，这一呼百诺的贵公子，三杯酒下肚，就似已完全忘记了刚才的解剑之耻。

富贵人家的子弟，岂非本就大多是胸无城府的人？

但这一点叶开好像也觉得很有趣，好像也在慕容明珠身上，发现了一些特别之处了。

马空群沉吟着，忽然长身而起，笑道："今夜已夜深，回城路途遥远，在下已为各位准备了客房，但请委屈一宵，有话明天再说也不迟。"

叶开立刻打了个呵欠，道："不错，有话明天再说也不迟。"

飞天蜘蛛笑道："叶兄倒真是个很随和的人。只可惜世上并不是人人都像叶兄这样随和的。"

马空群目光炯炯，道："阁下呢？"

飞天蜘蛛叹了口气，苦笑道："像我这样的人，想不随和也不行。"

慕容明珠眼睛盯着桌上的八柄剑，道："何况这里至少总比镇上的客栈舒服多了。"

马空群道："傅公子……"

傅红雪淡淡道："只要能容我这柄刀留下，我的人也可留下。"

乐乐山忽然大声道："不行，我不能留下。"

花满天立刻沉下了脸，道："为什么不能留下？"

乐乐山道："那小子若是半夜里来，杀错了人，一刀砍下我的脑袋来，我死得岂非冤枉？"

花满天变色道："阁下是不是一定要走？"

乐乐山醉眼乜斜，突又笑了笑，道："但这里明天若还有好酒可喝，我就算真的被人砍下了脑袋，也认命了。"

每个人都站了起来，没有人坚持要走。

每个人都已感觉到，这一夜虽然不能很平静度过，但还是比走的好。

一个人黄夜走在这荒原上，岂非任何事都可能发生的？

只有公孙断，却还是大马金刀坐在那里，一大口、一大口地喝着酒……

风沙已轻了，日色却更遥远。

万籁无声，只有草原上偶尔随风传来的一两声马嘶，听来却有几分像是异乡孤鬼的夜啼。

一盏天灯，孤零零地悬挂在天末，也衬得这一片荒原更凄凉萧索。

边城的夜月，异乡的游子，本就是同样寂寞的。

第五章

边城之夜

挑着灯在前面带路的，是云在天。

傅红雪拖着沉重的脚步，慢慢地跟在最后——有些人好像永远都不愿让别人留在他背后。

叶开却故意放慢了脚步，走在他身旁。

傅红雪沉重的脚步走在砂石上，就仿佛是刀锋在刮着骨头一样。

叶开忽然笑道："我实在想不到你居然也肯留下来。"

傅红雪道："哦？"

叶开道："马空群今夜请我们来，也许就是为了要看看，有没有人不肯留下来。"

傅红雪道："你不是马空群。"

叶开笑道："我若是他，也会同样做的。无论谁若想将别人的满门斩尽杀绝，只怕都不愿再留在那人家里的。"

他想了想，又补充着道："纵然肯留下来，也必定会有些和别人不同的举动，甚至说不定还会做出些很特别的事。"

傅红雪道："若是你，你也会做？"

叶开笑了笑，忽然转变话题，道："你知不知道他心里最怀疑的人是谁？"

傅红雪道："是谁？"

叶开道："就是我跟你。"

傅红雪突然停下脚步，凝视着叶开，一字字道："究竟是不是你？"

叶开也停下脚步，转身看着他，缓缓道："这句话本是我想问你的，究竟是不是你？"

两人静静地站在夜色中，你看着我，我看着你，忽然同时笑了。

叶开笑道："这好像是我第一次看到你笑。"

傅红雪道："说不定也是最后一次！"

花满天忽然出现在黑暗中，眼睛里发着光，看着他们，微笑道："两位为什么如此发笑？"

叶开道："为了一样并不好笑的事。"

傅红雪道："一点也不好笑。"

公孙断还在一大口、一大口地喝着酒。

马空群看着他喝，过了很久，才叹息了一声，道："我知道你是想喝得大醉，但喝醉了并不能解决任何事。"

公孙断突然用力一拍桌子，大声道："不醉又如何？还不是一样要受别人的鸟气！"

马空群道："那不是受气，那是忍耐，无论谁有时都必须忍耐些的。"

公孙断的手掌又握紧，杯中酒又慢慢溢出，他盯着又已被他捏扁了的金杯，冷笑道："忍耐，三十年来我跟你出生入死，身经大小一百七十战，流的血已足够淹得死人，现在你却叫我忍耐——却叫我受一个小跛子的鸟气。"

马空群神色还是很平静，叹息着道："我知道你受的委屈，我也……"

公孙断突然大声打断了他的话，道："你不必说了，我也明白你的意思，现在你已有了身家，有了儿女，做事已不能像以前那样鲁莽。"

他又一拍桌子，冷笑着道："我只不过是万马堂中的一个小伙计，就算为三老板受些气，也是天经地义的事。"

马空群凝视着他，目中并没有激恼之色，却带着些伤感。

过了很久，他才缓缓道："谁是老板？谁是伙计？这天下本是我们并肩打出来的，就算亲生的骨肉也没有我们亲密。这地方所有的一切，你都有一半，你无论要什么，随时都可拿走——就算你要我的女儿，我也可以立刻给你。"

他话声虽平淡，但其中所蕴藏的那种情感，却足以令铁石人流泪。

公孙断垂下头，热泪已忍不住要夺眶而出。

幸好这时花满天和云在天已回来了。

在他们面前，马空群的态度更沉静，沉声道：“他们是不是全都留了下来？”

云在天道：“是。”

马空群目中的伤感之色也已消失，变得冷静而尖锐，沉吟着道：“乐乐山、慕容明珠和那飞贼留下来，我都不意外。”

云在天道：“你认为他们三个人没有嫌疑？”

马空群道：“只是嫌疑轻些。”

花满天道：“那倒未必。”

马空群道：“未必？”

花满天道：“慕容明珠并不是个简单的人，他那种样子是装出来的，以他的身份，受了那么多鸟气之后，绝不可能还有脸指手画脚、胡说八道。”

马空群点了点头，道：“我也看出他此行必有图谋，但目的却绝不在万马堂。”

花满天道：“乐乐山呢？这假名士无论走到哪里，都喜欢以前辈自居，为什么要不远千里，辛辛苦苦地赶到这边荒之地来？”

马空群道：“也许他是在逃避仇家的追踪。”

花满天冷笑道：“武当派人多势众，一向只有别人躲着他们，他们几时躲过别人？”

马空群忽又叹息了一声，道：“二十三年前，武当山下的那一剑之辱，你至今还未忘却？”

花满天脸色变了变，道：“我忘不了。”

马空群道：“但伤你的武当剑客回云子，岂非已死在你剑下？”

花满天恨恨地道：“只可惜武当门下还没有死尽死绝。”

马空群凝视着他，叹道：“你头脑冷静，目光敏锐，遇事之机变更无人能及，只可惜心胸太窄了些，将来只怕就要吃亏在这一点上。”

花满天垂下头，不说话了，但胸膛起伏，显见得心情还是很不平静。

云在天立刻改变话题，道：“这五人之中，看起来虽然是傅红雪的嫌疑最重，但正如叶开所说，他若真的是……寻仇来的，又何必带刀来万马堂？”

马空群目中带着深思之色，道：“叶开呢？”

云在天沉吟着，道：“此人武功仿佛极高，城府更是深不可测，若真的是他……倒是个很可怕的对手。”

公孙断突又冷笑，道：“你们算来算去，算出来是谁没有？”

云在天道：“没有。”

公孙断道：“既然算不出，为何不将这五人全都做了，岂非落得个干净！”

马空群道：“若是杀错了呢？”

公孙断道：“杀错了，还可以再杀！”

马空群道：“杀到何时为止？”

公孙断握紧双拳，额上青筋一根根暴起。

突听一个孩子的声音在外面呼唤道：“四叔，我睡不着，你来讲故事给我听好不好？”

公孙断叹了口气，就好像忽然变了个人，全身肌肉都已松弛，慢慢地站起来，慢慢地走了出去。

马空群看着他巨大的背影，那眼色也像是在看着他所疼爱的孩子一样。

这时外面传来更鼓，已是二更。

马空群缓缓道：“按理说，他们既然留宿在这里，就不会有什么举动，但我们却还是不可大意的。”

云在天道：“是。”

他接着又道：“传话下去，将夜间轮值的弟兄增为八班，从现在开始，每半个时辰交错巡逻三次，只要看见可疑的人，就立刻鸣锣示警。”

马空群点了点头，忽然显得很疲倦，站起来走到门外，望着已被黑暗笼罩的大草原，意兴似更萧索。

云在天跟着走出来，叹息着道：“但愿这一夜平静无事，能让你好好休息一天——明天要应付的事只怕还要艰苦得多。”

马空群拍了拍他的肩，仰面长叹，道：“经过这一战之后，我们都应该好好地休息休息了……”

一阵风吹过，天灯忽然熄灭，只剩下半轮冷月高悬。

云在天仰首而望，目光充满了忧愁和恐惧。

万马堂岂非也如这天灯一样，虽然挂得很高，照得很远，但又有谁知道它会在什么时候突然熄灭？

夜更深。

月色朦胧，万马无声。

在这边城外的荒漠中，凄凉的月夜里，又有几人能入睡？

叶开睁大了眼睛，看着窗外的夜色。

他没有笑。

他那永远挂在嘴角的微笑，只要在无人时，就会消失不见。

他也没有睡。

万马堂虽无声，但他的思潮，却似千军万马般奔腾起伏，只可惜谁也不知道他在想着什么。

他轻抚着自己的手，右手的拇指和食指间，就像是砂石般粗糙坚硬，掌心也已磨出了硬块。

那是多年握刀留下的痕迹。

但他的刀呢？

他从不带刀。

是不是因为他的刀已藏在心里？

傅红雪手里还是紧紧握着他的刀。

他也没有睡。

甚至连靴子都没有脱下来。

凄凉的月色，照着他苍白冷硬的脸，照着他手里漆黑的刀鞘。

这柄刀他有没有拔出来过？

三更，四更……

突然间，静夜中传出一阵急遽的鸣锣声。

万马堂后，立刻箭一般蹿出四条人影，掠向西边的马场。

风中仿佛带着种令人作呕的血腥气。

叶开屋子里的灯首先亮了起来，又过了半晌，他才大步奔出。

慕容明珠和飞天蜘蛛也同时推开了门。

乐大先生的门，还是关着的，门里不时有他的鼾声传出。

傅红雪的门里却连一点声音也没有。

慕容明珠道："刚才是不是有人在鸣锣示警？"

叶开点点头。

慕容明珠道："你知不知道是什么事？"

叶开摇摇头。

就在这时，两条人影箭一般蹿过来，一个人手里剑光如飞花，另一人的身形轻灵如飞鹤。

花满天目光掠过门外站着的三个人，身形不停，扑向乐乐山门外，顿住。他也已听到门里的鼾声。

云在天身形凌空一翻，落在傅红雪门外，伸手一推，门竟开了。

傅红雪赫然就站在门口，手里紧握着刀，一双眼睛亮得怕人。

云在天竟不由自主后退了两步，铁青着脸，道："各位刚才都没有离开过这里？"

没有人回答。

这问题根本就不必提出来问。

花满天沉声道："有谁听见了什么动静？"

也没有。

慕容明珠皱了皱眉，像是想说什么，还未说出口，就已弯下腰呕吐起来。

风中的血腥气已传到这里。

然后，万马悲嘶，连天畔的冷月都似也为之失色！

> 天皇皇，地皇皇。
> 眼流血，月无光。
> 万马悲嘶人断肠……

有谁知道天地间最悲惨，最可怕的声音是什么？

那绝不是巫峡的猿啼，也不是荒坟里的鬼哭，而是夜半荒原上的万马悲嘶！

没有人能形容那种声音，甚至没有人听见过。

若不是突然间天降凶祸，若不是人间突然发生了惨祸，万马又怎会突然同时在夜半悲嘶？

就算是铁石心肠的人，听到了这种声音，也难免要为之毛骨悚然，魂飞魄散。

西边的一排马房，养着的是千中选一、万金难求的种马。

鲜血还在不停地从马房中渗出来，血腥气浓得令人作呕。

马空群没有呕。

他木立在血泊中，他已失魂落魄。

公孙断环抱着马房前的一株孤树，抱得很紧，但全身还是不停地发抖。

树也随着他抖，抖得满树秋叶一片片落下来，落在血泊中。

血浓得足以令一树落叶浮起。

叶开来的时候，用不着再问，已看出了这里发生了什么事。

只要有眼睛的人，都能看得出来。

只要有人心的人，都绝不忍来看。

世上几乎没有一种动物比马的线条更美，比马更有生命力。

那匀称的骨架、生动的活力，本身就已是完美的象征。

又有谁能忍心一刀砍下它的头颅来？

那简直已比杀人更残忍！

叶开叹息了一声，转回身子，正看到慕容明珠又开始在远处不停地呕吐。

飞天蜘蛛也是面如死灰，满头冷汗。

傅红雪远远地站在黑夜里，黑夜笼罩着他的脸，但他手里的刀鞘却仍在月下闪闪地发着光。

公孙断看到了这柄刀，突然冲过来，大喝道：“拔你的刀出来。”

傅红雪淡淡道：“现在不是拔刀的时候。”

公孙断厉声道：“现在正是拔刀的时候，我要看看你刀上是不是有血？”

傅红雪道：“这柄刀也不是给人看的。”

公孙断道：“要怎么你才肯拔刀？”

傅红雪道：“我拔刀只有一种理由。”

公孙断道：“什么理由？杀人？”

傅红雪道：“那还得看杀的是什么人，我一向只杀三种人。”

公孙断道：“哪三种？”

傅红雪道：“仇人、小人……”

公孙断道：“还有一种是什么人？”

傅红雪冷冷地看着他，冷冷道：“就是你这种定要逼我拔刀的人。”

公孙断仰天而笑，狂笑道：“好，说得好，我就是要等着听你说这句话……”

他的手已按上弯刀的银柄，笑声未绝，手掌已握紧！

傅红雪的眸子更亮，似也已在等着这一刹那。

拔刀的一刹那！

但就在这刹那间，夜色深沉的大草原上，突又传来一阵凄凉的歌声：

天皇皇，地皇皇。
地出血，月无光。
月黑风高杀人夜。
万马悲嘶人断肠。

歌声缥缈，仿佛很遥远，但每个字却都能听得清清楚楚。

公孙断脸色又已变了，忽然振臂而起，大喝道：“追！”

他身形一掠，黑暗中已有数十根火把长龙般燃起，四面八方地卷了出来。

云在天双臂一振，“八步赶蝉追云式”，人如轻烟，三五个起落，已远在二十丈外。

叶开叹了口气，喃喃道：“果然不愧是云中飞鹤，果然是好轻功。”

他像是在自言自语，又像是在跟傅红雪说话，但等他转过头来时，一直站在那边的傅红雪，竟已赫然不见了。

血泊已渐渐凝结，不再流动。

火光也渐渐去远了。

叶开一个人站在马房前——天地间就似只剩下他一个人。

马空群、花满天、傅红雪、慕容明珠……这些人好像忽然间就已消失在黑暗里。

叶开沉思着，嘴角又渐渐露出一丝微笑，喃喃道：“有趣有趣，这些人好像没有一个不有趣的……”

草原上火把闪动，天上的星却已疏落。

叶开在黑暗中徜徉着，东逛逛，西走走，漫无目的，看样子这草原上绝没有一个比他更悠闲的人。

天灯又已亮起。

他背负起双手，往天灯下慢慢地逛过去。

突然间，马蹄急响，銮铃轻振，一匹马飞云般自黑暗中冲出来。

马上人明眸如秋水，瞟了他一眼，突然一声轻喝，怒马已人立而起，硬生生停在他身旁。

好俊的马，好俊的骑术。

叶开微笑着，道：“姑奶奶居然还没有摔死，难得难得。”

马芳铃眼睛铜铃般瞪着他，冷笑道：“你这阴魂不散，怎么还没有走？”

叶开笑道：“还未见着马大小姐的芳容，又怎舍得走？”

马芳铃怒叱道：“好个油嘴滑舌的下流胚，看我不打死你。”

她长鞭又挥起，灵蛇般向叶开抽了过来。

叶开笑道：“下流胚都打不死的。”

这句话还没说完，他的人忽然已上了马背，紧贴在马芳铃身后。

马芳铃一个肘拳向后击出，怒道：“你想干什么？”

她肘拳击出，手臂就已被捉住。

叶开轻轻道：“月黑风高，我已找不出回去的路，就烦大小姐载我一程如何？”

马芳铃咬着牙，恨恨道：“你最好去死。”

她又一个肘拳击出，另一条手臂也被捉住，竟连动都没法子动了。

只觉得一阵阵男人的呼吸，吹在她脖子上，吹着她的发根。

她想缩起脖子，想用力往后撞，但也不知为了什么，全身竟偏偏连一点力气都使不出来。

座下的胭脂奴，想必也是匹雌马，忽然也变得温柔起来，踩着细碎的脚步，慢慢地往前走。

草原上一片空阔，远处一点点火光闪动，就仿佛是海上的渔火。

秋风迎面吹过来，也似已变得很温柔，温柔得仿佛春风。

她忽然觉得很热，咬着嘴唇，恨恨道：“你……你究竟放不放开我的手？”

叶开道：“不放。”

马芳铃道：“你这下流胚，你这无赖，你再不下去，我就要叫了。”

她本想痛骂他一顿的，但她的声音连自己听了，都觉得很温柔。

这又是为了什么？

叶开笑道：“你不会叫的，何况，你就算叫，也没有人听得见。”

马芳铃道：“你……你……你想干什么？”

叶开道：“什么都不想。”

他的呼吸也仿佛春风般温柔，慢慢地接着道：“你看，月光这么淡，夜色这么凄凉，一个常在天涯流浪的人，忽然遇着了你这么样一个女孩子，又还能再想什么？”

马芳铃的呼吸忽然急促起来，想说话，又怕声音颤抖。

叶开忽又道：“你的心在跳。”

马芳铃用力咬着嘴唇，道：“心不跳，岂非是个死人了？”

叶开道：“但你的心却跳得特别快。”

马芳铃道：“我……”

叶开道：“其实你用不着说出来，我也明白你的心意。”

马芳铃道：“哦？”

叶开道：“你若不喜欢我，刚才就不会勒马停下，现在也不会让这匹马慢慢地走。”

马芳铃道：“我……我应该怎么样？”

叶开道：“你只要打一声呼哨，这匹马就会把我摔下去。”

马芳铃忽然一笑，道：“多谢你提醒了我。”

她一声呼哨，马果然轻嘶着，人立而起。

叶开果然从马背上摔了下去。

她自己也摔了下去，恰巧跌在叶开怀里。

只听銮铃声响，这匹马已放开四蹄，跑走了。

叶开叹了口气，喃喃道：“只可惜我还忘记提醒你一件事，我若摔下来，你也会摔下来的。”

马芳铃咬着牙，恨恨道：“你真是下流胚，真是个大无赖……”

叶开道：“但却是个很可爱的无赖，是不是？”

马芳铃道：“而且很不要脸。”

话未说完，她自己忽也“扑哧”一声笑了，脸却也烧得飞红。

如此空阔的大草原，如此凄凉的月色，如此寂寞的秋夜……

你却叫一个情窦初开的少女，怎么能硬得起心肠来，推开一个她并不讨厌的男人？

一个又坏、又特别的男人。

马芳铃忽然轻轻叹息了一声，道：“你这样的人，我真没看见过。”

叶开道：“我这样的男子本来不多。”

马芳铃道：“你对别的女人，也像对我这样子的吗？”

叶开道：“我若看见每个女人都像这样子，头早已被人打扁了。”

马芳铃又咬起嘴唇，道：“你以为我不会打扁你的头？”

叶开道：“你不会的。”

马芳铃道：“你放开我的手，看我打不打扁你？”

叶开的手已经放开了。

她扭转身，扬起手，一巴掌掴了下去。

她的手扬得很高，但落下去时却很轻。

叶开也没有闪避，只是静静地坐在地上，静静地凝视着她。

她的眸子在黑暗中亮如明星。

风在吹，月光更远。

她慢慢地垂下头，道：“我……我叫马芳铃。”

叶开道：“我知道。”

马芳铃道：“你知道？”

叶开道：“我已向你那萧大叔打听过你！”

马芳铃红着脸一笑，嫣然道：“我也打听过你，你叫叶开。”

叶开盯着她的眼睛，缓缓道：“我也知道你一定打听过我。”

马芳铃的头垂得更低，忽然站起来，瞰望着西沉的月色，轻轻道：“我……我该回去了。”

叶开没有动，也没有再拉住她。

马芳铃转过身，想走，又停下，道：“你准备什么时候走？”

叶开仰天躺了下去，过了很久，才缓缓道：“我不走，我等你。”

马芳铃道：“等我？”

叶开道：“无论我要待多久，你那萧大叔都绝不会赶我走的。”

马芳铃回眸一笑，人已如燕子般掠了出去。

苍穹已由暗灰渐渐变为淡青。冷月已渐渐消失在曙色里。

叶开还是静静地躺着，仿佛正在等着旭日自东方升起。

他知道不会等得太久的。

第六章

谁是埋刀人

旭日东升。

昨夜的血腥气，已被晨风吹散。

晨风中充满了干草的芳香，万马堂的旗帜已又在风中招展。

叶开嘴里嚼着根干草，走向迎风招展的大旗。

他看来还是那么悠闲，那么懒散，阳光照着他身上的沙土，粒粒闪耀如黄金。

巨大的拱门下，站着两个人，似乎久已在那里等着他。

他看出了其中一个是云在天，另一人看见了他，就转身奔入了万马堂。

叶开走过去，微笑着招呼道："早。"

云在天的脸色却很阴沉，只淡淡回了声："早。"

叶开道："三老板已歇下了么？"

云在天道："没有，他正在大堂中等你，大家全都在等你。"

大家果然全都已到了万马堂，每个人的脸色都很凝重。

每个人面前都摆份粥菜，但却没有一个人动筷子的。

乐乐山却还是伏在桌上，似仍宿酒未醒。

叶开走进来，又微笑着招呼："各位早。"

没有人回应，但每个人却都在看着他，眼色仿佛都很奇特。

只有傅红雪仍然垂着眼，凝视着自己握刀的手、手里的刀。

桌上有一份粥菜的位子是空着的。

叶开坐下来，拿起筷子，喝了一口粥，吃一口蛋。粥仍是温的，他喝了一碗，又添一碗。

等他吃完了，放下筷子，马空群才缓缓道：“现在已不早了。”

叶开道：“嗯，不早了。”

马空群道：“昨晚四更后，每个人都在房里，阁下呢？”

叶开道：“我不在。”

马空群道：“阁下在哪里？”

叶开笑了笑，道：“我睡不着，所以到处逛了逛，不知不觉间天已亮了。”

马空群道：“有谁能证明？”

叶开笑道：“为什么要人证明？”

马空群目光如刀，一字字道：“因为有人要追回十三条命！”

叶开皱了皱眉，道：“十三条命？”

马空群慢慢地点了点头，道：“十三刀，十三条命，好快的刀！”

叶开道：“莫非昨夜四更后，竟有十三个人死在刀下？”

马空群面带悲愤，道：“不错，十三个人，被人一刀砍断了头颅。”

叶开叹了口气，道：“犬马无辜，这人的手段也未免太辣了。”

马空群盯着他的眼睛，厉声道：“阁下莫非不知道这件事？”

叶开的回答很简单：“不知道。”

马空群忽然一扬手，叶开这才看出他面前本来摆着一柄刀。

雪亮的刀，刀锋薄而锐利。

马空群凝视着刀锋，道：“这柄刀如何？”

叶开道：“好刀！”

马空群道：“若非好刀，又怎能连斩十三个人的首级？”

他忽又抬起头，盯着叶开，厉声道：“这柄刀阁下难道也未曾见过？”

叶开道：“没有。”

马空群道：“阁下可知道这柄刀在什么地方找着的？”

叶开道：“不知道。”

马空群道：“就在杀人处的地下。”

叶开道：“地下？”

马空群道：“他杀了人后，就将刀埋在地下，只可惜埋得太匆忙，所以才会被人发现了。”

叶开道：“好好的一柄刀，为什么要埋到地下？”

马空群突然冷笑着，一字字道：“这也许只因为他是个从不带刀的人！”

叶开怔了半晌，忽然笑了，摇着头道：“堂主莫非认为这是我的刀？”

马空群冷冷道：“你若是我，你会怎么想？”

叶开道：“我不是你。”

马空群道：“昨夜四更后，乐大先生、慕容公子、傅公子，还有这位飞天蜘蛛，全都睡在自己屋里，都有人证明。”

叶开道：“所以那十三个人，绝不会是他们下手杀的。”

马空群目光炯炯，厉声道：“但阁下呢？昨夜四更后在哪里？有谁能证明？”

叶开叹了口气，道：“没有。”

马空群突然不再问下去了，目中却已现出杀机。

只听一阵沉重的脚步声响，花满天、云在天已走到叶开身后。

云在天冷冷道：“叶兄请。”

叶开道：“请我干什么？”

云在天道：“请出去。”

叶开又叹了口气，喃喃道：“我在这里坐得蛮舒服的，偏偏又要我出去。”

他叹息着，慢慢地站起来。

云在天立刻为他拉开了椅子。

马空群突又道：“这柄刀既是你的，你可以带走，接住！”

他的手一扬，刀已飞出，划了道圆弧，直飞到叶开面前。

叶开没有接。

刀光擦过他的衣袖，“笃”的一声，钉在桌上，入木七寸。

叶开叹息着，喃喃道：“果然是柄好刀，只可惜不是我的。”

叶开终于走了出去。

花满天、云在天，就像是两条影子，紧紧地跟在他身后。

每个人都知道，他这一走出去，只怕就永远回不来了。

每个人都在看着他，目光中都像是带着些悲悼惋惜之色，但却没有一个人站起来说话的。

就连傅红雪都没有。

他神色还是很冷淡，很平静，甚至还仿佛带着种轻蔑的讥诮之意。

马空群目光四扫，沉声道："对这件事，各位是否有什么话说？"

傅红雪突然道："只有一句话。"

马空群道："请说。"

傅红雪道："堂主若是杀错了人呢？"

马空群的脸沉了下来，冷冷道："杀错了，还可以再杀！"

傅红雪慢慢地点了点头，道："我明白了。"

马空群道："阁下还有什么话说？"

傅红雪道："没有了。"

马空群慢慢地举起筷子，道："请，请用粥。"

阳光灿烂，照着迎风招展的大旗。

叶开走到阳光下，仰起面，长长地吸了口气，微笑着道："今天真是好天气。"

云在天冷冷道："是好天气。"

叶开道："在这么好的天气里，只怕没有人会想死的。"

云在天道："只可惜无论天气是好是坏，每天都有人死的。"

叶开叹道："不错，的确可惜。"

花满天忽然道："昨夜四更后，阁下究竟在什么地方？"

叶开淡淡道："在一个没有人的地方。"

花满天也长长叹了口气，道："可惜，可惜，的确可惜。"

叶开眨眨眼，道："什么事可惜？"

花满天道："阁下年纪还轻，就这样死了，岂非可惜得很。"

叶开笑了，道："谁说我要死了？我连一点都不想死。"

花满天沉下了脸，道："我也不想你死，只可惜有样东西不答应。"

叶开道："什么东西？"

花满天的手突然垂下，在腰畔一掌宽的皮带上轻轻一拍。

"锵"的一声，一柄百炼精钢打成的软剑已出鞘，迎风抖得笔直。

叶开脱口赞道：“好剑！”

花满天道：“比起那柄刀如何？”

叶开道：“那就得看刀在什么人手里。”

花满天道：“若在阁下的手里？”

叶开笑了笑，道：“我手里从来没有刀，也用不着刀。”

花满天道：“用不着？”

叶开微笑道：“我杀人喜欢用手，因为我很欣赏那种用手捏碎别人骨头的声音。”

花满天脸色变了变，道：“剑尖刺入别人肉里的声音你听见过没有？”

叶开道：“没有。”

花满天冷冷道：“那种声音也蛮不错的！”

叶开笑道：“什么时候你能让我听听？”

花满天道：“你立刻就会听到。”

他长剑一挥，剑尖斜斜挑起，迎着朝阳闪闪生光。

云在天身形游走，已绕到叶开身后。

突听一个孩子的声音道：“三姨，你看，他们又要在这里杀人了，我们看看好不好？”

一个温柔的女子声音道：“傻孩子，杀人有什么好看的。”

孩子道：“很好看，至少总比杀猪好看得多。”

花满天皱了皱眉，剑尖又垂下。

叶开忍不住回头瞧了一眼，就看见了一个白衣妇人，牵着个穿红衣的孩子，正从屋角后走出来。

这妇人长身玉立，满头秀发漆黑，一张瓜子脸却雪白如玉。

她并不是那种令人一见销魂的美女，但一举一动间都充满了一种成熟的妇人神韵。

无论什么样的男人，只要看见她立刻就会知道，你不但可以在她身上得到安慰和满足，也可以得到了解和同情。

她牵着的孩子满身红衣，头上一根冲天杵小辫子，也用条红绸带系住，身子长得虽然特别瘦小，但眼睛却特别大，一双乌溜溜的眼珠子，不停地转来转去，显得又活泼、又机灵。

叶开当然也对他们笑了笑。

看到女人和孩子时，他的笑容永远都是亲切而动人的。

孩子看见了他，却像是怔了怔，突然跳起来，大声道："我认得这个人。"

妇人皱了皱眉："别胡说，快跟我回去。"

孩子却挣脱了她的手，跳着跑过来，用手划着脸笑着道："丑丑丑，抱着我姐姐不放手，你说你自己丑不丑？……"

花满天沉着脸道："小虎子，胡说八道些什么？"

孩子眼珠子转动，道："我没有胡说八道，我说的是真话，昨天晚上，我明明看见他跟我姐姐抱在一起，叫他放手都不行。"

花满天动容道："昨天晚上什么时候？"

孩子道："就在快天亮的时候。"

花满天脸色变了。

云在天厉声道："这事是不是你亲眼看见的？千万不可胡说！"

孩子道："当然是我亲眼看见的。"

云在天道："怎么会看得见？"

孩子道："昨天晚上敲过锣之后，姐姐就要出来看看，我也要跟她出来，她不肯，我就趁她一个不留神，藏到她马肚子下。"

云在天道："然后呢？"

孩子道："姐姐还不知道，骑着马刚走了没多久，就看见了这个人，然后他们就……"

他话未说完，已被那妇人拉走，嘴里却还在大叫大嚷，道："我说的是真话，我亲眼看见的么，我为什么不能说？"

花满天、云在天面面相觑，脸上是一片死灰，哪里还能开口。

叶开脸上的表情却很奇特，心里又不知在想着些什么。

突听一人沉声道："你跟我来。"

马空群不知何时已走了出来，脸色铁青地向叶开招了招手，大步走出了院子。

叶开只有跟着他走了出去。

这时外面的大草原上，正响起了一片牧歌：

天苍苍，野茫茫，
风吹草低见牛羊。

没有牛羊，只有马。

马群在阳光下奔驰，天地间充满了生命的活力。

马空群身子笔挺，端坐在雕鞍上，鞭马狂驰，似要将胸中的愤怒，在速度中发泄。

幸亏叶开座下的也是匹好马，总算能勉强跟住了他。

远山一片青绿，看来并不高，也不太远。

但他们这样策马狂奔，还是奔驰了一个多时辰，才到山坡下。

马空群翻身下马，片刻不停，直奔上山。

叶开也只好跟着。

山坡上一座大坟，坟上草色已苍，几棵白杨，伶仃地站在西风里。

坟头矗立着一块九尺高的青石碑。

碑上几个擘窠大字是："神刀堂烈士之墓"。

旁边还有几个人的名字："白天羽夫妻、白天勇夫妻，合葬于此。"

马空群直奔到石碑前，才停下脚步，汗气已湿透重衣。

山上的风更冷。

他在石碑前跪了下来，良久良久，才站起来，转过身，脸上的皱纹更深了，每一条皱纹里，都不知埋藏着多少凄凉惨痛的往事。

也不知埋藏了多少悲伤，多少仇恨！

叶开静静地站在西风里，心里也只觉凉飕飕的，说不出是什么滋味。

马空群凝视着他，忽然道："你看见了什么？"

叶开道："一座坟。"

马空群道："你知道这是谁的坟？"

叶开道："白天羽、白天勇……"

马空群道："你知道他们是谁？"

叶开摇摇头。

马空群神色更悲伤，黯然道："他们都是我的兄长，就好像我嫡亲的手足一样。"

叶开点点头，现在才明白为什么别人都称他为三老板。

马空群又问道："你可知道我为什么要将他们合葬在这里？"

叶开又摇摇头。

马空群咬着牙，握紧双拳道："只因我找着他们的时候，他们的血肉已被草原上的饿狼吮光，只剩下了一堆白骨，无论谁都已无法分辨。"

叶开的双手也不由自主紧紧握起，掌心似也沁出了冷汗。

山坡前一片大草原，接连着碧天。

风吹长草，正如海洋中的波浪。

马空群转过身，遥远着远方，过了很久，才缓缓道："现在你看见的是什么？"

叶开道："草原、大地。"

马空群道："看不看得见这块地的边？"

叶开道："看不见。"

马空群道："这一块看不见边际的大地，就是我的！"

他神色忽然激动，大声接着道："大地上所有的生命，所有的财产，也全都属于我！我的根已长在这块地里。"

叶开听着，他只有听着。

他实在不能了解这个人，也不能了解他说这些话的意思。

又过了很久，马空群的激动才渐渐平息，长叹道："无论谁要拥有这一片大地，都不是件容易事。"

叶开忍不住叹道："的确不容易。"

马空群道："你知不知道，这一切我是怎么样得来的？"

叶开道："不知道。"

马空群突然撕开了衣襟，露出钢铁般的胸膛，道："你再看看这是什么？"

叶开看着他的胸膛，呼吸都似已停顿。

他从未看过一个人的胸膛上，有如此多刀伤，如此多剑痕！

马空群神情突又激动，眼睛里发着光，大声道："这就是我付出的代价，这一切都是用我的血、我的汗，还有我无数兄弟的性命换来的！"

叶开叹道："我明白。"

马空群厉声道："所以无论什么人，都休想将这一切从我手里抢走——无论什么人都不行！"

叶开道："我明白。"

马空群喘息着，这身经百战的老人，胸膛虽仍如钢铁般坚强，但他的体力，却已显然比不上少年。

这岂非正是老去的英雄同有的悲哀。

直等他喘息平复时，他才转过身，拍了拍叶开的肩，声音也变得很和蔼，缓缓道："我知道你是个很有志气的少年，宁死也不愿损害别人的名誉，像你这样的少年，世上已不多。"

叶开道："我做的只不过是我自觉应该做的事，算不了什么。"

马空群道："你做得不错，我很想要你做我的朋友，甚至做我的女婿……"

他的脸突又沉下，眼睛里又射出刀一般凌厉的光芒，盯着叶开，一字一字缓缓地道："可是你最好还是赶快走。"

叶开道："走？"

马空群道："不错，走，快走，愈快愈好。"

叶开道："为什么要走？"

马空群沉着脸，道："因为这里的麻烦太多，无论谁在这里，都难免要被沾上血腥。"

叶开淡淡一笑道："我不怕麻烦也不怕血腥。"

马空群厉声道："但这地方你本就不该来的，你应该回去。"

叶开道："回到哪里去？"

马空群道："回到你的家乡，那里才是你安身立命的地方。"

叶开也慢慢地转身面向草原，过了很久，才缓缓道："你可知道我的家乡在哪里？"

马空群摇摇头，道："无论你的家乡多么遥远，无论你要多少盘缠，我都可以给你。"

叶开忽又笑了笑，道："那倒不必，我的家乡并不远。"

马空群道："不远？在哪里？"

叶开眺望着天畔的一朵白云，一字字道："我的家乡就在这里。"

马空群怔住。

叶开转回身，凝视着他，脸上带着种很奇特的表情，沉声道："我生在这里，长在这里，你还要叫我到哪里去？"

马空群胸膛起伏，紧握双拳，喉咙里咯咯作响，却连一个字也说不出来。

叶开淡淡道："我早已说过，只做我自己应该做的事，而且从不怕麻烦，也不怕血腥。"

马空群厉声道："所以你一定要留在这里？"

叶开的回答很简单，也很干脆。

他的回答只有一个字："是！"

西风卷起了木叶，白杨伶仃地颤抖。

一片乌云卷来，掩住了日色，天已暗了下来。

马空群的腰虽仍挺得笔直，但胃却在收缩，就好像有一只看不见的手，在他的胸与胃之间压迫着，压得他几乎忍不住要呕吐。

他只觉得满嘴酸水，又酸又苦。

叶开已走了。

他知道，可是并没有拦阻，甚至连看都没有回头去看一眼。

既不能拦阻，又何必看？

若是换了五年前，他绝不会让这少年走的。

若是换了五年前，他现在也许已将这少年埋葬在这山坡上。

从来也没有人拒绝过他的要求，他说出的话，从来也没有人敢违抗。

可是现在已有了。

刚才他们面对着面时，他本有机会一拳击碎这少年的鼻梁。

他第一拳出手的速度，快得简直就像是雷电下击，若是换了五年前，他自信可以将任何一个站在他面前的人击倒！

无论谁只要鼻梁击碎，头就会发晕，眼睛就会被自己鼻子里飙出来的血封住，就很难再有闪避还击的机会。

这就叫一拳封门！

这一拳他本极有把握，而且几乎从未失手过。

但这一次他竟未出手！

多年来，他的肌肉虽仍紧紧结实，甚至连脖子上都没有生出一点多余的脂肪肥肉，无论是坐着，还是站着，身子仍如标枪般笔挺。

多年来，他外表几乎看不出有任何改变。

但一个人内部的衰老，本就是任何人都无法看出来的。

有时甚至连自己都看不出。

这并不是说他的胃已渐渐受不了太烈的酒，也不是说他对女人的需要，已渐渐不如以前那么强烈。

真正的改变，是在他心里。

他忽然发现自己的顾忌已愈来愈多，无论对什么事，都已不如以前那么有把握。

甚至在床上，拥着他最爱的女人时，他也都已不像以前那样能控制自如，最近这几次，他已怀疑自己是否能真的令对方满足。

这是不是正象征着他已渐渐老了？

一个人只有在自己心里有了衰老的感觉时，才会真的衰老。

五年……也许只要三年……

三年前无论谁敢拒绝他的要求，都绝对休想从他面前站着走开！

但就算他愿以所有的财富和权势去交换，也换不回这三年岁月来了。

剩下的还有多少个三年呢？

他不愿去想，也不敢去想——现在他只想能静静地躺下来。

他忽然觉得很疲倦。

天色更暗，似将有雷雨。

马空群当然看得出，多年的经验，已使他看天气的变化，就如同他看人心的变化一样准。

但他却懒得站起来，懒得回去。

他静静地躺在石碑前，看着石碑上刻着的那几行字：“白天羽夫妻、白天勇夫妻……”

他们本是他的兄弟，他们的确死得很惨。

但他却不能替他们复仇！

为什么呢？

这秘密除了他自己和死去的人之外，知道的人并不多。

这秘密已在他心里隐藏了十九年，就像是一根刺扎在他心里，他只要一想起，心里就会痛。

他并没有听到马蹄声，但却感觉到有人已走上了山坡。

这个人的脚步并不轻，但步子却跨得很大，又大又快。

他知道是公孙断来了。

只有公孙断，是唯一能跟他共享所有秘密的人。

他信任公孙断，就好像孩子信任母亲一样。

脚步声就像是说话的声音，每个人都有他不同的特质。

所以瞎子往往只要听到一个人的脚步声，就能听得出来是什么人。

公孙断的脚步声正如他的人，巨大、猛烈、急躁，一开始就很难中途停下。

他一口气奔上山，看到马空群才停下来，一停下来立刻问道："人呢？"

马空群道："走了。"

公孙断道："你就这样让他走？"

马空群叹息了一声，道："也许你说得不错，我已老了，已有些怕事。"

公孙断道："怕事？"

马空群苦笑道："怕事的意思，就是不愿再惹不必要的麻烦。"

公孙断道："你认为不是他？"

马空群道："无论如何，至少昨夜的事并不是他做的，有人能替他证明。"

公孙断道："他为什么不肯说出来？"

马空群道："也许只因他还年轻，太年轻……"

说到"年轻"这两个字，他嘴里似又涌出了苦水。又苦又酸。

公孙断垂下头，看到了石碑上的名字，双拳又渐渐握紧，目中的神色也变得奇怪，也不知是悲愤，是恐惧，还是仇恨。

过了很久，他才慢慢地沉声道："你能确定白老大真有个儿子？"

马空群道："嗯。"

公孙断道："你怎知这次是他的孤儿来复仇？"

马空群闭上眼睛，一字字道："这样的仇恨，本就是非报不可的。"

公孙断的手握得更紧，哽声道："但我们做的事那么秘密，除了死人外，又怎会有别人知道？"

马空群长长叹息着，道："无论什么样的秘密，迟早总有人知道的——若要人不知，除非己莫为，这句话你千万不能不信。"

公孙断凝视着石碑上的刻字，目中的恐惧之色仿佛更深，咬着牙道："这孤儿若长大了，年纪正好跟叶开差不多。"

马空群道："跟傅红雪也差不多。"

公孙断霍然转身，俯视着他，道："你认为谁的嫌疑较大？"

马空群沉吟着，道："照现在的情况看来，好像是傅红雪。"

公孙断道："为什么？"

马空群道："这少年看来仿佛是个很冷静、很能忍耐的人，其实却比谁都激动。"

公孙断冷笑道："但他却宁可从栏下狗一般钻进来，也不愿杀一个人。"

马空群道："这只因那个人根本不值得他杀，也不是他要杀的！"

公孙断的脸色有些变了。

马空群缓缓道："一个天性刚烈激动的人，突然变得委曲求全，只有一种原因。"

公孙断道："什么原因？"

马空群道："仇恨！"

公孙断身子一震，道："仇恨？"

马空群道："他若有了非报复不可的仇恨，才会勉强控制住自己，才会委曲求全，忍辱负重，只因为他一心一意只想复仇！"

他张开眼，目中似已有些恐惧之色，沉声道："你可听人说过勾践复仇的故事？就因为他心里的仇恨太深，所以别人不能忍受的事，他才全都能忍受。"

公孙断握紧双拳，嗄声道："既然如此，你为什么不让我杀了他？"

马空群目光遥视着阴暗的苍穹，久久都没有说话。

公孙断厉声道："现在我们已有十三条命牺牲了，你难道还怕杀错了人？”

马空群道：“你错了。”

公孙断道：“你认为他还有同党？”

马空群道：“这种事，本就不是一个人的力量能做的！”

公孙断道：“但白家岂非早已死尽死绝？”

马空群的人突然弹簧般跳了起来，厉声道：“若已死尽死绝，这孤儿是哪里来的？若非还有人在暗中相助，一个小孩又怎能活到现在？那人若不是个极厉害的角色，又怎会发现是我们下的手？又怎能避开我们的追踪搜捕？”

公孙断垂下头，说不出话了。

马空群的拳也已握紧，一字字道：“所以我们这一次若要出手，就得有把握将他们的人一网打尽，绝不能再留下后患！”

公孙断咬着牙，道：“但我们这样等下去，要等到几时？”

马空群道：“无论等多久，都得等！”

公孙断道：“现在我们已送了十三条命，若是再等下去……”

马空群冷冷道：“只要是别人的命，再送三百条又何妨？”

公孙断道：“你不怕他先下手为强？”

马空群冷笑道：“你放心，他也绝不会很快就对我们下手的！”

公孙断道：“为什么？”

马空群道：“因为他一定不会让我们死得太快，太过容易！”

公孙断脸色铁青，巨大的手掌又已按上刀柄！

马空群冷冷地道：“最重要的一点，就是他现在一定还没有抓住真实的证据，能证明是我们下的手，所以……”

公孙断道：“所以怎么样？”

马空群道：“所以他才要使我们恐惧，无论谁在恐惧时，都最容易做错事，只有在我们做的事发生错误时，他才有机会抓住我们的把柄！”

公孙断咬着牙道：“所以现在我们什么事也不能做？”

马空群点点头，沉声道：“所以我们现在只有等下去，等他先错！”

他神情又渐渐冷静，一字字慢慢地接着道：“只有等，是永远不会错的！”

等的确永不会错。

一个人只要能忍耐，能等，迟早总会等得到机会的！

但你若要等，往往也得付出代价，那代价往往也很可怕。

公孙断用力握住了刀柄，突然拔刀，一刀砍在石碑上，火星四溅。

就在这时，阴暗的苍穹中，也突有一道霹雳击下！

银刀在闪电中顿时失去了它的光芒。

一粒粒比黄豆还大的雨点，落在石碑上，沿着银刀砍裂的缺口流下，就好像石碑也在流泪一样。

第七章

乌云满天

窗子是关着的，屋里暗得很。

雨点打在屋顶上，打在窗户上，就是战鼓雷鸣，万马奔腾。

叶开斜坐着，伸长了两条腿，看着他那双破旧的靴子，长长叹了口气，喃喃道：“好大的雨。”

萧别离小心翼翼地翻开了最后一张骨牌，凝视了很久，才回过头微笑道：“这地方平时很少下雨。”

叶开沉思着，道：“也许就因为平时很少下雨，所以一下就特别大。”

萧别离点点头，倾听着窗外的雨声，忽也长长叹了口气，道：“这场雨下得实在不是时候。”

叶开道：“为什么？”

萧别离道：“今天本是她们每月一次，到镇上来采购针线、花粉的日子。”

叶开道：“她们？她们是谁？”

萧别离目中带着笑意，道：“她们之中，总有一个是你很想见到的。”

叶开明白了，却还是问道：“你怎么知道我很想见到她？”

萧别离微笑道：“我看得出来。”

叶开道：“怎么看法？”

萧别离轻抚着桌上的骨牌，缓缓道：“也许你不信，但我的确总是能从这上面看出很多事。”

叶开道：“你还看出了什么？”

萧别离凝视着骨牌，脸色渐渐沉重，目中也露出了阴郁之色，缓缓道："我还看到了一片乌云，笼罩在万马堂上，乌云里有把刀，正在滴着血……"

他忽然抬头，盯着叶开，沉声道："昨夜万马堂里是不是发生了一些凶杀不祥的事？"

叶开似已怔住，过了很久，才勉强笑道："你应该改行去替人算命的。"

萧别离长长叹息，道："只可惜我总是只能看到别人的灾祸，却看不出别人的好运。"

叶开道："你……你有没有替我看过？"

萧别离道："你要听实话？"

叶开道："当然。"

萧别离的目光忽然变得很空洞，仿佛在凝视着远方说道："你头上也有朵乌云，显见得你也有很多烦恼。"

叶开笑了，道："我像是个有烦恼的人？"

萧别离道："这些烦恼也许不是你的，但你这人一生下来，就像是已经有很多别人的麻烦纠缠着你，你甩也甩不掉。"

叶开笑得似已有些勉强，勉强笑道："乌云里是不是也有把刀？"

萧别离道："就算有刀也无妨。"

叶开道："为什么？"

萧别离道："因为你命里有很多贵人，所以无论遇着什么事，都能逢凶化吉。"

叶开道："贵人？"

萧别离道："贵人的意思，就是喜欢你，而且能帮助你的人，譬如说……"

叶开道："譬如说你？"

萧别离笑了，摇着头说道："你命中的贵人，大多是女人，譬如说翠浓！"

他看着叶开襟上的珠花，微笑道："她昨夜就一直在等着你，你为什么不去找她？"

叶开也笑了，道："床头金尽，壮士无颜，既然迟早要被赶出来，又何必去？"

萧别离道："你错了。"

叶开道："哦？"

萧别离道："这地方的女人，也未必人人都是拜金的。"

叶开道："我倒宁愿她们如此。"

萧别离道："为什么？"

叶开道："这样子反而无牵无挂，也不会有烦恼。"

萧别离道："你的意思是不是说，有情的人就有烦恼？"

叶开道："对了。"

萧别离微笑道："你却又错了，一个人若是完全没有烦恼，活着也未必有趣。"

叶开笑道："我还是宁可坐在这里，除非这里白天不招待客人。"

萧别离道："你是例外，随便你什么时候来，随便你要坐到什么时候都行，但是我……"

他忽又叹息了一声，苦笑道："我已老了，精神已不济，到了要睡觉的时候，整个人都像是要瘫了下去。"

叶开道："你还没有睡。"

萧别离笑得仿佛有些伤感，悠悠道："老人总是舍不得多睡的，因为他自知剩下的时候已不多了，何况我又是个夜猫子。"

他拿起椅旁的拐杖，挟在肋下，慢慢地站起来，忽又笑道："中午时说不定雨就会停的，你说不定就会看到她了。"

萧别离已上了小楼。

他站起来，叶开才发现他长衫的下摆里空荡荡的。两条腿已都齐膝被砍断。

这双腿是怎会被砍断的？为了什么？

无论谁都可看得出，他若非是个很不平凡的人，又怎会到这边荒小城中来，做这种并不光彩的生意？

他是不是想借此来隐藏自己的过去？是不是真有种神秘的力量，能预知别人的灾祸？

叶开沉思着，看到桌上的骨牌，就忍不住走了过去，伸手摸了摸。忽又发觉这骨牌并不是骨头，而是纯钢打成的。

只听一阵阵干涩的咳嗽声，隐隐从小楼上传下来。

叶开叹了口气，只觉得他实在是个很神秘的人，说出的每句话，仿佛都有某种很神秘的含义，做出的每件事，也仿佛都有某种很神秘的目的。

就连他住的这小楼上，都很可能隐藏着一些没有人知道的秘密。

叶开看着那狭而斜的楼梯，忽又笑了。

他觉得这地方实在很有趣。

正午。

雨果然停了，叶开穿过满是泥泞的街道，走向斜对面的杂货铺。

杂货铺的老板，是个很乐观的中年人，圆圆的脸，无论看到谁都是笑眯眯的。

别人要少付几文钱，多抓两把豆子，他也总是笑眯眯地说："好吧，马马虎虎算了，反正都是街坊邻居嘛。"

他姓李，所以别人都叫他李马虎。

叶开认得李马虎，却忘了看看这杂货铺是不是有针线、花粉卖。

正午的时候，也正是大家都在吃饭的时候，所以这时候杂货铺里总是少有人会来光顾。

李马虎又和平时一样，伏在柜台上打瞌睡。

叶开不愿惊动他，正在四下打量着，突听一阵车辚马嘶，一辆大马车急驰过长街。

车身漆黑如镜，拉车的八匹马也都是训练有素的良驹。

叶开认得这辆车正是昨天来接他去万马堂的，现在这辆车上坐的是什么人呢?

他正想赶出去看看，身后已有人带着笑道："这想必是万马堂的姑奶奶和大小姐又出来买货了，却不知今天她们要不要鸡蛋。"

叶开笑道："她们又不是厨房里的采买，要鸡蛋干什么？"

他转过身，就发现李马虎不知何时已醒了，正笑眯眯地看着他，道："这你就不懂了，女人用鸡蛋清洗脸，愈洗愈年轻的。"

叶开笑道："你媳妇是不是每天也用鸡蛋洗脸？"

李马虎撇着嘴，冷笑着道："她呀，她每天就算用三百斤鸡蛋洗脸，还是一脸的橘子皮——而且是风干了的橘子皮。”

他忽又眯起眼一笑，压低声音道：“但万马堂的那两位，却真是水仙花一样的美人儿，大爷你若是有福气能……”

突听一个孩子的声音在门外大声道：“李马虎，你在乱嚼什么舌头？”

李马虎朝门外看了一眼，脸色立刻变了，赔笑道：“没什么，我正在想给小少爷你做个糖葫芦。”

一个孩子手叉着腰，站在门外，瞪着双乌溜溜的眼睛，身上的衣服比糖葫芦还红。

他年纪虽小，派头却不小，李马虎一看见他，脸就吓得发白。

但他一看见叶开也在店里，脸也吓白了，转过身就想溜。

叶开立刻追出去，一把揪住了他的小辫子，笑道：“莫说你是小虎子，就算你是个小狐狸，也一样溜不掉的。”

小虎子好像有点发急，大声道：“我又不认得你，你找我干什么？”

叶开道：“早上你不是还认得我的？现在怎么忽然又不认得了？”

小虎子脸涨得通红，又想叫。

叶开道：“你乖乖地听话一点，要多少糖葫芦我都买给你，否则我就去告诉你爹爹和你四叔，说你早上在说谎。”

小虎子更急，红着脸，道：“我……说了什么谎？”

叶开压低声音，道：“昨天晚上你早已睡着了，根本就没有出来，也没有躲在你姐姐的马肚子下面，对不对？”

小虎子眼珠子直转，吃吃笑道：“那只不过是我想帮你的忙。”

叶开道：“是谁教你那么说的？”

小虎子道：“没有人，是我自己……”

叶开沉下了脸，道：“你不告诉我，我只好把你押回去，交给你爹爹了。”

小虎子脸又吓得发白，这孩子只要一听到他爹爹，立刻就老实了，垂下头道：“好，告诉你就告诉你，是我三姨教我说的。”

叶开吃了一惊，道：“你三姨？是不是早上把你拉去的那个人？”

小虎子点点头。

叶开皱起眉，道：“她怎么知道昨天夜里我跟你姐姐在一起？”

小虎子嘟起嘴，道："我怎么知道？你为什么不问她去？"

叶开只好放开手，这孩子立刻一溜烟似的远远逃走了。逃到街对面，才回过头来，做了个鬼脸，笑嘻嘻道："你可以去问她，但却不能像抱我姐姐那样抱着她，否则我爹爹会吃醋的。"

话未说完，他的人已溜进了街角的一家绸缎庄。

叶开皱着眉，沉思着。

这件事显然又出了他意料之外。

那"三姨"是谁，怎么会知道他昨夜的行动？为什么要替他解围？

他想不通，刚抬起头，就看到这位三姨正从对面的绸缎庄里走出来。

她打扮得还是很素净，一身白衣如雪，既不沾脂粉，也没有装饰，但却自有一种动人的风韵，令人不饮自醉。

叶开看着她的时候，她一双秋水如神的明眸，也正向叶开瞟了过来，也不知是有意，还是无意，还仿佛向叶开嫣然一笑。

没有人能形容这一笑。

叶开竟似也有些痴了，过了半晌，才发现她身边还有双眼睛在盯着他。

这双眼睛本来是明朗的，但现在却笼着一层雾，一层纱。

是不是因为她昨夜没有睡好？还是因为她刚哭过？

叶开的心又跳了起来，跳得很快。

马芳铃脉脉地看着他，偷偷地向他使了个眼色。

叶开立刻点点头。

马芳铃这才垂下脖子，偷偷地一笑，一朵红云已飞到脸上。

他们用不着说话。

他的感情，只要一个眼色，她就已了解；她的意思，也只要一个眼色，他就已知道。

他们又何必说话？

小楼上静寂无声，桌上散乱的骨牌，却已不知被谁收拾了起来。

窗子开着，屋里还是很暗。

叶开又坐到原来那张椅子上，静静地等着。

他明白马芳铃的意思，却实在不明白那"三姨"的意思。

马空群的妻子已去世，像他这样的男人，身侧当然不会缺少女人。

也只有她这样的女人，才配得上他这样的男人。

叶开已猜出她的身份，却更不明白她的意思了。

尤其是那一笑。

叶开叹了口气，不愿再想下去……再想下去，就有点对不起马芳铃了。

可是那一笑，却又令人难以忘记。

她们现在在做什么？是不是在那杂货铺里买鸡蛋？

女人用鸡蛋清洗脸，是不是会真的愈洗愈年轻？

叶开集中注意力，努力要自己去想一些不相干的事，但想来想去，还是离不开她们两个人。

幸好就在这时，门已轻轻地被推开了。

来的当然是马芳铃。

叶开正准备站起来，心就已沉了下去。

来的不是马芳铃，是云在天——叶开暗中叹了口气，知道今天已很难再见到马芳铃了。

云在天看到他在这里，显然也觉得很意外，但既已进来了，又怎能再出去？

叶开忽然笑了笑，道："阁下是不是来找翠浓姑娘的？是不是想问她，为什么要将这朵珠花送给别人呢？"

云在天干咳了两声，一句话也没说，找了张椅子坐下。

叶开笑道："男人找女人，是件天经地义的事，阁下为什么不进去？"

云在天神色已渐渐恢复镇定，沉声道："我是来找人，却不是来找她！"

叶开道："找谁？"

云在天道："傅红雪。"

叶开道："找他干什么？"

云在天沉着脸，拒绝回答。

叶开道："他岂非还留在万马堂？"

云在天道："不在了。"

叶开道："什么时候走的？"

云在天道："早上！"

叶开皱了皱眉头，道："他既然早上就走了，我为什么没有看到他回镇上来？"

云在天也皱了皱眉，道："别的人呢？"

叶开道："别的人也没有回来，这里根本没什么地方可去，他们若回来了，我一定会看见的。"

云在天脸色有些变了，抬起头，朝那小楼上看了一眼。

叶开目光闪动，道："萧老板在楼上，阁下是不是想去问问他？"

云在天迟疑着，霍然长身而起，推门走了出去。

这时正有十来辆骡子拉的大板车，从镇外慢慢地走上长街。

板车上装着的，赫然竟是棺材，每辆车上都装着四口崭新的棺材。

一个脸色发白的驼子穿着套崭新的青布衣裳，骑着头黑驴，走在马车旁，看他的脸色，好像他终年都是躺在棺材里的，看不见阳光。

无论谁看见这么多棺材运到镇上，都难免会吃一惊的。

云在天也不例外，忍不住问道："这些棺材是送到哪里去的？"

驼子上上下下打量了他两眼，忽然笑道："看这位大爷的装束打扮，莫非是万马堂里的人？"

云在天道："正是。"

驼子道："这些棺材，也正是要送到万马堂的。"

云在天变色道："是谁叫你送来的？"

驼子赔笑道："当然是付过钱的人，他一共订了一百口棺材，小店里正在日夜加工……"

云在天不等他说完，已一个箭步蹿过去，将他从马背上拖下，厉声道："那是个什么样的人？"

驼子的脸吓得更无丝毫血色，吃吃道："是……是个女人。"

云在天怔了怔，道："是个什么样的女人？"

驼子道："是个老太婆。"

云在天又怔了怔，道："你们是从哪里来的，这老太婆的人在哪里？"

驼子道："她也跟着我们来了，就在……就在第一辆车上的棺材里躺着。"

云在天冷笑道："在棺材里躺着，莫非是个死人？"

驼子道："还没有死，是刚才躺进去躲雨的，后来想必是睡着了。"

第一辆车上，果然有口棺材的盖子是虚盖着的，还留下条缝透气。

云在天冷笑着，放开了驼子，一步步走过去，突然闪电般出手，揭起了棺盖……

棺材里果然有个人，但却并不是女人，也不是个活人！

棺材里躺着的是个死人，死了的男人。

这人满身黑衣劲装，一脸青碜碜的须茬子，嘴角的血痕已凝结，脸已扭曲变形，除此之外，身上并没有别的伤痕，显然是被人以内力震伤内腑而死。

叶开高高地站在石阶上，恰巧看到了他的脸，忍不住失声而呼："飞天蜘蛛！"

他当然不会看错，这尸体赫然正是飞天蜘蛛。

飞天蜘蛛已死在这里，傅红雪、乐乐山、慕容明珠呢？

他们本是同时离开万马堂的，飞天蜘蛛的尸体又怎会在这棺材里出现？

云在天慢慢地转过身，盯着那驼子，一字字道："这人不是老太婆！"

驼子全身发抖，勉强地点了点头，道："不……不是。"

云在天道："你说的老太婆呢？"

驼子摇了摇头，道："不知道。"

第二辆车的车夫忽然嘶声道："我也不知道，我本来是走在前面的。"

云在天道："你怎会走在前面？"

车夫道："这辆车本来就是最后一辆，后来我们发现走错了路，原地转回，最后一辆才变成最前面一辆。"

云在天冷笑道："无论怎么变，老太婆也不会变成死男人的，你说这是怎么回事？”

驼子拼命摇头，道：“小人真的不知道。”

云在天厉声道：“你不知道谁知道？”

他身形一闪，突然出手，五指如钩，急抓驼子的右肩琵琶骨。

驼子整个人本来瘦得就像是个挂在竹竿上的风球，云在天一出手，他突然不抖了，脚步一滑，已到了云在天右肋后，反掌斜削云在天肩骨。

这一招不但变招快，而且出手的时间、部位，都拿得极准，掌风也极强劲而有力气。

只看这一出手，就知道他在这双手掌上，至少已有三十年的功夫火候。

云在天冷笑道：“果然有两下子！”

这六个字出口，他身法已变了两次，双拳已攻出五招！

他武功本以轻灵变化见长，此番身法乍一展动，虽然还没有完全现出威力，但招式之奇变迅急，已令人难以抵挡。

驼子哈哈一笑，道：“好，你果然也有两下子！”

笑声中，他身子突然陀螺般一转，人已冲天飞起，蹿上对面的屋脊了。

他一招刚攻出，说变招就变招，说走就走，身法竟是快得惊人。

只可惜，他的对手是以轻功名震天下的“云天飞龙”！

他身形掠起，云在天的人已如轻烟般蹿了上去，五指如鹰爪，一把抓住了他背上的驼峰。

“嘶”的一声，他背上崭新的蓝布衣衫，已被扯下了一块，赫然露出了一片夺目的金光。

接着，又是“锵”的一响，他这金光灿灿的驼峰里，竟有三点寒星暴射而出，急打云在天的胸腹。

云在天一声清啸，凌空翻身，“推窗望月飞云式”，人已在另一边的屋脊上。

饶是他轻功精妙，身法奇快，那三点寒星，还是堪堪擦着他衣衫而过。

再看那驼子，已在七八重屋脊外，驼背上的金峰再一闪，就已看不见了。

云在天一跃而下，竟不再追，铁青的脸上已现了冷汗，目光看着他身形消失，突然长长叹了口气，喃喃道：“想不到‘金背驼神’丁求竟会又在边荒出现。”

叶开也叹了口气，摇着头道：“我实在也未想到是他！”

云在天沉声道：“你也知道这个人？”

叶开淡淡地道：“走江湖的人，不知道他的又有几个？”

云在天不再说话，脸色却很凝重。

叶开道：“这人隐迹已十余年，忽然辛辛苦苦地送这么多棺材来干什么？难道他也和你们的那些仇家有关系？”

云在天还是不说话。

叶开又道：“飞天蜘蛛难道是被他杀了的？为的又是什么？”

云在天瞧了他一眼，冷冷道：“这句话本是我想问你的。”

叶开道：“你问我，我去问谁？”

他忽然笑了笑，目光移向长街尽头处，喃喃道：“也许我应该去问问他。”

第八章

春风解冻

长街尽头处，慢慢地走过一个人来，脚步艰辛而沉重，竟是傅红雪。

他手里当然还是紧紧地握住那柄刀，一步步走过来，好像无论遇着什么事，他这种步伐都绝不会改变，更不会加快。

只有他一个人，乐乐山和慕容明珠还是不见踪影。

叶开穿过长街，迎上了他，微笑着，道："你回来了？"

傅红雪看了他一眼，冷冷道："你还没有死。"

叶开道："别的人呢？"

傅红雪道："我走得慢。"

叶开道："他们都走在你前面？"

傅红雪道："嗯。"

叶开道："走在前面的人，为何还没有到？"

傅红雪道："你怎知他们定要回来这里？"

叶开点了点头，忽又笑了笑，道："你知道最先回来的是谁？"

傅红雪道："不知道。"

叶开道："是个死人。"

他嘴角带着讥诮的笑意，又道："走得快的没有到，不会走的死人反而先到了，这世上有很多事的确都有趣得很。"

傅红雪道："死人是谁？"

叶开道："飞天蜘蛛。"

傅红雪微微皱了皱眉，沉默了半晌，忽然道："他本来留在后面陪着我的。"

叶开道："陪着你？干什么？"

傅红雪道："问。"

叶开道："问你的话？"
傅红雪道："他问，我听。"
叶开道："你只听，不说？"
傅红雪冷冷道："听已很费力。"
叶开道："后来呢？"
傅红雪道："我走得很慢。"
叶开道："他既然问不出你的话，所以就赶上前去了？"
傅红雪目中也露出一丝讥诮的笑意，淡淡道："所以他先到。"
叶开笑了，只不过笑得也有点不是味道。
傅红雪道："你问，我说了，你可知道为什么？"
叶开笑道："我也正在奇怪。"
傅红雪道："那只因我也有话要问你。"
叶开道："你问，我也说。"
傅红雪道："现在还未到问的时候。"
叶开道："要等到什么时候再问？"
傅红雪道："我想问的时候。"
叶开微笑道："好，随便你什么时候想问，随便你问什么，我都会说的。"

他闪开身，傅红雪立刻走了过去，连看都没有往棺材里的尸体看一眼。他的目光就仿佛十分珍贵，无论你是死是活，他都绝不肯随便看你一眼的。

叶开苦笑着，叹了口气，转过头，就看到云在天已准备盘问那些车夫。

他也懒得去听了——你若想从这些车夫嘴里问出话来，还不如去问死人也许反倒容易。

死人有时也会告诉你一些秘密的，只不过他说话的方式不同而已。

飞天蜘蛛的尸体已僵硬、冷透，一双手却还是紧紧地握着，就像是紧紧握着某种看不见的珠宝一样，死也不肯松手。

叶开站在棺材旁，对着他凝视了很久，喃喃道："密若游丝，快如闪电……你是不是还有什么话想要告诉我？……"

正午后，阴暗的苍穹里，居然又有阳光露出。

但街道上的泥泞却仍未干，尤其是因为刚才又有一连串载重的板车经过。

现在这一列板车已入了万马堂。

若不问个详详细细、水落石出，云在天是绝不会放他们走的。

那辆八匹马拉着的华丽马车，居然还停留在镇上，有四五个人正在洗刷车上的泥泞，拌着大豆草料准备喂马。

杂货铺隔壁，是个屠户，门口挂着个油腻的招牌，写着："专卖牛羊猪三兽。"

再过去就是个小饭馆，招牌更油腻，里面的光线更阴暗。

傅红雪正坐在里面吃面。

他右手像是特别灵巧，别人要用两只手做的事，他用一只手就已做得很好。

再过去就是傅雪红住的那条小巷，巷子里住的人家虽不少，但进出的人却不多，只有那白发苍苍的老太婆，正佝偻着身子，蹒跚地走出来，将手里一张已抹上浆糊的红纸，小心翼翼地贴在巷子的墙角，又佝偻着身子走了回去。

红纸上写着："吉屋招租，雅房一间，床铺新，供早膳。月租纹银十二两正，先付。限单身无孩。"

这老太婆早上刚收了五十两银子的房租，好像已尝出了甜头，所以就想把自己住的一间屋子，也租给别人了，而且每个月的租金还涨了二两。

杂货铺的老板又在打瞌睡。

对面的绸缎庄里，正有两个打扮得花枝招展的小媳妇在买针线，一面还嘀嘀咕咕的，又说又笑，只可惜比那三姨和马芳铃丑多了。

马芳铃她们的人呢？

马车虽然还留在镇上，但她们的人却已好像找不着了。

叶开在街上来来回回走了两遍，都没有看见她们的人影。

他本来想到那小饭馆吃点东西的，但忽然又改变了主意，却走过去将巷口贴着的那张红纸揭了下来，卷成一条，塞在靴子里。

他靴筒里好像还有条硬邦邦的东西，也不知是金条，还是短刀？

街上最窄的一扇门，就是这里的销金窟。

门虽最窄，屋子占的地方却最大。

窄门上既没有招牌，也没有标志，只悬着一盏粉红色的灯。

灯亮起的时候，就表示这地方已开始营业，开始准备收你囊里的钱了。

灯熄着的时候，这门里几乎从未看到有人出来，当然也没人进去。

这里竟像是镇上最安静的地方。

叶开打了个呵欠，目中已有些疲倦之意，迟疑了半晌，终于又推门走了进去。

暗沉沉的屋子，居然有个人，居然不是萧别离，是马芳铃。

叶开到处找不着的人，原来早已在这里等着他。

女孩子的行动，岂非是令人难以捉摸的？

叶开笑了，道：“你怎么会在这里？”

马芳铃瞪了他一眼，忽然站起来，扭头就走。

她本来一直坐在那里发怔，看见叶开进来本已忍不住露出喜色，但也不知为了什么，忽又板起了脸，扭头就走。

叶开知道这位大小姐想必已等得生气了。

你看到大小姐生气的时候，最好的法子，就是等她气消了再说。

在这种时候你若还想拦住她，劝劝她，你一定是个笨蛋。

叶开不是笨蛋。所以他什么也没说，只叹了口气，坐下来。

马芳铃本来已快冲出了门，突又转回来，瞪着叶开道：“喂，你来干什么的？”

叶开眨了眨眼，道：“来找你。”

马芳铃冷笑道：“来找我？现在才来？你以为我一定会等你？”

叶开笑道：“你现在不是在等我？”

马芳铃道：“当然不是。”

叶开道：“不是等我，是在等谁？”

马芳铃道：“等三姨。”

叶开怔了怔，道：“三姨？她也要来？”

马芳铃道：“你以为这地方只有男人才能来？”

叶开苦笑道："我什么都没有以为，也不知道你已经来了，所以满街在找你。"

马芳铃瞪着他，又瞪了半天，道："你一直都在找我？"

叶开道："不找你找谁？"

马芳铃忽然扑哧一笑，道："呆子，你以为这里只有一个门可以进来？"

原来她是从后门进来的，女孩子到这种地方来，当然要避旁人耳目。

叶开叹了口气，苦笑道："我实在没有想到你也会走后门。"

马芳铃道："不是我要走，是三姨。"

叶开又怔了怔，道："她也来了？"

马芳铃咬着嘴唇，笑道："呆子，我刚才不是已告诉了你吗？"

叶开道："她的人呢？"

马芳铃向左面的第三扇门努了努嘴，道："在里面。"

这扇门里，正是翠浓的香闺。

叶开瞪大了眼睛，讶道："她在里面？在里面干什么？"

马芳铃道："聊天。"

叶开道："跟翠浓聊天？"

马芳铃道："她们本来是朋友，三姨每次到镇上来，都要找她聊聊的。"

她忽又瞪起了眼，瞪着叶开道："你怎么知道她叫翠浓？你也认得她？"

叶开讷讷道："好像见过一次。"

马芳铃眼睛瞪得更大，道："是好像见过？还是真的见过？"

叶开苦笑道："真的见过。"

马芳铃歪起头，用眼角瞟着他，道："你好像是前天晚上来的。"

叶开道："嗯。"

马芳铃道："前天晚上你住在哪里？"

叶开道："好像……好像是……"

马芳铃咬着嘴唇，突又一扭头，头也不回地冲了出去。

这位大小姐的脾气，真有点像是五月里的天气，变得真快。

叶开只有叹息，除了叹气之外，他还能怎么办呢？

男人在女人面前说话，真应该小心些，尤其是喜欢你的女人。

也不知过了多久，门忽然又被轻推开了，马芳铃又慢慢地走了回来，走到叶开面前，在对面找了张椅子坐下。

她脸色已好看多了，似笑非笑地看着叶开，忽然道："你怎么不说话？"

叶开道："我不敢说。"

马芳铃道："不敢？"

叶开道："我怕又说错了话，让你生气。"

马芳铃道："你怕我生气？"

叶开道："怕得厉害。"

马芳铃眼波流动，突又扑哧一笑道："呆子，不该说的时候嘴巴不停，该说的时候反而不说了。"

她目光渐渐温柔，凝视着叶开，道："今天早上，别人问你昨天晚上在哪里，你为什么不说？"

叶开道："不知道。"

马芳铃柔声道："我知道，你是怕连累了我，怕别人说我的闲话，是不是？"

叶开道："不知道。"

聪明的男人总是会选个很适当的时候来装装傻的。

马芳铃眼波更温柔，道："你难道不怕他们真的杀了你？"

叶开道："不怕，我只怕你生气。"

马芳铃嫣然一笑，温柔得就仿佛是可以令冰河解冻的春风。

叶开盯着她，似又有些痴了。

马芳铃慢慢地垂下头，道："我爹爹早上是不是找你谈过话？"

叶开道："嗯。"

马芳铃道："他说了些什么？"

叶开道："他要我走，要我离开这地方。"

马芳铃咬着嘴唇，道："你说什么？"

叶开道："我不走！"

马芳铃抬起头，忽然站起来，握住了他的手，道："你……你真的不走？”

叶开点了点头。

马芳铃道：“别的地方没有人等你？”

叶开柔声道：“只有一个地方有人等我。”

马芳铃立刻问道：“哪里？”

叶开道：“这里。”

马芳铃又笑了，笑得更甜，眼波蒙蒙眬眬，就像是在做梦似的，轻轻道：“我这一辈子，从来也没有人跟我这样子说过话，从来也没有人拉过我的手……你知不知道？相不相信？”

叶开道：“我相信。”

马芳铃道：“就因为别人都觉得我很凶，所以我自己也愈来愈觉得自己凶了，其实……”

叶开忍不住笑道：“其实你本来就很凶。”

马芳铃嫣然一笑，道：“其实有时我跟你生气，根本就是假的。”

叶开道：“为什么要假装生气？”

马芳铃道：“因为……因为我总觉得若不时常发发脾气，别人就会来欺负我。”

叶开柔声道：“以后绝没有人敢再欺负你。”

马芳铃眨着眼，道：“若有人欺负我，你去跟他拼命？”

叶开道：“当然，只不过……你以后可不许假装生气了。”

马芳铃又咬起嘴唇，道：“但以后你若敢再住在这里，我可真的生气了。”

叶开什么话也不说，从靴筒里拿出了那卷红纸。

马芳铃打开来一看，脸上立刻又露出春风般温柔的微笑。

叶开看着她，从心里觉得她真是个很可爱的少女，又直爽，又天真，有时简直就像是个孩子一样。

他忍不住捧起了她的手，轻轻地亲了亲。

她的脸又红了，红得发烫。

就在这时，忽然听到有人轻轻咳嗽。

那人正带着微笑，看着他们。

马芳铃的脸更红，一双手立刻藏到背后。

三姨微笑道："我们该回去了！"

马芳铃红着脸垂下头，道："嗯。"

三姨道："我先到外面去等你。"

她出去的时候，似有意，似无意，又回眸向叶开一笑。

令人销魂的一笑。

马芳铃的笑是明朗的、可爱的，就好像是初春的阳光。

她的笑却如浓春，浓得令人化不开，浓得令人不饮自醉。

在她面前，马芳铃看来就更像个孩子。

无论谁看到她走出去，都会觉得有些特别的滋味，就仿佛被她偷走了什么东西。

叶开当然不能将这种感觉露出来，所以忽然问道："你们每次到镇上，坐的都是那辆马车？"

马芳铃显然不明白他为什么要问这句话，但还是点了点头。

叶开道："像那样的马车，你们一共有几辆？"

马芳铃道："只有一辆。这里的人，都比较喜欢骑马。"

叶开叹了口气，道："就因为你们要坐这辆马车，所以他们就只能自己回来了。"

马芳铃道："他们是谁？"

叶开道："昨天晚上跟我一起去的客人。"

马芳铃笑道："他们又不是孩子了，自己回来又有什么关系？你又何必叹气？"

叶开却又叹了口气，道："因为他们十三个人来，现在已死了一个，不见了十一个。"

马芳铃睁大眼睛，道："死的是谁？"

叶开道："飞天蜘蛛。"

马芳铃道："不见了的呢？"

叶开道："乐大先生、慕容明珠和他那九个跟班的。"

马芳铃道："这么大的人了，怎么会不见呢？"

叶开缓缓道："这地方本来就随时都会有怪事发生的。"

马芳铃抿嘴一笑，道："也许这只不过是你的疑心病，他们说不定很快就会回来的。”

叶开摇摇头，忽又道：“我能不能顺便搭你们的马车到前面去？”

马芳铃道：“当然可以。只不过……你到前面去干什么呢？”

叶开道：“去找那些不见了的人。”

马芳铃道：“你怎么知道他们还在附近？也许他们从别的路回去了呢？”

叶开道：“不会的。”

马芳铃道：“为什么不会？”

叶开道：“我知道。”

马芳铃道：“怎么知道的。”

叶开道：“有人告诉我。”

马芳铃道：“是什么人告诉你的？”

叶开垂头看着自己的手，一字字地说道：“是个死人……”

马芳铃骇然道：“死人？”

叶开点了点头，缓缓道：“你知不知道，死人有时也会说话的，只不过他们说话的方法和活人不同而已。”

马芳铃吃惊地看着他，讷讷道：“死人说的话你也相信？”

叶开又点点头，嘴角带着种神秘的笑意，道：“只有死人告诉你的事，才永远不会是假的……因为他已根本不必骗你。”

这死人紧握着的双拳已松开了，手指弯曲僵硬。死人纵然还能说出一些秘密，但他的手却是绝不会自己松开的。飞天蜘蛛紧紧地握着的双拳已松开，手指弯曲而僵硬。

马空群站在棺材旁，目光炯炯，盯着这双手。

他既不看这死人扭曲变形的脸，也不看那嘴角凝结了的血渍，只是盯着这双手。

所以每个人都在盯着这双手。

马空群忽然道：“你们看出了什么？”

花满天和云在天对望了一眼，沉默着。

公孙断道：“这只不过是双死人的手，和别的死人并没有什么地方不同。”

马空群道："有。"

公孙断道："有什么不同？"

马空群道："这双手本来握得很紧，后来才被人扳开来的。"

公孙断道："你看得出？"

马空群道："死人的骨头和血已冷硬，想扳开死人的手并不容易，所以他的手指才会这样子扭曲，而且上面还有伤痕。"

公孙断道："也许是他临死前受的伤。"

马空群道："绝不是。"

公孙断道："为什么？"

马空群道："因为若是生前受的伤，伤口一定有血渍，只有死了很久的人才不会流血。"

他忽然转向云在天，道："你看见这尸体时，他是不是已死了很久？"

云在天点点头，道："至少已死了一个时辰，因为那时他的人已冷透。"

马空群道："那时他的手呢？是不是握得很紧？"

云在天沉吟着，垂下头，道："那时我没有留意他的手。"

马空群沉下脸，冷冷道："那时你留意着什么？"

云在天道："我……我正急着去盘问别的人。"

马空群道："你问出了什么？"

云在天垂首道："没有。"

马空群沉声道："下次你最好记得，死人能告诉你的事，也许比活人还多，而且也远比活人可靠。"

云在天道："是。"

马空群道："他这双手里，必定紧握一样东西，这样东西必定是个很重要的线索，说不定就是他从凶手身上抓下来的。当时你若找出了这样东西，现在我们说不定就已知道凶手是谁了。"

云在天目中露出了敬畏之色，道："下次我一定留意。"

马空群脸色这才和缓了些，又问道："当时除了你之外，还有谁在这口棺材附近？"

云在天眼睛里忽然闪出了光，道："还有叶开！"

马空群道："你有没有看见他动过这尸体？"

云在天又垂下头，摇头道："我也没有留意，只不过……"

马空群道："只不过怎样？"

云在天道："只不过他对这尸体，好像也很有兴趣，站在棺材旁看了很久。"

马空群冷笑着，道："这少年看出的事，只怕远比你想的多得多。"

公孙断忍不住道："这人只不过是个飞贼，他是死是活，和我们有什么关系？"

马空群道："有。"

公孙断道："有关系？"

马空群点点头，道："这人虽是个飞贼，却是个最精明的飞贼，只要一出手，必定万无一失，可见他对别人的观察必是十分准确仔细。"

他缓缓接道："所以，我才特地叫人找他到这里来……"

公孙断失声道："这人是你特地找来的？"

马空群沉声道："是我花了五千两银子请来的。"

公孙断道："请他来干什么？"

马空群道："请他来替我在暗中侦查，谁是来寻仇的人。"

公孙断道："为什么要找他？"

马空群道："因为他和这件事全没有关系，别人对他的警戒自然就比较疏忽，他查出真相的机会，自然也比较多。"

公孙断叹了口气，道："只可惜他什么也没有查出来，就已死了。"

马空群沉声道："他若什么都没有查出来，就不会死！"

公孙断道："哦？"

马空群道："就因为他已发现了那凶手的秘密，所以才会被人杀了灭口！"

公孙断瞪起了眼，道："所以我们只要找出是谁杀他的，就可以知道谁是来找我们麻烦的人了。"

马空群冷冷道："所以他手里握着的线索，关系才如此重要！"

公孙断道："我去问问叶开，那东西是不是他拿走的？"

马空群道："不必。"

公孙断道："为什么？"

马空群道："他死的时候，叶开在镇上，所以杀他的凶手绝不是叶开。"

他冷冷接着道："何况，叶开若真从他手上拿走了什么，也没有人能问得出来。"

公孙断的手又按上刀柄，冷笑着，满脸不服气的样子。

马空群沉吟着，又道："他临死之前，是谁跟他在一起的？"

云在天道："乐大先生、慕容明珠、傅红雪。"

马空群道："现在他们的人呢？"

云在天道："傅红雪已回到镇上，乐乐山和慕容明珠却已失踪了。"

马空群沉下了脸，道："去找他们，带四十个人去找。"

云在天道："是。"

马空群道："十个人一组，分成四组，多带食水口粮，找不到线索就不许回来！"

云在天道："是。"

无论马空群说什么，他脸色永远都很恭顺。在马空群面前，这昔年也曾叱咤一方的武林高手，竟像是变成了个奴才。

公孙断突又大声道："我去找傅红雪！"

马空群道："不必。"

公孙断怒道："为什么又不必？难道这小子就找不得？"

马空群叹了口气，道："你难道看不出这人是怎么死的？"

公孙断垂下头去看手里的刀柄，道："谁规定带刀的一定要用刀杀人？"

马空群没有立刻回答这句话，云在天即已知趣地退了出来，带上门。

公孙断的头抬起，又问了一句："谁规定他一定要用刀杀人？"

马空群道："他自己。"

公孙断道："他自己？"

马空群道："他若真是来复仇的，那么他手里的刀就是他复仇的象征，他要杀人，就一定要用刀！”

他淡淡地笑了笑，接下去道：“他若不是来复仇的，你又何必去找他？”

公孙断没有再说话，他转身走了出去，脚步声沉重得像是条愤怒的公牛。

马空群看着他巨大的背影，眼里忽然露出忧郁恐惧之色，仿佛已从这个人的身上，看出了一些十分悲惨不幸之事。

四十个人，四十匹马。

四十个大羊皮袋中，装满了清水和干粮。

刀已磨利，箭已上弦。

云在天仔细地检查了两次，终于满意地点了点头，但声音却更严厉：“十个人一组，分头去找，找不到你们自己也不必回来！”

公孙断已回到自己的屋子。

屋里虽显得有些凌乱，但却宽大而舒适，墙上排满了光泽鲜艳的兽皮，桌上摆满了各种香醇的美酒，在寂寞的晚上只要他愿意，就有人会从镇上为他将女人送来。

这是他应得的享受。他流的血和汗都已够多。

可是他从来未对这种生活觉得满意，因为在他内心深处，还埋藏着一柄刀，一条鞭子。

是他自己用自己沾满血腥的手埋下去的！

无论他在做什么，这柄刀总是在他心里不停地搅动，这条鞭子也总是在不停地抽打着他的灵魂。

桌上的大金杯里酒还满着，他一口气喝了下去，眼睛里已被呛出泪水。

现在终于已有人来复仇了，但他却只能像是个见不得人的小媳妇般坐在屋子里，用袖子偷偷擦眼角的泪水——无论是为了什么原因流下来的，眼泪总是眼泪。

他又倒了满满一杯酒，喝了下去。

“忍耐！为什么要忍耐？你既然有可能要来杀我，我为什么不能先去杀你？”

他冲了出去。

也许他并不想去杀人的，可是他心里实在太恐惧。

不是仇恨，也不是愤怒，而是恐惧！

一个人想去杀人时，为了仇恨和愤怒的反而少，为了恐惧而杀人的反而多！

一个人想去杀人时，往往也不是为了别人伤害了他，而是因为他伤害了别人。

这也正是自古以来，人类最大的悲剧。

第九章

稳若磐石

黄昏。

斜阳从小窗里斜照进来，照在傅红雪的腿上，使他想起了前夜轻抚着他大腿的，那双温暖而又柔软的手。

他躺在床上，疲倦得连靴子都懒得脱了。

但只要想起那双手，那个女人，那光滑如丝缎的皮肤，那条结实修长的腿，和腿的奇异动作……

他心里立刻就会涌起一种奇异的冲动，好像连裤裆都要被冲破。

他知道如何解决这种冲动。

他做过。

可是现在他已不同，因为他已有过女人，真正的女人。

他本不该想这件事的——他所受的训练也许比世上所有的男人都严厉艰苦。

但他也是个男人，被这种见鬼的夕阳晒着，除了这件事外，他简直什么都不愿想——他太疲倦。

雨是什么时候停的？

骤雨后的夕阳为什么总是特别温暖？

他跳下床，冲出去！

他需要发泄，却偏偏只能忍耐！

街上很安静。

山城里的居民，仿佛都已看出这地方将要有件惊人的大事发生，连平常喜欢在街上游荡的人，都宁可躲在家里抱孩子了。

叶开站在屋檐下，看着街上的泥泞，似在思索着件很难解决的问题。

然后他就看到傅红雪从对面的小巷里走出来。

他微笑着打了个招呼，傅红雪却像是没有看见他，苍白的脸上，仿佛带着种激动的红晕，眼睛直勾勾地盯着对面的一道窄门。

门上的灯笼已燃起。

傅红雪的眼睛似也如这盏灯一样，也已在燃烧。

他手里紧紧地握着他的刀，慢慢地，一步步地走过去。

叶开忽然发现这冷漠沉静的少年，今天看来竟像是变得有些奇怪。

一个人若是忍耐得太久，憋得太久，有些时候总难免会想发泄一下的，否则无论谁都难免要爆炸。

叶开叹了口气，喃喃道："看来他的确应该痛痛快快地喝顿酒了。"

最好能喝得烂醉如泥，不省人事，那么等他醒来时，虽然会觉得头痛如裂，但精神却一定会觉得已松弛了下来。

当然最好还能有个女人。

叶开在奇怪，也不知道这少年一生是不是曾接触过女人。

若是完全没有接触过女人，也许反倒好些——完全没有接触过女人的男人，就像是个严密的堤防，是很难崩溃的。

已有过很多女人的男人，也不危险——假如已根本没有堤防，又怎会崩溃。

最危险的是，刚接触到女人的男人，那就像是堤防上刚有了一点缺口，谁也不知道它会在什么时候让洪水冲进来。

傅红雪慢慢地穿过街道，眼睛还是盯着那扇门，门上的灯笼。

灯笼亮着，就表示营业已开始。

今天的生意显然不会好，这地方主要的客人就是马场中的马师和远地来的马贩子，今天这两种人只怕都不会上门。

傅红雪推开了门，喉结上下滚动着。

屋子里只有两个刚和老婆怄过气的本地客人，萧别离已下了楼，当然还是坐在那同样的位子，正在享受着他的"早点"。

他的早点是一小碟烤得很透的羊腰肉，一小碗用羊杂汤煮的粉条和一大杯酒，好像是从波斯来的葡萄酒，盛在夜光杯里。

他是个懂得享受的人。

傅红雪走进去，迟疑着，终于又在前夜他坐的那位子上坐下。

“喝什么酒？”

他又迟疑了很久！

“不要酒。”

“要什么？”

“除了酒之外，别的随便什么都行。”

萧别离忽然笑了笑，转头吩咐他的伙计。

“这里刚好有新鲜的羊奶，给这位傅公子一盅，算店里的敬意。”

傅红雪没有看他，冷冷道：“用不着，我要的东西，我自己付账。”

萧别离又笑了笑，将最后一片羊腰肉送到嘴里，慢慢地嚼着，享受着那极鲜美中微带膻气的滋味，他绝不是个喜欢争执的人。

但他却知道已有个喜欢争执的人来了。

急骤的马蹄声停在门外。

“砰”地，门被用力推开，一条高山般的大汉，大步走了进来，不戴帽子，衣襟散开，腰上斜插着把银柄弯刀。

公孙断！

萧别离微笑着招呼，他也没有看见。

他已看见了傅红雪。

他的眼睛立刻像是一只发现了死尸的兀鹰。

羊奶已送上，果然很新鲜。

这种饮料只有边城中的人才能享受得到，也只有边城的人才懂得享受。

傅红雪勉强喝了一口，微微皱了皱眉。

公孙断突然冷笑，道：“只有羊才喝羊奶。”

傅红雪听不见，端起羊奶，又喝了一口。

公孙断大声道：“难怪这里有羊骚臭，原来这里有条臭羊。”

傅红雪还是听不见，可是他握着刀的手，青筋已凸起。

公孙断忽然走过去，“砰”地一拍桌子，道：“走开！”

傅红雪目光凝视着碗里的羊奶，缓缓道：“你要我走开？”

公孙断道：“这里是人坐的，后面有羊栏，那才是你该去的地方。”

傅红雪道：“我不是羊。”

公孙断又一拍桌子，道：“不管你是什么东西，都得滚开，老子喜欢坐在你这位子上。”

傅红雪道：“谁是老子？”

公孙断道：“我，我就是老子，老子就是我。”

“砰”地，碗碎了。

傅红雪看着羊奶泼在桌子上，身子已激动得开始颤抖。

公孙断瞪着他，巨大的手掌也已握住刀柄，冷笑道：“你是要自己滚，还是要人抬你出去？”

傅红雪颤抖着，慢慢地站起来，努力控制着自己，不去看他。

公孙断大笑道：“看来这条臭羊已要滚回他的羊栏去了，为什么不把桌上的奶舔干净再滚？”

傅红雪霍的抬起头，瞪着他。一双眼睛似已变成了燃烧着的火炭。

公孙断的眼睛也已因兴奋而布满红丝，狞笑道：“你想怎么样？想拔刀？”

傅红雪的手握着刀，握得好紧。

公孙断道：“只有人才会拔刀，臭羊是不会拔刀的，你若是个人，就拔出你的刀来。”

傅红雪瞪着他，全身都已在颤抖。

本来在喝酒的两个人早已退入角落里，吃惊地看着他们。

萧别离慢慢地啜着杯中酒，拿杯子的手似也已因紧张而僵硬。

屋里静得只剩下呼吸声。

傅红雪的呼吸声轻而短促，公孙断的呼吸声长而短促，萧别离的呼吸声长而沉重。

别的人却似连呼吸都已停止。

傅红雪忽然转过身，往外走，左腿先迈出一步，右腿再跟着拖了过去。

公孙断重重地往地上啐了一口，冷笑道：“原来这条臭羊还是个跛子。”

傅红雪的脚步突然加快，却似已走不稳了，踉跄冲了出去。

公孙断大笑道：“滚吧，滚回你的羊栏去，再让老子看见你，小心老子打断你的那条腿。”

他拉开椅子坐下来，又用力一拍桌子，大声道：“拿酒来，好酒。”

突听门口一人大声道：“拿酒来，好酒。”

叶开已走了进来，手里居然还牵着一条羊。

公孙断瞪着他，他却好像没有看见公孙断，找了个位子坐下。

他找的位子恰好就在公孙断对面。

公孙断冷笑，又指着桌子道：“酒呢？赶快。”

叶开也拍着桌子，道：“酒呢？赶快。”

在这种情况下，酒当然很快就送了上来。

叶开倒了杯酒，自己没有喝，却捏着那条羊的脖子，将一杯酒灌了下去。

公孙断的浓眉已皱起，萧别离却忍不住笑了。

叶开仰面大笑，道：“原来人喝奶，羊却是来喝酒的。”

公孙断的脸色变了，霍然飞身而起，厉声道：“你说什么？”

叶开淡淡笑道：“我正在跟羊说话，阁下难道是羊？”

萧别离忽也笑道：“这地方又不是羊栏，哪来的这么多羊？”

公孙断转过头，瞪着他。

萧别离微微笑道：“公孙兄莫非也想打断我的腿？只可惜我的两条腿都早已被人打断了。”

公孙断紧握双拳，一字字道：“只可惜还有人的腿没有断。”

叶开笑道：“不错，我的腿没有断。”

公孙断怒道：“好，你站起来！”

叶开悠然道：“能坐着的时候，我通常都很少站起来。”

萧别离道：“还能够站着的时候，我通常都很少坐下去。”

叶开道：“我是个懒人。”

萧别离道：“我是个没有腿的人。”

两人忽然一起大笑。

叶开轻拍着羊头，眼角却瞟向公孙断，笑道："羊兄羊兄，你为什么总是喜欢站着呢？"

公孙断是站着的。

他额上已暴出青筋，突然反手握刀，大喝道："坐着我也一样能砍断你的腿。"

银光一闪，刀已出鞘。

"噗"的一响，坚实的桌子竟已被他一刀劈成了两半！

桌子就在叶开面前裂开，倒下。刀光就在叶开面前劈下去。

叶开没有动，甚至连眼睛都没有眨。

他还是微笑着，淡淡道："想不到你的刀是用来劈桌子的。"

公孙断怒吼一声，银刀划成圆弧。

叶开全身都已在刀光笼罩中，眼睛里仿佛也有银光闪动。

"叮"的一响，火星四溅。

一根银拐忽然从旁边伸过来，架住了银刀。

萧别离用一根铁拐架住了银刀，另一根铁拐已钉入地下五寸。

这一刀的力量好可怕。

但萧别离的身子却还是稳稳地站着，手里的铁拐还是举得很平。

因为这一刀的力量，已被他移到另一根铁拐上，再化入大地中。

公孙断的脸上已无血色，瞪着他，一字字道："这不干你的事。"

萧别离淡淡道："这里也不是杀人的地方。"

公孙断脖子上的血管不停跳动，但手里的刀却没有动。

铁拐也没有动。

忽然间，刀锋开始摩擦铁拐，发出一阵阵刺耳的声音。

另一枝铁拐又开始一分分向地下陷落。

但萧别离还是稳稳地挂在这根铁拐上，稳如磐石。

公孙断突然跺了跺脚，地上青石裂成碎片，他的人却已大步走了出去。

他连一句话都没有再说。

叶开长长地叹了口气，赞道："萧先生好高明的内功！"

萧别离道："惭愧。"

叶开微笑说道："无论谁若已将内功练到'移花接木'这一层，世上就再也没有什么值得他惭愧的事了。"

萧别离也笑了笑，道："叶兄好高明的眼力。"

叶开道："公孙断的眼力想必也不错，否则他怎么肯走。"

萧别离目中带着深思的表情，道："这也许只因为他真正要杀的并不是你。"

叶开叹道："但若非萧先生，今日我只怕已死在这里了。"

萧别离微笑道："今日若不是我，只怕真的要有个人死在这里，但却绝不是你。"

叶开道："不是我？是谁？"

萧别离道："是他。"

叶开道："怎么会是他？"

萧别离也叹了口气，道："他是个莽夫，竟看不出叶兄你的武功至少比他高明十倍。"

叶开又笑了笑，仿佛听到了一件世上最可笑的事，摇着头笑道："萧先生这次只怕算错了。"

萧别离淡淡道："我两腿虽断，两眼却未瞎，否则我已在这里忍了十几年，今日又怎会出手。"

叶开在等着他说下去。

萧别离道："数十年来，我还未看见过像叶兄这样的少年高手，不但武功深不可测，而且深藏不露，所以……"

他停住嘴，好像在等着叶开问下去。

叶开只有问道："所以怎么样？"

萧别离又长长叹息了一声，道："一个无亲无故的残废人，要在这里活着并不容易，若能结交叶兄这样的朋友……"

叶开忽然打断了他的话，笑道："若结交我这样的朋友，以后你的麻烦就多了。"

萧别离目光灼灼，凝视着他，道："我若不怕麻烦呢？"

叶开道："我们就是朋友。"

萧别离立刻展颜而笑，道："那么你为何不过来喝杯酒？"

叶开笑道："你就算不想请我喝酒，我还是照样要喝的。"

一个人骑马驰过长街，突然间，一只巨大的手掌将他从马上拉下，重重地跌坐地上。

他正想怒骂，又忍住。

因为他已看出拉他下马的人正是公孙断，也看出了公孙断面上的怒容，正在发怒的公孙断，是没有人敢惹的。

公孙断已飞身上马，打马而去。

他自己的马呢？

公孙断的马正在草原上狂奔，那鞍上的人却是傅红雪。

他冲出门，就跳上这匹马，用刀鞘打马，打得很用力。

就好像已将这匹马当作公孙断一样。

他需要发泄，否则他只怕就要疯狂。

马也似疯狂，由长街狂奔入草原，由黄昏狂奔入黑暗，无边无际的黑暗。

星群犹未升起，他宁愿天上永远都没有星，没有月，他宁愿黑暗。

一阵阵风刮在脸上，一粒粒砂子打在脸上，他没有闪避，反而迎了上去。

连那样的羞侮都已忍受，世上还有什么是他不能忍受的？

他咬着牙，牙龈已出血。

血是苦的，又苦又咸。

忽然间，黑暗中有一粒孤星升起。

不是星，是万马堂旗杆上的大灯，却比星还亮。

星有沉落的时候，这盏灯呢？

他用力抓住马鬃，用力以刀鞘打马，他需要发泄，速度也是种发泄。

但是马已倒下，长嘶一声，前蹄跪倒。

他的人也从马背上蹿出，重重地摔在地上。

地上没有草，只有砂。

砂石磨擦着他的脸，他的脸已出血。

他的心也已出血。

忍耐！忍耐！无数次忍耐，忍耐到几时为止？

有谁能知道这种忍耐之中带有多少痛苦？多少辛酸？

他眼泪忍不住流了下来——带着血的泪，带着泪的血。

星已升起，繁星。

星光下忽然有匹马踩着砂粒奔来，马上人的眸子宛如星光般明亮灿烂。

鸾铃清悦如音乐——马芳铃。

她脸上带着甜蜜的微笑，眸子里充满了幸福的憧憬，她比以前无论什么时候看来都美。

这并不是因为星光明媚，也不是因为夜色凄迷，而是因为她心里的爱情。

爱情本就能令最平凡的女人变得妩媚，最丑陋的女人变得美丽。

“他一定在等我，看到我又忽然来了，他一定比什么都高兴。”

她本不该出来的。

可是她心里的热情，却使得她忘去一切顾忌。

她本不能出来的。

可是爱情却使得她有了勇气，不顾一切的勇气。

她希望能看到他，只要能看到他，别的事她全不放在心上。

风是冷的，冷得像刀。

但在她感觉中，连这冷风都是温柔的，但就在这时，她已听到风中传来的啜泣声音。

是谁在如此黑暗寒冷的荒漠上偷偷啜泣？

她本已走过去，又转回来，爱情不但使得她的人更美，也使得她的心更美。

她忽然变得很仁慈，很温柔，很容易同情别人、了解别人。

她找到了那匹已力竭倒地的马，然后就看见了傅红雪。

傅红雪蜷曲在地上，不停地颤抖。

他似乎完全没有听见她的马蹄声，也没有看见她跳下马走过来。

他正在忍受着世上最痛苦的煎熬，最可怕的折磨。

他的脸在星光下苍白如纸，苍白的脸上正流着带血的泪、带泪的血。

马芳铃已看清了他，吃惊地瞪大了眼睛，失声道：“是你？”

她还记得这奇特的少年，也没有忘记这少年脸上被她抽出来的鞭痕。

傅红雪也看到了她，目光迷惘而散乱，就像是一匹将疯狂的野马。

他挣扎着，想站起来，但四肢却仿佛被一双看不见的巨手拧绞着，刚站起，又倒下。

马芳铃皱起眉，道："你病了？"

傅红雪咬着牙，嘴角已流出了白沫，正像是那匹死马嘴角流出的白沫。

他的确病了。

这种可怕的病，已折磨了他十几年，每当他被逼得太紧，觉得再也无法忍耐时，这种病就会突然地发作。

他从不愿被人看到他这种病发作的时候，他宁可死，宁可入地狱，也不愿被人看到。

但现在他却偏偏被人看到了。

他紧咬着牙，用刀鞘抽打着自己。

他恨自己。

一个最倔强、最骄傲的人，老天为什么偏偏要叫他染上这种可怕的病痛？

这是多么残忍的煎熬折磨？

马芳铃也看出这种病了，叹了口气，柔声道："你何必打自己？这种病又死不了人的，而且还很快就会……"

傅红雪突然用尽全身力气，拔出了他的刀，大吼道："你滚，快滚，否则我就杀了你！"

他第一次拔出了他的刀。

好亮的刀！

刀光映着他的脸，带着血泪的脸。

苍白的刀光，使他的脸看来既疯狂，又狞恶。

马芳铃情不自禁地后退了两步，目中也已露出了惊惧之色。

她想走，但这少年四肢突又一阵痉挛，又倒了下去。

他倒在地上挣扎着，像是一匹落在陷阱里的野马，孤独、绝望、无助。

刀还在他手里，出了鞘的刀。

他突然反手一刀，刺在他自己的腿上。

刺得好深。

鲜血沿着刀锋涌出。

他身子的抽动和痉挛却渐渐平息。

但是他还在不停地颤抖，抖得整个人都缩成了一团。

抖得就像是个受了惊骇的孩子。

马芳铃目中的恐惧已变为同情和怜悯。

如此黑暗，如此寒冷，一个孤独的孩子……

她忍不住轻轻叹息了一声，走了过去，轻抚着他的头发，柔声道："这又不是你的错，你何必这样子折磨自己？"

她的声音温柔像慈母。

这孤独无助的少年，已激发了她与生俱来的母性。

傅红雪的泪已流下。

无论他多么坚强，多么骄傲，在这种时候也被深深打动。

他流着泪，突然嘶声大叫，道："我错了，我根本就不该生下来，根本就不该活在这世上的。"

呼声中充满了绝望的悲哀。

马芳铃心中又是一阵刺痛——同情和怜悯有时也像是一根针，同样会刺痛人的心。

她忍不住抱起了他，将他抱在怀里，柔声道："你用不着难过，你很快就会好的……"

她没有说完这句话，因为她的眼泪也已流了下来。

风在呼啸，草也在呼啸。

一望无际的大草原，看来就像是浪涛汹涌的海洋，你只要稍微不小心，立刻就会被它吞没。

但人类情感的澎湃冲击，岂非远比海浪还要可怕，还要险恶？

傅红雪的颤抖已经停止，喘息却更急更重。

马芳铃可以感觉到他呼吸的热气，已透过了她的衣服。

她的胸膛似已渐渐发热。

一种毫无目的、全无保留的同情和怜悯，本已使她忘了自己抱着的是个男人。

那本来是人类最崇高伟大的情操，足以令人忘记一切。

但现在，她心里却忽然有了种奇异的感觉，这种感觉来得竟是如此强烈。

她几乎立刻推开他，却又不忍。

傅红雪忽然道：“你是谁？”

马芳铃道：“我姓马……”

她声音停顿，因为她已感觉到这少年的呼吸似也突然停顿。

她想不出这是为了什么。

没有人能想到仇恨的力量是多么强烈，有时远比爱情更强烈。

因为爱是柔和的、温暖的，就像是春日的风、春风中的流水。

仇恨却尖锐得像是一把刀，一下子就可以刺入你的心脏。

傅红雪没有再问，突然用力抱住她，一把撕开了她的衣裳。

这变化来得太快，太可怕。

马芳铃已完全被震惊，竟忘了闪避，也忘了抵抗。

傅红雪冰冷的手已滑入她温暖的胸膛，用力抓住了她……

这种奇异的感觉也像是一把刀。

马芳铃的心已被这一刀刺破，惊慌、恐惧、羞辱、愤怒，一下子全都涌出。

她的人跃起，用力猛掴傅红雪的脸。

傅红雪也没有闪避抵抗，但一双手却还是紧紧地抓住她。

她疼得眼泪又已流出，握紧双拳，痛击他的鼻梁。

他一只手放开，一只手捉住她的拳。

她的胸立刻裸露在寒风中，硬而坚挺。

他眼睛已有了红丝，再扑上去。

她弯起膝盖，用力去撞。

也不知为了什么，两个人都没有说话，也没有呼喊，呼喊在这种时候也没有用。

两个人就像是野兽般在地上翻滚、挣扎、撕咬。

她身上裸露的地方更多。

他已接近疯狂，她也愤怒得如同疯狂，但却已渐渐无力抵抗。

忽然间，她放声嘶喊：“放开我，放开我……你为什么要这样对我？为什么……”

她知道这时绝不可能有人来救她，也知道他绝不会放过她。

她这是向天哀呼。

傅红雪喘息着，道：“这本就是你自己要的，我知道你要。”

马芳铃已几乎放弃挣扎，听了这句话，突然用尽全身力气，一口咬在他肩上。

他疼得全身都收缩，但还是紧紧压着她，仿佛想将她的生命和欲望一起压出来。

她的嘴却已离开他的肩，嘴里咬着他的血，他的肉……

她突然呕吐。

呕吐使得她更无力抵抗，只有高呼。

“求求你，求求你，你不能这样做。”

他已几乎占有她，含糊低语：“为什么不能？谁说不能？”

突听一人道：“我说的！你不能！”

声音很冷静，冷静得可怕。

愤怒到了极点，有时反而会变得冷静——刀岂非也是冷静？

这声音听在傅红雪耳里，的确也像是一把刀。

他的人立刻滚出。

然后就看见了叶开！

第十章

杀人灭口

叶开站在黑暗里，站在星光下，就像是石像，冰冷的石像。

马芳铃也看见了他，立刻挣扎着扑过来，扑在他怀里，紧紧抱住了他，失声痛哭，哭得连一个字都说不出来。

叶开也没有说话。

在这种时候，安慰和劝解都是多余的。

他只是除下了自己的长衫，无言地披在她身上。

这时傅红雪已握住了他的刀，翻身掠起，瞪着叶开，眼睛里也不知是愤怒，还是羞惭。

叶开根本连看都没有看他一眼。

傅红雪咬着牙，一字字道："我要杀了你！"

叶开还是不理他。

傅红雪突然挥刀扑了过来。

他一条腿虽然已残废，腿上虽然还在流着血，但此刻身形一展，却还轻捷如飞鸟，剽悍如虎豹。

没有人能想像一个残废的行动能如此轻捷剽悍。

没有人能形容这一刀的速度和威力！

"我要杀了你！"

没有人能形容这一刀的速度和威力，刀光已闪电般向叶开劈下。

叶开没有动。

刀光还未劈下，突然停顿。

傅红雪瞪着他，握刀的手渐渐发抖，突然转过身，弯下腰，猛然地呕吐。

叶开还是没有看他，但目中却已露出了同情怜悯之色。

他了解这少年，没有人比他了解得更深更多，因为他也经历过同样的煎熬和痛苦。

马芳铃还在哭。

他轻拍着她的肩，柔声道："你先回去。"

马芳铃道："你……你不送我？"

叶开道："我不能送你。"

马芳铃道："为什么？"

叶开道："我还要留在这里。"

马芳铃用力咬着嘴唇，道："那么我也……"

叶开道："你一定要回去，好好地睡一觉，忘记今天的事，到了明天……"

马芳铃仰面看着他，目中充满期望渴求之色，道："明天你来看我？"

叶开眼睛里的表情却很奇特，过了很久，才缓缓地道："我当然会去看你。"

马芳铃用力握着他的手，眼泪又慢慢地流下，黯然道："你就算不去，我也不怪你。"

她突然转身，掩着脸狂奔而去。

她的哭声眨眼间就被狂风淹没。

马蹄声也已远去，天地间又归于寂静，大地却像是一面煎锅，锅下仍有看不见也听不见的火焰在燃烧着，煎熬着它的子民。

傅红雪呕吐得整个人都已弯曲。

叶开静静地看着他，等他吐完了，忽然冷冷道："你现在还可以杀我。"

傅红雪弯着腰，冲出几步，抄起了他的刀鞘，直往前冲。

他一口气冲出很远的一段路，才停下来，仰面望天，满面血泪交流。

他整个人都似已将虚脱。

叶开却也跟了过来，正在他身后，静静地看着他，冷冷道："你为什么不动手？"

傅红雪握刀的手又开始颤抖，突然转身，瞪着他，嘶声道："你一定要逼我？”

叶开道：“没有人逼你，是你自己在逼自己，而且逼得太紧。”

他的话就像是条鞭子，重重地抽在傅红雪身上。

叶开慢慢地接着道：“我知道你需要发泄，现在你想必已舒服得多。”

傅红雪握紧双手，道：“你还知道什么？”

叶开笑了笑，道：“我也知道你绝不会杀我，也不想杀我。”

傅红雪道：“我不想？”

叶开道：“也许你唯一真正想伤害的人，就是你自己，因为你……”

傅红雪目露痛苦之色，突然大喝道：“住口！”

叶开叹了口气，还是接着说了下去，道：“你虽然自觉做错了事，但这些事其实并不是你的错。”

傅红雪道：“是谁的错？”

叶开凝注着他，道：“你应该知道是谁……你当然知道。”

傅红雪的瞳孔在收缩，突又大声道：“你究竟是谁？”

叶开又笑了笑，淡淡道：“我就是我，姓叶，叫叶开。”

傅红雪厉声道：“你真的姓叶？”

叶开道：“你真的姓傅？”

两个人互相凝视着，像是都想看到对方心里去，挖出对方心里的秘密。

只不过叶开永远是松弛的、冷静的，傅红雪却总是紧张得像是一张绷紧了的弓。

然后他们突然同时听到一种很奇怪的声音，仿佛是马蹄踏在烂泥上发出的声音，又像是屠夫在斩肉。

这声音本来很轻，可是夜太静，他们两人的耳朵又太灵。而且风也正是从那里吹过来的。

叶开忽然道：“我到这里来，本来不是为了来找你的。”

傅红雪道：“你找谁？”

叶开道：“杀死飞天蜘蛛的人。”

傅红雪道：“你知道是谁？”

叶开道："我没有把握，现在我就要去找出来。"

他翻身掠出几丈，又停了停，像是在等傅红雪。

傅红雪迟疑着，终于也追了上去。

叶开笑了笑，道："我知道你会来的。"

傅红雪道："为什么？"

叶开道："因为这里发生的每件事，也许都跟你有关系。"

傅红雪的人又绷紧，道："你知道我是谁？"

叶开微笑道："你就是你，你姓傅，叫傅红雪。"

狂风扑面，异声已停止。

傅红雪紧闭着嘴，不再说话，始终和叶开保持着同样的速度。

他的轻功身法很奇特、很轻巧，而且居然还十分优美。

在他施展轻功的时候，绝没有人能看出他是个负了伤的残废。

叶开一直在注意着他，忽然叹了口气，道："你好像是从一出娘胎就练武功的。"

傅红雪板着脸，冷冷道："你呢？"

叶开笑了，道："我不同。"

傅红雪道："有什么不同？"

叶开道："我是个天才。"

傅红雪冷笑，道："天才都死得快。"

叶开淡淡道："能快点死，有时也未尝不是一件好事。"

傅红雪目中又露出痛苦之色。

"我不能死，绝不能死……"他心里一直在不停地呐喊。

然后他就听到叶开突然发出一声轻呼。

狂风中忽然又充满了血腥气，惨淡的星光照着一堆死尸。

人的生命在这大草原中，竟似已变得牛马一样，全无价值。

尸首旁挖了个大坑，挖得并不深，旁边还有七八柄铲子。

显然是他们杀了人后，正想将尸体掩埋，却已发现有人来了，所以匆匆而退。

杀人的是谁？

谁也不知道。

被杀的却是慕容明珠和他手下的九个少年剑客。慕容明珠的剑已出鞘，但这九个人却连剑都没有拔出，就已遭了毒手。

叶开叹了口气，喃喃道："好快的出手，好毒辣的出手！"

若非杀人的专家，又怎会有如此快而毒辣的出手？

傅红雪握紧双手，仿佛又开始激动，他好像很怕看见死人和血腥。

叶开却不在乎。

他忽从身上拿出一块碎布，碎布上还连着个钮扣。

这块碎布正和慕容明珠身上的衣服同样质料，钮扣的形式也完全一样。

叶开长长叹了口气，道："果然是他。"

傅红雪皱了皱眉，显然不懂。

叶开道："这块碎布，是我从飞天蜘蛛手里拿出来的，他至死还紧紧握着这块布。"

傅红雪道："为什么？"

叶开道："因为慕容明珠就是杀他的凶手！他要将这秘密告诉别人知道。"

傅红雪道："告诉你？要你为他复仇？"

叶开道："他不是想告诉我。"

傅红雪道："他想告诉谁？"

叶开叹了口气，道："我也希望我能够知道。"

傅红雪道："慕容明珠为什么要杀他？"

叶开摇摇头。

傅红雪道："他怎会在那棺材里？"

叶开又摇摇头，傅红雪道："是谁又杀了慕容明珠？"

叶开沉吟着，道："我只知道杀死慕容明珠的人，是为了灭口。"

傅红雪道："灭口？"

叶开道："因为这人不愿别人发现，飞天蜘蛛是死在慕容明珠手里，更不愿别人找慕容明珠。"

傅红雪道："为什么？"

叶开道："因为他生怕别人查出他和慕容明珠之间的关系。"

傅红雪道："你猜不出他是谁？"

叶开忽然不说话了，似已陷入沉思中。

过了很久，他缓缓道："你知不知道今天下午，云在天去找过你？"

傅红雪道："不知道。"

叶开道："他说他去找你，但他看到你时，却连一句话都没有说。"

傅红雪道："因为他找的根本不是我！"

叶开点点头，道："不错，他找的当然不是你，但他找的是谁呢？——萧别离？翠浓？他若是去找这两人，为什么要说谎？"

风更大了。

黄沙漫天，野草悲泣，苍穹就像是一块镶满了钻石的墨玉，辉煌而美丽，但大地却是阴沉而悲怆的。

风中偶尔传来一两声马嘶，却衬得这原野更寂寞辽阔。

傅红雪慢慢地在前面走，叶开慢慢地在后面跟着。

他本来当然可以赶到前面去，可是他没有。

他们两个人之间，仿佛总是保持着一段奇异的距离，却又仿佛有种奇异的联系。

远处已现出点点灯火。

傅红雪忽然缓缓道："总有一天，不是你杀了我，就是我杀了你！"

叶开道："总有一天？"

傅红雪还是没有回头，一字字道："这一天也许很快就会来了。"

叶开道："也许这一天永远都不会来。"

傅红雪冷笑道："为什么？"

叶开长长叹息了一声，目光凝视着远方的黑暗，缓缓道："因为我们说不定全都死在别人手里！"

马芳铃伏在枕上，眼泪已沾湿了枕头。

直到现在，她情绪还是不能恢复平静，爱和恨就像是两只强而有力的手，已快将她的心撕裂。

叶开、傅红雪。

这是两个多么奇怪的人。

草原本来是寂寞而平静的，自从这两个人来了之后，所有的事都立刻发生了极可怕的变化。

谁也不知道这种变化还要发展到多么可怕的地步。

这两个人究竟是谁？他们为什么要来？

想到那天晚上，在黄沙上，在星空下，她蜷伏在叶开怀里。

叶开的手是那么温柔甜蜜，她已准备献出一切。

但是他没有接受。

她说她要回去的时候，只希望被他留下来，甚至用暴力留下她，她都不在乎。

但是他却就这样让她走了。

他看来是那么狡黠，那么可恶，但他却让她走了。

另一天晚上，在同样的星空下，在同样的黄沙上，她却遇见了个完全不同的人。

她从没有想到傅红雪会做出那种事。

他看来本是个沉默而孤独的孩子，但忽然间，他竟变成了野兽。

是什么原因使他改变的？

只要一想起这件事，马芳铃的心就立刻开始刺痛。

她从未见过两个如此不同的人，但奇怪的是，这两人竟忽然变得同样令她难以忘怀。

她知道她这一生，已必定将为这两人改变了。

她眼泪又流了下来……

屋顶上传来一阵阵沉重的脚步声，她知道这是她父亲的脚步声。

马空群就住在他女儿楼上。

本来每天晚上，他都要下来看看他的女儿，可是这两天晚上，他却似已忘了。

这两天他也没有睡，这种沉重的脚步，总要继续到天亮时才停止。

马芳铃也已隐隐看出了她父亲心里的烦恼和恐惧，这是她以前从未见过的。

她自己心里也同样有很多烦恼恐惧。

她很想去安慰她的父亲，也很想让他来安慰她。

但马空群是严父，虽然爱他的女儿，但父女两人间，总像是有段很大的距离。

三姨呢？这两天为什么也没有去陪他？

马芳铃悄悄地跳下床，赤着足，披起了衣裳，对着菱花铜镜，弄着头发。

“是找三姨聊聊呢？还是再到镇上去找他？”

她拿不定主意，只知道绝不能一个人再待在屋里。

她的心实在太乱。

但就在这时，她忽然听到一阵很急的马蹄声自牧场上直驰而来。

只听这马蹄声，就知道来的必定是匹千中选一的快马，马上骑士也必定是万马堂的高手。

如此深夜，若不是为了很急的事，绝没有人敢来打扰她父亲的。

她皱了皱眉，就听见了她父亲严厉的声音：“是不是找到了？”

“找到了慕容明珠。”这是云在天的声音。

“为什么不带来？”

“他也已遭了毒手，郝师傅在四里外发现了他的尸体，被人乱刀砍死。”

楼上一阵沉默，然后就听到一阵衣袂带风声从窗前掠下。

蹄声又响起，急驰而去。

马芳铃心里忽然涌出一阵恐惧，慕容明珠也死了，她见过这态度傲慢、衣着华丽的年轻人，昨天他还是那么有生气，今夜却已变成尸体。

还有那些马师，在她幼年时，其中有两个教过她骑术。

接下去会轮到什么人呢？叶开？云在天？公孙断？她父亲？

这地方所有的人，头上似乎都笼罩了一重死亡的阴影。

她觉得自己在发抖，很快地拉开门，赤着足跑出去，走廊上的木板冷得像是冰。

三姨的房间就在走廊尽端左面。

她轻轻敲门，没有回应，再用力敲，还是没回应。

这么晚了，三姨怎么会不在房里？

她从后面的一扇门绕了出去，庭院寂寂，三姨的窗内灯火已熄。

星光照着苍白的窗纸，她用力一推，窗子开了，她轻轻呼唤："三姨。"

还是没有回应。

屋里根本没有人，三姨的被窝里，堆着两个大枕头。

风吹过院子。

马芳铃忽然忍不住激灵灵打了个寒噤。

她忽然发现这地方的人，除了她自己外，每个人好像都有些秘密。

连她父亲都一样。

她从不知道她父亲的过去，也从不敢问。

她抬起头，窗户上赫然已多了个巨大的人影，然后就听到公孙断厉声道："回房去。"

她不敢回头面对他，万马堂中上上下下的人，无论谁都对公孙断怀有几分畏惧之心。

她拉紧衣襟，垂着头，匆匆奔了回去，仿佛听到公孙断正对着三姨的窗子冷笑。

用力关上门，马芳铃的心还在跳。

外面又有蹄声响起，急驰而去。

她跳上床，拉起被，蒙住头，身子忽然抖个不停。

因为她知道这地方必将又有悲惨的事发生，她实在不愿再看，不愿再听。

"……我根本就不该生下来，根本就不该活在这世上的。"

想起傅红雪说的话，她自己又不禁泪流满面。

她忍不住问自己："我为什么要生下来？为什么要生在这里？……"

傅红雪的枕头也是湿的，可是他已睡着。

他醒的时候没有哭，他发誓，从今以后，绝不再流泪。

但他的泪却在他睡梦中流了下来。

因为他的良知只有在睡梦中才能战胜仇恨，告诉他今天做了件多么可耻的事。

报复，本来是人类所有行为中最古老的一种，几乎已和生育同样古老。

这种行为虽然不值得赞同，但却是庄严的。

今天他却冒渎了这种庄严。

他流泪的时候，正在梦中，一个极可怕的噩梦，他梦见他的父母流着血，在冰雪中挣扎，向他呼喊，要他复仇。

然后他忽然感觉到一只冰冷的手伸入他被窝里，轻抚着他赤裸的背脊。

他想跳起来，但这双手却温柔地按住了他，一个温柔的声音在他耳畔低语："你在流汗。"

他整个人忽然松弛崩溃——她毕竟来了。

黑暗。

窗户已关起，窗帘已拉上，屋子里黑暗如坟墓。

为什么她每次都是在黑暗中悄悄出现，然后又在黑暗中慢慢消失？

他翻过身，想坐起。

她却又按住他！

"你要什么？"

"点灯。"

"不许点灯。"

"为什么？我不能看看你？"

"不能。"她俯下身，压在他胸膛上，带着轻轻地笑，"但我却可以向你保证，我绝不是个很难看的女人，你难道感觉不出？"

"我为什么不能看看你？"

"因为你若知道我是谁，在别的地方看到我时，神情就难免会改变的——我们绝不能让任何人看出我跟你之间的关系。"

"可是……"

"可是以后我总会让你看到的，这件事过了之后，你随便要看我多久都没关系。"

他没有再说，他的手已在忙着找她的衣纽。

她却又抓住他的手。

“不许乱动。”

“为什么？”

“我还要赶着回去。”她叹了口气，“我刚说过，我绝不能让别人知道我们的关系。”

他在冷笑。

她知道男人在这种时候被拒绝，总是难免会十分愤怒的。

“我在这里忍耐了七八年，忍受着痛苦，你永远想不到的痛苦，我为的是什么？”她声音渐渐严厉，“我为的就是等你来，等你来复仇，我们这一生，本就是为这件事而活的，我从没有忘记，你也绝不能忘记。”

傅红雪的身子忽然冰凉僵硬，冷汗已湿透被褥。

他本不是来享乐的。

她将她自己奉献给他，为的也只不过是复仇！

“你总应该知道马空群是个多么可怕的人，再加上他那些帮手。”她又叹息了一声，“我们这一击若不能得手，以后恐怕就永远没有机会了。”

“公孙断、花满天、云在天，这三个人加起来也不可怕。”

“我说的不是他们，花满天和云在天，根本就没有参与那件事。”

“你说的是谁？”

“一些不敢露面的人，到现在为止，我还没有查出他们是谁。”

“也许根本没有别人。”

“你父亲和你二叔，是何等的英雄，就凭马空群和公孙断两个人，怎么敢妄动他们？何况，他们的夫人也都是女中豪杰……”

说到这时，她自己的声音也已硬咽，傅红雪更已无法成声。

过了很久，她才接着说了下去：“自从你父亲他们惨死之后，江湖中本就有很多人在怀疑，有谁能将这两对盖世无双的英雄夫妇置之于死地？”

“当然没有人会想到马空群这人面兽心的畜牲！”

他的声音中充满了愤怒和仇恨。

“但除了马空群外，一定还有别的人，我到这里来，主要就是为了探听这件事，只可惜我从未见过他和江湖中的高手有任何往来，他自己当然更守口如瓶，从来就没有说起过这件事。”

“你查了七八年，都没有查出来，现在我们难道就能查出来？”

“现在我们至少已有了机会。”

“什么机会？”

“现在还有别的人在逼他，他被逼得无路可走时，自然就会将那些人牵出来。”

“是哪些人在逼他？”

她没有回答，却反问道：“昨天晚上，那十三个人是不是你杀的？”

“不是。”

“那些马呢？”

“也不是。”

“既然不是你，是谁？”

“我本就在奇怪。”

“你想不出？”

傅红雪沉吟着：“叶开？”

“这人的确很神秘，到这里来也一定有目的，但那些人却绝不是他杀的。”

“哦？”

“我知道他昨天晚上跟谁在一起。”

幸好屋里很暗，没有人能看见傅红雪的表情——他脸上的表情实在很奇怪。

就在这时，突听屋顶上“咯”的一响。

她脸色变了，沉声道：“你留在屋里，千万不要出去。”

这十一个字说完，她已推开窗子，穿窗而出。

傅红雪只看到一条纤长的人影一闪，转瞬间就没了踪影。

这里已有四个人醉倒，四个人都是万马堂里资格很老的马师。

他们本来也常常醉，但今天晚上却醉得特别快，特别厉害。

眼见着十三个活生生的伙伴突然惨死，眼见着一件件可怕的祸事接连发生，他们怎么能不醉呢？

第四个倒下的时候，叶开正提着衣襟，从后面一扇门里走进来。

他早已在这里，刚才去方便了一次。酒喝得多，方便的次数也一定多的，只不过他这次方便的时候好像太长了些。

他刚进门，就看到萧别离在以眼角向他示意，他走过去。

萧别离在微笑中仿佛带着些神秘，微笑着道："有人要我转交样东西给你。"

叶开眨眨眼，道："翠浓？"

萧别离也眨了眨眼，道："你是不是一向都这么聪明？"

叶开微笑道："只可惜在我喜欢的女人面前，我就会变成呆子。"

他接过萧别离给他的一张叠成如意结的纸。

淡紫色的纸笺上，只写着一行字："你有没有将珠花送给别人？"

叶开轻轻抚着襟上的珠花，似已有些痴了。

萧别离看着他，忽然轻轻叹息了一声，道："我若年轻二十岁，一定会跟你打架的。"

叶开又笑了，道："无论你年纪多大，都绝不是那种肯为女人打架的男人。"

萧别离叹道："你看错了我。"

叶开道："哦？"

萧别离道："你知不知道我这两条腿是怎么样会断的？"

叶开道："为了女人？"

萧别离苦笑道："等我知道那女人只不过是条母狗时，已经迟了。"

他忽又展颜道："但她却绝不是那种女人，她比我们看见的所有女人都干净得多，她虽然在我这里，却从来没有出卖过自己。"

叶开又眨眨眼，道："她卖的是什么？"

萧别离微笑道："她卖的是男人那种愈买不到愈想买的毛病。"

推开第二扇门，是条走道，很宽的走道，旁边还摆着排桌椅。

走到尽头，又是一扇门，敲不开这扇门，就得在走道里等。

叶开在敲门。

过了很久，门里才有应声："谁在敲门？"

叶开道："客人。"

"今天小姐不见客。"

叶开道："会一脚踢破门的客人呢？见不见？"

门里发出银铃般的笑声："一定是叶公子。"

一个大眼睛的小姑娘，娇笑着开了门，道："果然是叶公子。"

叶开笑道："你们这里会踢破门的客人只有我一个么？"

小姑娘眼珠子滑溜一转，抿着嘴笑道："还有一个。"

叶开道："谁？"

小姑娘道："来替我们推磨的驴子。"

第十一章

夜半私语

小院子里疏疏落落的种着几十竿翠竹，衬着角落里的天竺葵和一丛淡淡的小黄花，显得清雅而有余韵。

竹帘已卷起，一个淡扫蛾眉、不施脂粉的丽人，正手托着香腮，坐在窗口，痴痴地看着他。

她长得也许并不算太美，但却有双会说话的眼睛，灵巧的嘴。

她虽然只是静静地坐在那里，但却自然地有种醉人的风姿和气质，和你们见到的大多数女人都不同。

一个这样的女人，无论对任何男人说来都已足够。

为了要博取这样一个女人的青睐，大多数男人到了这里，都会勉强做出君子正人的模样，一个又有钱、又有教养的君子。

但叶开推开门，就走了进去，往她的床上一躺，连靴子都没有脱，露出了靴底的两个大洞。

翠浓春柳般的眉尖轻轻皱了皱，道：“你能不能买双新靴子？”

叶开道：“不能。”

翠浓道：“不能？”

叶开道：“因为这双靴子能保护我。”

翠浓道：“保护你？”

叶开跷起脚，指着靴底的洞，道：“你看见这两个洞没有？它会咬人的，谁若对我不客气，它就会咬他一口。”

翠浓笑了，站起来走过去，笑道：“我倒要看它敢不敢咬我。”

叶开一把拉住了她，道：“它不敢咬你，我敢。”

翠浓“嘤咛”一声，已倒在他怀里。

门没有关，就算关，也关不住屋里的春色。

小姑娘红着脸，远远地躲起来了，心里却真想过来偷偷地看两眼。

檐下的黄莺儿也被惊醒了，“吱吱喳喳”地叫个不停。

翠浓，春也浓。

黑暗中的屋脊上，伏着条人影，淡淡的星光照着她纤长苗条的身子，她脸上蒙着块纱巾。

她是追一个人追到这里来的，她看见那人的身形在这边屋脊上一闪。

等她追过来时，人却已不见了。

她知道这下面是什么地方，可是她不能下去——这地方不欢迎女人。

“他是谁？为什么要在屋脊上偷听我们说话？他究竟听到了什么？”

若有人能看见她的脸，一定可以看出她脸上的惊惶与恐惧。

她的秘密绝不能让人知道，绝不能！

她迟疑着，终于咬了咬牙，跃了下去。

她决心冒一次险。

这一生中，她看见过很多男人很多种奇怪的表情，可是只有天晓得，当男人们看到一个女人走进妓院时，脸上会是什么样的表情。

每个人的眼睛都瞪大了，就像是忽然看到一头绵羊走进了狼窝。

对狼说来，这不仅是挑战，简直已是种侮辱。

天晓得这见鬼的女人为什么要到这里来，可是这女人可真他妈的漂亮。

有个喝得半醉的屠夫眼睛瞪得最大。

他是从外地到这里来买羊的，他不认得这女人，不知道这女人是谁。

反正在这里的女人，就算不是婊子，也差不多了。

他摇摇晃晃地站起来，想走过去。

但旁边的一个人却立刻拉住了他。

“这女人不行。”

“为什么？”

“她已经有了户头。”

“谁是她的户头？”

"万马堂。"

这三个字就像是有种特别的力量，刚涨起的皮球立刻泄了气。

三娘昂着头走进来，脸上带着微笑，假装听不见别人的窃窃私语，假装不在乎的样子。

其实她还是不能不在乎。

有些男人盯着她的时候，那种眼色就好像将她当作是完全赤裸的。

幸好萧别离已在招呼她，微笑着道："沈三娘怎么来了？倒真是个稀客。"

她立刻走过去，嫣然道："萧先生不欢迎我？"

萧别离微笑着叹了口气，道："只可惜我不能站起来欢迎你。"

沈三娘道："我是来找人的。"

萧别离眨眨眼，道："找我？"

沈三娘又笑了，轻轻道："我若要找你，一定会在没人的时候来。"

萧别离也轻轻道："我一定等你，反正我已不怕被人砍掉两条腿。"

两个人都笑了。

两个人心里都明白，对方是条不折不扣的老狐狸。

沈三娘道："翠浓在不在？"

萧别离道："在，你要找她？"

沈三娘道："嗯。"

萧别离又叹了口气，道："为什么不管男人女人，都想找她？"

沈三娘道："我睡不着，想找她聊聊。"

萧别离道："只可惜你来迟了。"

沈三娘皱了皱眉，道："难道她屋里晚上也会留客人？"

萧别离道："这是个很特别的客人。"

沈三娘道："怎么特别？"

萧别离笑道："特别穷。"

沈三娘也笑了，道："特别穷的客人，你也会让他进去？"

萧别离道："我本想拦住他的，只可惜打又打不过他，跑又跑得没他快。"

沈三娘眼波流动，道："你没有骗我？"

萧别离叹道："世上有几个人能骗得了你。"

沈三娘嫣然一笑，道："那个人是谁？"

萧别离道："叶开。"

沈三娘皱眉道："叶开？"

萧别离笑了笑，道："你当然不会认得他的，但他一共只来了两天，认得他的人可真不少。"

沈三娘笑得还是很动人，但瞳孔里却已露出一点尖针般的刺。

然后她的瞳孔突然涣散。

她看到一个人"砰"地推开门，大步走了进来。

一个魔神般的巨人！

公孙断手扶着刀柄，站在门口，脸上那种愤怒狞恶的表情，足以令人呼吸停顿。

沈三娘呼吸已停顿。

萧别离叹了口气，喃喃道："该来的人全没来，不该来的人全来了。"

他拈起一块骨牌，慢慢地放下，摇着头道："看来明天一定又有暴风雨，没事还是少出门的好。"

公孙断突然大喝一声："过来！"

沈三娘咬着嘴唇，道："你……你叫谁过去？"

公孙断道："你！"

那屠户忽然跳起，旁边的人已来不及拉他，他已冲到公孙断面前，指着公孙断的鼻子，大声道："对小姐、太太们说话，怎么能这样不客气，小心我……"

他的话还没有说完，公孙断已反手一个耳光掴了过去。

这屠户也很高大，他百把斤重的身子，竟被这一耳光打得飞了起来，飞过两张桌子，"砰"地，重重地撞在墙上。

他跌下来的时候，嘴里在流血，头上也在流血——连血里好像都有酒气。

公孙断却连看都没有看他，眼睛瞪着沈三娘，厉声道："过来。"

这次沈三娘什么话都没有说，就垂着头，慢慢地走了过去。

公孙断也没有再说话，“砰”地，推开了门，道：“跟我出去。”

公孙断在前面走，沈三娘在后面跟着。

他的脚步实在太大，沈三娘很勉强才能跟得上，刚才那种一掠三丈的轻功，她现在似已完全忘了。

夜已很深。

长街上的泥泞还未干透，一脚踩上去，就是一个大洞。

风从原野上吹过来，好冷。

公孙断大步走出长街，一直没有回头，突然道：“你出来干什么？”

沈三娘的脸色苍白，道：“我不是囚犯，我随便什么时候想出来都行。”

公孙断一字字道：“我问你，你出来干什么？”

他的声音虽缓慢，但每个字里都带种说不出的凶猛和杀机。

沈三娘咬起了嘴唇，终于垂首道：“我想出来找个人。”

公孙断道：“找谁？”

沈三娘道：“这也关你的事？”

公孙断道：“马空群的事，就是我公孙断的事，没有人能对不起他。”

沈三娘道：“我几时对不起他了？”

公孙断厉声道：“刚才！”

沈三娘叹了一声，道：“想跟女人们聊聊，也算对不起他？莫忘记我也是个女人，女人总是喜欢找女人聊天的。”

公孙断道：“你找谁？”

沈三娘道：“翠浓姑娘。”

公孙断冷笑道：“她不是女人，是个婊子。”

沈三娘也冷笑道：“婊子？你嫖过她？你能嫖得到她？”

公孙断突然回身，一拳打在她肚子上。

她没有闪避，也没有抵抗。

她的人已被打得弯曲，弯着腰退出七八步，重重地坐在地上，立刻开始呕吐，连胃里的苦水都吐了出来。

公孙断又蹿过去，一把揪着她的头发，将她从地上揪了起来，厉声道："我知道你也是个婊子，但你这婊子现在已不能再卖了。"

沈三娘咬着牙，勉强忍耐着，但泪水还是忍不住流了下来，颤声道："你……你想怎么样？"

公孙断道："我问你的话，你就得好好地回答，懂不懂？"

沈三娘闭着嘴不说话。

公孙断巨大的手掌已横砍在她腰上。

她整个人都被打得缩成了一团，眼泪又如泉水般流下来。

公孙断盯着她，道："你懂不懂？"

沈三娘流着泪，抽搐着，终于点了点头。

公孙断道："你几时出来的？"

沈三娘道："刚才。"

公孙断道："一出来就到了哪里？"

沈三娘道："你可以去问得到的。"

公孙断道："你见过了那婊子？"

沈三娘道："没有。"

公孙断道："为什么没有？"

沈三娘道："她屋里有客人。"

公孙断道："你没有找过别人？没有到别的地方去过？"

沈三娘道："没有。"

公孙断道："没有？"

他又一拳打过去，拳头打在肉上，发出种奇怪的声音，他好像很喜欢听这种声音似的。

沈三娘忍不住大叫了起来，道："真的没有，真的没有……"

公孙断看着她，眼睛里露出凶光，拳头又已握紧。

沈三娘突然扑过去，用力抱住了他，大哭着叫道："你若喜欢打我，就打死我好了……你打死我好了……"

她用两只手抱住他的脖子，又用两条腿勾住了他的腰。

他的身体突然起了种奇异的变化，他自己可以感觉到。

她立刻伏在他肩上，痛哭着，道："我知道你喜欢打我，你打吧，打吧……”

她的身子奇异地扭动着，腿也同样在动。

公孙断目中的愤怒已变成欲望，紧握着的拳头已渐渐放开。

她的呼吸就在他耳旁，就在他颈子上。

他的呼吸忽然变得很粗。

沈三娘呻吟着道：“你打死我也没关系，反正我也不会告诉别人的……”

公孙断已开始发抖。

谁也想不到这么样一个人也会发抖。

更想像不到这么样一个巨大健壮的人，在发抖时是什么模样。

你若能看见，绝不会觉得可笑，只会觉得可怕，非常可怕。

他面上也露出痛苦之色，因为他知道自己必须遏制心里这种可怕的欲望。

然后他又一拳重重地打在她小肚子上。

她身子又一阵痉挛，手松开，像一堆泥似的倒在地上。

他握紧双拳，看着她，用力吐了口口水在她脸上，从她身上迈过去，去找他的马。

他恨的不是这女人，而是恨自己，恨自己既不能拒绝这种诱惑，又不敢接受它。

沈三娘已揩干了眼泪。

公孙断的手就像是牛角，被他打过的地方，从肌肉一直疼到骨头里，在明天早上以前，这些地方一定会变得又青又肿。

可是她心里并没有觉得愤恨沮丧，因为她知道公孙断已绝不会将这件事泄露出去了，她不愿马空群知道她晚上出来过。

现在知道她秘密的已只有一个人，那个在屋顶上偷听的人。

是不是叶开？

她希望这人是叶开。

因为一个自己也有秘密的人，通常都不会将别人的秘密泄露。

她觉得自己有对付叶开的把握。

"你真的是叶开？"

"我不能是叶开？"

"但叶开是个怎么样的人呢？"

"一个男人，很穷，却很聪明，对女人也有点小小的手段。"

"你有过多少女人？"

"你猜呢？"

"她们都是些什么样的女人？"

"都不是好女人，但却都对我不坏。"

"她们都在什么地方？"

"什么地方都有，我平生最怕一个人上床睡觉，那就跟一个人下棋同样无味。"

"没有人管你？"

"我自己都管不住自己。"

"你家里没有别的人？"

"我连家都没有。"

"那么，你是从什么地方来的？"

"从来的地方。"

"到要去的地方去？"

"这次你说对了。"

"你从不跟别人谈起你的过去？"

"从不。"

"你是不是有很多秘密不愿让别人知道？"

叶开从她身旁坐起来，看着她，在朦胧的灯光下看来，她显得有些苍白疲倦。

但眼睛却还是睁得很大。

他忽然道："我只有一个秘密。"

翠浓的眼睛睁得更大，道："什么秘密？"

叶开道："我是条活了九千七百年，已修炼成人形的老狐狸。"

他跳下床，套起靴子，披着衣裳走出去。

翠浓咬着嘴唇，看着他走出去，突然用力捶打枕头，好像只希望这枕头就是叶开。

第十二章

暗器高手

小院里悄然无声，后面小楼上有灯光亮着。

萧别离已上了楼？

他留在小楼上的时候，能做些什么事？

小楼上是不是也有副骨牌？还是有个秘密的女人？

叶开总觉得他是个神秘而有趣的人，就在这时，窗户上忽然出现了人的影子。

三个人。

他们刚站起来，人影就被灯光照上窗户，然后又忽然消失。

上面怎么会有三个人？另外两个人是谁？

叶开目光闪动着，他实在无法遏止自己的好奇心。

这院子和小楼距离并不远，他束了束衣襟，飞身掠过去。

小楼四面都围着栏杆，建筑得就像是一个小小的亭阁。

他足尖在栏杆上一点，人已倒挂在檐下。

最上面的一格窗户开了一线，从这里看过去，恰巧可以看见屋子中间的一张圆桌。

桌上摆着酒菜。

有两个人正在喝酒，面对着门的一个人，正是萧别离。

还有个人穿着很华丽，华丽得已接近奢侈，握着筷子的手上，还戴着三枚形式很奇怪的戒指。

看来就像是三颗星。

这人赫然竟是个驼子。

屋里的灯光也并不太亮，酒菜却非常精致。

那衣着华丽的驼子，正用他戴着星形戒指的手，举起了酒杯。

酒杯晶莹剔透，是用整个紫水晶雕成的。

萧别离微笑道：“酒如何？”

驼子道：“酒普通，酒杯还不错。”

这驼子看来竟是个比萧别离还懂得享受的人。

萧别离叹了口气，道：“我早知你难侍候，所以特地托人从南面捎来真正的波斯葡萄酒，想不到只换得你‘普通’两个字。”

驼子道：“波斯的葡萄酒也有好几等，这种本来就是最普通的。”

萧别离道：“你自己为什么不带些好的来？”

驼子道：“我本来也想带些来的，只可惜临走时又出了些事，走得太匆忙。”

看来他们原来是早已约好的。

叶开觉得更有趣了，因为他已看出这驼子正是“金背驼龙”丁求。

谁能想到“金背驼龙”丁求竟会躲在这里？而且是已跟萧别离约好的。

他为什么要带那些棺材来？

他跟萧别离是不是也有阴谋要对付万马堂？

叶开只希望萧别离问问丁求，他临走时究竟又出了什么事！

但萧别离却已改变话题，道：“你这次来有没有在路上遇见过特别精彩的女人？”

丁求道：“没有，近来精彩的女人，好像已愈来愈少了。”

萧别离笑道：“那也许只因为你对女人的兴趣已愈来愈少。”

丁求道：“听说你这里有个女人还不错。”

萧别离道：“何止不错，简直精彩。”

丁求道：“你为什么不找她来陪我们喝酒？”

萧别离道：“这两天不行。”

丁求道：“为什么？”

萧别离道：“这两天她心里有别人。”

丁求道：“谁？”

萧别离道：“能令这种女人动心的男人，当然总有几手。”

丁求点点头。

他一向很少同意别人说的话，但这点却同意。

萧别离忽又笑了笑，道：“但这人有时却又像是个笨蛋。”

丁求道：“笨蛋？”

萧别离淡淡道：“他放着又热又暖的被窝不睡，却宁愿躲在外面喝西北风。”

叶开心里本来觉得很舒服。

无论什么样的男子，听到别人说他在女人那方面很有几手，心里总是很舒服的。

但后面的这句话却令他很不舒服了。

他忽然觉得自己就像是个刚被一把从床底下拖出来的小偷。

萧别离已转过头，正微笑着，看着他这面的窗户。

那只戴着星形戒指的手，已放下酒杯，手的姿势很奇怪。

叶开也笑了，大笑着道：“主人在里面喝酒，却让客人在外面喝风，这样的主人也有点不像话吧。”

他推开窗子，一掠而入。

桌上只有两副杯筷。

刚才窗户上明明出现了三个人的影子，现在第三个人呢？

他是谁？是不是云在天？

他为什么要忽然溜走？

屋子里布置得精致而舒服，每样东西都恰巧摆在你最容易拿到的地方。

萧别离一伸手，就从旁边的枣枝木架上，取了个汉玉圆杯，微笑道：“我是个懒人，又是个残废，能不动的时候就不想动。”

叶开叹了口气，道：“像你这样的懒人若是多些，世人一定也可以过得舒服得多。”

他说的并不是恭维话。

一些精巧而伟大的发明，本就是为了要人们可以过得更懒些，更舒服些。

萧别离道：“就凭这句话，已值得一杯最好的波斯葡萄酒。”

叶开笑道："只可惜这酒是最普通的一种。"

他举杯向丁求，接着道："上次见到丁先生，多有失礼之处，抱歉抱歉。"

丁求沉着脸，冷冷道："你并没有失礼，也用不着抱歉。"

叶开道："只不过我对一个非常懂得酒和女人的男人，总是特别尊敬些的。"

丁求苍白丑陋的脸，也忽然变得比较令人愉快了，道："萧老板刚才只说错了一件事。"

叶开道："哦？"

丁求道："你不但对付女人有两手，对付男人也一样。"

叶开道："那也得看他是不是个真正的男人，近来真正的男人也已不多。"

丁求忍不住笑了。

丑陋的男人总觉得自己比漂亮小伙子更有男人气概，就正如丑陋的女人总觉得自己比美女聪明些。

叶开这才将杯里的酒喝下去。

屋里的气氛已轻松愉快很多，他知道自己恭维的话也已说够。

接下去应该说什么呢？

叶开慢慢地坐下去，这本来应该是那"第三个人"的座位。

要怎么样才能查出这人是谁？要怎么样才能问出他们的秘密？

那不但要问得非常技巧，而且还得问得完全不着痕迹。

叶开正在沉吟着，考虑着，丁求忽然道："我知道你一定有很多话要问我。"

他面上还带着笑容，但眸子里却已全无笑意。慢慢地接道："你一定想问我，为什么要到这地方来？为什么要送那些棺材？怎么会和萧老板认得的？在这里跟他商量什么事？"

叶开也笑了，眸子里也全无笑意。

他已发现丁求远比他想象中更难对付得多。

丁求道："你为什么不问？"

叶开微笑道："我若问了，有没有用？"

丁求道："没有。"

叶开道：“所以我也没有问。”

丁求道：“但有件事我却可以告诉你。”

叶开道：“哦？”

丁求道：“有些人说我全身上下每一处都带着暗器，你听说过没有？”

叶开道：“听说过。”

丁求道：“江湖中的传说，通常都不太可靠，但这件事却是例外。”

叶开道：“你全身上下都带着暗器？”

丁求道：“不错。”

叶开眨眨眼问道：“一共有多少种？”

丁求道：“二十三种。”

叶开道：“每种都有毒？”

丁求道：“只有十三种是有毒的，因为有时我还想留下别人的活口。”

叶开道：“还有人说你同时可以发出七八种不同的暗器来。”

丁求道：“七种。”

叶开叹了口气，道：“好快的出手。”

丁求道：“但却还有个人比我更快。”

叶开道：“谁？”

丁求道：“就是在你旁边坐着的萧老板。”

萧别离面上一直带着微笑，这时才轻轻叹了一声，道：“一个又懒又残废的人，若不练几样暗器，怎么活得下去。”

叶开又叹了口气，道：“有理。”

丁求道：“你看不看得出他暗器藏在哪里？”

叶开道：“铁拐里？”

丁求忽然一拍桌子，道：“好，好眼力，除了铁拐之外呢？”

叶开道：“别的地方也有？”

丁求道：“只不过还有八种，但他却能在一瞬间将这九种暗器全发出来。”

叶开叹道：“江湖中能比两位功夫更高的人，只怕已没有几个了。”

丁求淡淡道：“只怕已连一个都没有。”

叶开道：“想不到我竟能坐在当世两大暗器高手之间，当真荣幸得很。”

丁求道：“这种机会的确不多，所以你最好还是安安静静地坐着，因为你只要一动，至少就有十六种暗器要向你招呼过去。”

他沉下了脸，冷冷又说道：“我可以保证，世上绝没有任何人能在这种距离中，将这十六种暗器躲开的。”

叶开苦笑道：“我相信。”

丁求道：“所以无论我们问你什么，你也最好还是立刻回答出来。”

叶开又叹了口气，道：“幸好我这人本就没有什么不可告人的秘密。”

丁求道：“你最好没有。”

他忽然从衣袖中取出一卷纸展开，道：“你姓叶，叫叶开？”

叶开道：“是。”

丁求道：“你是属虎的？”

叶开道：“是。”

丁求道：“你生在这地方附近？”

叶开道：“是。”

丁求道：“但你襁褓中就已经离开这里？”

叶开道：“是。”

丁求道：“十四岁以前，你一直住在黄山上的道观里？”

叶开道：“是。”

丁求道：“你练的本是黄山剑法，后来在江湖中流浪时，又偷偷学了很多种武功，十六岁的时候，还做过几个月和尚，为的就是要偷学少林的伏虎拳？”

叶开道：“是。”

丁求道：“后来你又在京城的镖局里混过些时候，欠了一身赌债，才不能不离开？”

叶开道：“是。”

丁求道："在江南你为了一个叫小北京的女人，杀了盖氏三雄，所以又逃回中原？"

叶开道："是。"

丁求道："这几年来，你几乎走遍了大河两岸，到处惹事生非，却也闯出了个不小的名头。"

叶开叹了口气，苦笑道："我的事你们好像比我自己知道得还多，又何必再来问我。"

丁求目光灼灼，盯着他，道："现在我只问你，你为什么要到这里来？"

叶开道："我若说叶落归根，这里既然是我的老家，我当然也想回来看看——我若这么样说，你们信不信？"

丁求道："不信。"

叶开道："为什么？"

丁求道："因为你天生就是个浪子。"

叶开叹道："我若说除了这见鬼的地方外，根本已无处可走呢？你们信不信？"

丁求道："这么样说听来就比较像话了。"

他又展开那卷纸，接着道："你赚到的最后一笔钱，是不是从一个老关东那里赢来的一袋金豆子？"

叶开道："是。"

丁求道："现在这袋金豆子只怕已经是别人的了，对吗？"

叶开苦笑道："我讨厌豆子，无论是蚕豆、豌豆、扁豆，还是金豆子都一样讨厌。"

丁求又抬起头，盯着他，道："没有别人请你到这里来？"

叶开道："没有。"

丁求道："你知不知道这地方能赚钱的机会并不很多？"

叶开道："我看得出。"

丁求道："那么你准备怎么样活下去？"

叶开笑了笑，道："我还未看到这里有人饿死。"

丁求道："假如你知道别的地方有万两银子可赚，你去不去？"

叶开道："不去。"

丁求道："为什么？"

叶开答道："因为这地方说不定会有更多的银子可赚。"

丁求道："哦？"

叶开道："我看得出这地方已渐渐开始需要我这种人。"

丁求道："你是哪种人？"

叶开悠然答道："一个武功不错，而且能够守口如瓶的人，若有人肯出钱要我去替他做事，一定不会失望的。"

丁求沉吟着，眼睛里渐渐发出了光，忽然道："你杀人的价钱通常是多少？"

叶开道："那就得看是杀谁了。"

丁求道："最贵的一种呢？"

叶开道："三万。"

丁求道："好，我先付一万，事成后再付两万。"

叶开眼睛里也发出了光，道："你要杀谁？傅红雪？"

丁求冷笑道："他还不值三万。"

叶开道："谁值？"

丁求道："马空群！"

萧别离静静地坐着，就好像在听着两个和他完全无关的人，在谈论着一件和他完全无关的交易。

丁求的眸子却是炽热的，正眨也不眨地盯着叶开，那只戴着三颗星形戒指的手，又摆出了一种很奇特的手势。

叶开终于长长叹出了口气，苦笑道："原来是你们，要杀马空群的人，原来是你们。"

丁求目光闪动，道："你想不到？"

叶开道："你们跟他有什么仇恨？为什么一定要杀他？"

丁求冷冷道："你最好明白现在发问的人是我们，不是你。"

叶开道："我明白。"

丁求道："你想不想赚这三万两？"

叶开没有回答，也已用不着回答。

他已伸出手来。

二十张崭新的银票，每张一千两。

叶开道："这是两万？"

丁求道："是。"

叶开笑了笑，道："你至少很大方。"

丁求道："不是大方，是小心。"

叶开道："小心？"

丁求道："你一个人杀不了马空群。"

叶开道："哦。"

丁求道："所以你还需要个帮手。"

叶开道："一万给我，一万给我的帮手？"

丁求道："不错。"

叶开道："这地方谁值得这么多？"

丁求道："你应该知道。"

叶开眼睛里又发出了光，道："你要我去找傅红雪？"

丁求默认。

叶开道："你怎知道我能收买他？"

丁求道："你不是他的朋友？"

叶开道："他没有朋友。"

丁求道："一万两已足够交个朋友。"

叶开道："有人若不卖呢？"

丁求道："你至少该去试试。"

叶开道："你自己为何不去试试？"

丁求冷冷道："你若不想赚这三万两，现在退回还来得及。"

叶开笑了，站起来就走。

萧别离忽然笑道："为什么不先喝两杯再走？急什么？"

叶开扬了扬手里的银票，微笑道："急着去先花光这一万两。"

萧别离道："银子既已在你手里，又何必心急？"

叶开道："因为现在我若不花光，以后再花的机会只怕已不多。"

萧别离看着他掠出窗子，忽然轻轻叹息了一声，道："这是个聪明人。"

丁求道："的确是。"

萧别离道："你信任他？"

丁求道："完全不。"

萧别离眯起了眼睛，道："所以你才要跟他谈交易？"

丁求也微笑道："这的确是件很特别的交易。"

一个囊空如洗的人，身上若是忽然多了一万两银子，连走路都会觉得轻飘飘的。

但叶开的脚步却反而更沉重。

这也许只因为他已太疲倦。

翠浓本就是个很容易令男人疲倦的女人。

现在翠浓屋子里的灯已熄了，想必已睡着。能在她身旁舒舒服服地一觉睡到天亮，呼吸着她香甜的发香，轻抚着她光滑的背脊，这诱惑连叶开都无法拒绝。

他轻轻走过去，推开门——房门本是虚掩着的，她一定还在等他。

星光从窗外漏进来，她用被蒙住了头，睡得仿佛很甜。

叶开微笑着，轻轻掀起了丝被一角。

突然间，剑光一闪，一柄剑毒蛇般从被里刺出，刺向他胸膛。

在这种情况下，这么近的距离内，几乎没有人能避开这一剑。

但叶开却像是条被猎人追捕已久的狐狸，随时随地都没有忘记保持警觉。

他的腰就像是已突然折断，突然向后弯曲。

剑光点着他胸膛刺过。

他的人已倒蹿而出，一脚踢向握剑的手腕。

被踢中的人也已跳起，没有追击，剑光一圈，护住了自己的面目，扑向后面的窗子。

叶开也没有追，却微笑道："云在天，我已认出了你，你走也没有用。"

这人眼见已将撞开窗户，身影突然停顿、僵硬，过了很久，才慢慢地回过头。

果然是云在天。

他握着剑的手青筋凸起，目中已露出杀机。

叶开道：“原来你来找的人既不是傅红雪，也不是萧别离，你来找的是翠浓。”

云在天冷冷道：“我能不能来找她？”

叶开道：“当然能。”

他微笑着，接着道：“一个像你这样的男人，来找她这样的女人，本是很正当的事，却不知你为什么要瞒着我？”

云在天目光闪动，忽然也笑了笑，道：“我怕你吃醋。”

叶开大笑道：“吃醋的应该是你，不是我。”

云在天沉吟着，忽又问道：“她的人呢？”

叶开道：“这句话本也是我正想问你的。”

云在天道：“你没有看见她？”

叶开道：“我走的时候，她还在这里。”

云在天脸色变了变，道：“但我来的时候，她已不在了。”

叶开皱了皱眉，道：“也许她去找别的男人……”

云在天打断了他的话，道：“她从不去找男人，来找她的男人已够多。”

叶开又笑了笑，道：“这你就不懂了，来找她的男人，当然和她要去找的男人不同。”

云在天沉下了脸，道：“你想她会去找谁？”

叶开道：“这地方值得她找的男人有几个？”

云在天脸色又变了变，突然转身冲了出去。

这次叶开并没有拦阻，因为他已发现了几样他想知道的事。

他发现翠浓也是个很神秘的女人，一定也隐藏着很多秘密。

像她这样的女人，若要做这种职业，有很多地方都可以去，本不必埋没在这里。

她留在这里，必定也有某种很特别的目的。

但云在天来找她的目的，却显然和别的男人不同，他们两人之间，想必也有某种不可告人的秘密。

叶开忽然发觉这地方每个人好像都有秘密，他自己当然也有。

现在这所有的秘密，好像都已渐渐到了将要揭穿的时候。

叶开叹了口气，明天要做的事想必更多，他决定先睡一觉再说。

他脱下靴子，躺进被窝。

然后他就发现了她脱在被里的内衣——是她脱下来的。

她的人既已走了，内衣怎么会留在被里？

莫非她走得太匆忙，连内衣都来不及穿起，莫非是她被人逼着走的？

她为什么没有挣扎呼救？

叶开决定在这里等下去，等她回来。

可是她始终没有再回来。

这时距离黎明还有一个多时辰。

傅红雪还没有睡着。

马芳铃也没有。

萧别离和丁求还在喝酒。在小楼上。

公孙断也在喝酒。在小楼下。

每个人好像在等，等待着某种神秘的消息。

马空群、花满天、乐乐山、沈三娘呢？他们在哪里？是不是也在等？

这一夜真长得很。

这一夜中万马堂又死了十八个人！

风沙卷舞，黎明前的这一段时候，荒野上总是特别黑暗，特别寒冷。

狂风中传来断续的马蹄声。

七八个人东倒西歪地坐在马上，都已接近烂醉。

幸好他们的马还认得回去。

这些寂寞的马师们，终年在野马背上颠沛挣扎，大腿上都已被磨出了老茧，除了偶尔到镇上来猛醉一场，他们几乎已没有别的乐趣。

也不知是谁在含糊着低语？

“明天轮不到我当值，今天晚上我本该找个骚娘们儿搂着睡一宵的。”

“谁叫你的腰包不争气，有几个钱又都灌了黄汤。”

“下次发饷，我一定要记着留几个。”

“我看你还是找条母牛凑合凑合算了，反正也没有女人能受得了你。”

于是大家大笑。

他们笑得疯狂而放肆，又有谁能听得出他们笑声中的辛酸血泪。

没有钱，没有女人，也没有家。

就算忽然在这黑暗的荒野上倒下去，也没有人去为他们流泪。

这算是什么样的生活？什么样的人生？

一个人突然夹紧马股，用力打马，向前冲出去，大声呼啸着。别的人却在大笑。

“小黑子好像快疯了。”

“他至少有七八个月没有碰过女人，上次找的还是个五六十岁的老梆子。”

“像翠浓那样的女人，若能陪我睡一宵，我死了也甘心。”

“我宁可要三姨，那娘们儿倒全身都嫩得好像能拧出水来。”

突然间，一声惨呼。

刚冲入黑暗中的“小黑子”，突然惨呼着从马背上栽倒。

倒在一个人脚下。

一个人忽然鬼魅般从黑暗中出现，手里倒提着斩马刀！

热酒立刻变成了冷汗。

“你是什么人？是人是鬼？”

这人却笑了：“连我是谁你们都看不出？”

最前面的两个人终于看清了他，这才松了口气，赔笑道：“原来是……”

他的声音刚发出，斩马刀已迎面劈下。

鲜血在他眼前溅开，在夜色中看来就像是黑的。

他身子慢慢地栽倒，一双眼睛还在死盯着这个人，眼睛里充满了惊惧和不信。

他死也想不通这个人怎会对他下这种毒手！

健马惊嘶，人群悲呼。

有的人转身打马，想逃走，但这人忽然间已鬼魅般追上来。

刀光只一闪，立刻就有个人自马背上栽倒。

又有人在悲嘶大呼：“为什么？你这究竟是为了什么？”

"这不能怪我，只怪你为什么要入万马堂！"

天地肃杀，火焰在狂风中卷舞，远处的天灯已渐渐暗了。

两个人蜷曲在火堆旁，疲倦的眼睛茫然凝视着火上架着的铁锅。

锅里的水已沸了，一缕缕热气随风四散。

一个人慢慢地将两块又干又硬的马肉投入锅里，忽然笑了笑，笑容中带着种尖针般的讥诮之意。

"我是在江南长大的，小时候总想着要尝尝马肉是什么滋味，现在总算尝到了。"

他咬了咬牙："下辈子若还要我吃马肉，我他妈的宁可留在十八层地狱里。"

另一个人没有理他，正将一只手慢慢地伸进自己裤袋里。

手伸出来时，手掌上已满是血迹。

"怎么？又磨破了，谁叫你的肉长得这么嫩？头一天你就受不了，明天还有的你好受的。"

其实，又有谁真受得了，每天六个时辰不停地奔驰。开始时还好，到第五个时辰时，马鞍上已像是布满了尖针。

他眼看自己手上的血，忍不住低声诅咒："乐乐山，你这狗娘养的，你他妈的躲到哪里去了，要我们这样子苦苦找你。"

"听说这人是个酒鬼，说不定已从马背上跌断了脖子。"

旁边的帐篷里，传出了七八个人同时打鼾的声音，锅里的水又沸了。

不知道马肉煮烂了没有？

年纪较长的一人，刚捡起根枯枝，想去搅动锅里的肉。

就在这时，黑暗中忽然有一人一骑急驰而来。

两个人同时抄住了刀柄，霍然长身而起，厉声喝问："来的是谁？"

"是我。"

这声音仿佛很熟悉。

年轻人用沾满血迹的手，拿起了一根燃烧着的枯枝，举起。

火光照亮了马上人的脸。

两个人立刻同时笑了，赔着笑道："这么晚了，你老人家怎么还没歇下？"

“我找你们有事。”

“什么事？”

没有回答，马上忽有刀光一闪，一个人的头颅已落地。

年轻人张大了嘴巴，连惊呼声都已被骇得陷在咽喉里。

这人为什么要对他们下这种毒手？他死也想不通。

帐篷里的鼾声还在继续着。

已经劳苦了一天的人，本就很难被惊醒。

第一个被惊醒的人最痛苦，因为他听见了一种马踏泥浆的声音，也看见了雨点般的鲜血正从半空中洒下。

他正想惊呼，刀锋已砍在他咽喉上。

这时距离黎明还有半个时辰。

叶开闭着眼睛躺在床上，似已睡着。

傅红雪从后面的厨房舀了盆冷水，正在洗脸。

公孙断已喝得大醉，正踉跄地冲出门，跃上了他的马。

小楼上灯光也已熄了。

现在只剩下马芳铃一个人，还睁大了眼睛在等。

马空群、云在天、花满天、乐乐山、沈三娘呢？

荒野上的鲜血开始溅出的时候，他们在哪里？

翠浓又在哪里？

马芳铃的手紧紧抓住了被，身上还在淌冷汗。

她刚才好像听见远处传来惨厉的呼喊声，若是平时，她也许会出去看个究竟。

但现在她已看见了太多可怕的事，她已不敢再看，不忍再看。

屋子里闷得很，她却连窗户都不敢打开。

这是栋独立的屋子，建筑得坚固而宽敞，除了两个年纪很大的老妈子外，只有她们父女、公孙断和沈三娘住在这里。

也许只因马空群只信任他们这几个人。

现在小虎子当然已睡得很沉，那个老妈子已半聋半瞎，醒着时也跟睡着差不多。

现在屋子里等于只剩下她一个人。

孤独的本身就是种恐惧。

何况还有黑暗，这死一般寂静的黑暗，黑暗中那鬼魅般的复仇人。

马芳铃咬着唇，坐起来。

风吹着新换的窗纸，窗户上突然出现了一条人影。

一个长而瘦削的人影，绝不是她父亲，也绝不是公孙断。

马芳铃只觉得自己的胃在收缩、僵硬，连肚子都似已僵硬。

床头的椅子上挂着一柄剑。

窗上的人影没有动，似乎正在倾听着屋子里的动静，正在等机会闯进来。

马芳铃用力咬着唇，伸出手，轻轻地，慢慢地，拔出了床头的剑，握紧。

窗上的人影开始动了，似乎想撬开窗子，马芳铃掌心的冷汗，已湿透了缠在剑柄上的紫绫。

她勉强控制着自己，不让自己的手发抖，然后再慢慢地将气力提在掌心。

她准备就从这里跃起，一剑刺过去。

屋子里很暗，她已做好了准备的动作，只希望窗外的人没有看见她的动作。

可是她这一剑还未刺出，窗上的人影竟已忽然不见了。

然后，她就听见了风中的马蹄声。

窗外的人想必也已发现有人回来，才被惊走的。

“总算已有人回来了。”

马芳铃倒在床上，全身都似已将虚脱崩溃。她第一次了解到真正的恐惧是什么滋味。

窗外的人呢?

等她再次鼓起力气，想推开窗子去看时，马蹄声已到了窗外。

她听见父亲严厉的声音在发令：“不许出声，跟我上去！”

马空群不是一个人回来的!

跟他回来的是谁?

回来的只有一匹马，马空群怎么会跟别人合乘一骑的呢?

她正在觉得惊奇，忽然又听到一声女人的轻轻呻吟，然后他们的脚步声就已在楼梯上。

马空群怎么会带了个女人回来？

她知道这女人绝不会是三姨，那一声呻吟听来娇媚而年轻。

她刚坐起，又悄悄躺下去。

她很体谅她的父亲。

男人愈紧张时，愈需要女人；年纪愈大的男人，愈需要年轻的女人。

三姨毕竟已快老了。

马芳铃忽然觉得她很可怜，男人可以随时出去带女人回来，但女人半夜时若不在屋里，却是件不可原谅的事。

窗纸仿佛已渐渐发白。

方才那个人呢？

他当然不会真的像鬼魅般突然消失，他一定还躲藏在这地方某个神秘的角落里，等着用他冰冷的手，去扼住别人的咽喉。

"他第一个对象也许就是我。"

马芳铃忽然又有种恐惧，幸好这时她父亲已回来，天已快亮了。

她迟疑着，终于握紧了剑，赤着足走出去——若不能找到那个人，她坐立都无法安心。

走廊上的灯已熄了，很暗，很静。

她赤着足走在冰冷的地板上，一心只希望能找到那个人，却又生怕那个人会突然出现。

就在这里，她忽然听到一阵倒水的声音。

声音竟是从三姨房里传出来的。

是三姨已回来了？还是那个人藏在她房里？

马芳铃只觉自己的心跳得好像随时都可能跳出嗓子来。

她用力咬着牙，轻轻地，慢慢地走过去，突然间，地板"吱"的一响。

她自己几乎被吓得跳了起来，然后就发现三姨的房门开了一线。

一双明亮的眼睛正在门后看着她，是三姨的眼睛。

马芳铃这才长长吐出口气，悄悄道："谢天谢地，你总算回来了。"

第十三章

沈三娘的秘密

这屋子里也没有燃灯。

沈三娘披着件宽大的衣衫，仿佛正在洗脸，她的脸看来苍白而痛苦。

刚才她用过的面巾上，竟赫然带着血迹。

马芳铃道："你……你受了伤？"

沈三娘没有回答这句话，却反问道："你知道我刚才出去过？"

马芳铃笑了，眨着眼笑道："你放心，我也是个女人，我可以装作不知道。"

她在笑，因为她第一次觉得自己是个大人。

替别人保守秘密，本就是种只有完全成熟了的人才能做到的事。

沈三娘没有再说什么，慢慢地将带血的丝巾浸入水里，看着血在水里融化。

她嘴里还带着血的咸味，这口血一直忍耐到回屋后才吐出来。

公孙断的拳头真不轻。

马芳铃已跳上床，盘起了腿。

她在这屋里本来总有些拘谨，但现在却已变得很随便，忽又道："你这里有没有酒，我想喝一杯！"

沈三娘皱了皱眉，道："你是什么时候学会喝酒的？"

马芳铃道："你在我这样的年纪，难道还没有学会喝酒？"

沈三娘叹了口气，道："酒就在那边柜子最下面的一节抽屉里。"

马芳铃又笑了，道："我就知道你这里一定有酒藏着，我若是你，晚上睡不着的时候，也会一个人起来喝两杯的。"

沈三娘叹道："这两天来，你的确好像已长大了很多。"

马芳铃已找到了酒，拔开瓶盖，嘴对着嘴喝了一口，带着笑道："我本来就已是个大人，所以你一定要告诉我，刚才你出去找的是谁？"

沈三娘道："你放心，不是叶开。"

马芳铃眼波流动，道："是谁？傅红雪？"

沈三娘正在拧着丝巾的手突然僵硬，过了很久，才慢慢地转过身，盯着她。

马芳铃道："你盯着我干什么？是不是因为我猜对了？"

沈三娘忽然夺过她手里的酒瓶，冷冷道："你醉了，为什么不回去睡一觉，等清醒了再来找我。"

马芳铃也板起了脸，冷笑道："我只不过想知道你是用什么法子勾引他的，那法子一定不错，否则他怎么会看上你这么老的女人？"

沈三娘冷冷地看着她，一字字道："你喜欢的难道是他？不是叶开？"

马芳铃就好像突然被人在脸上掴了一掌，苍白立刻变得赤红。

她似乎想过来在沈三娘脸上掴一巴掌，但这时她已听到走廊上的脚步声。

脚步声缓慢而沉重，已停在门外，接着就有人在轻唤："三娘，你醒了吗？"

这是马空群的声音。

马芳铃和沈三娘的脸上立刻全都变了颜色，沈三娘向床下努了努嘴，马芳铃咬着嘴唇，终于很快地钻了进去。

她也和沈三娘同样心虚，因为她心里也有不可告人的秘密。

幸好马空群没有进来，只站在门口问："刚起来？"

"嗯。"

"睡得好不好？"

"不好。"

"跟我上去好不好？"

"好。"

他们已有多年的关系了，所以他们的对话简单而亲密。

马芳铃又在奇怪。

她父亲明明已带了个女人回来，现在为什么又要三婶上去？

他带回来的女人是谁呢？

马空群一个人占据了楼上的三间房，一间是书斋，一间是卧房，还有一间是他的密室，甚至连沈三娘都从未进去过。

他上楼的时候，腰干还是挺得笔直，看他的背影，谁也看不出他已是个老人。

沈三娘默默地跟着他。只要他要她上去，她从未拒绝过，她对他既不太热，也不太冷。有时她也会对他奉献出完全满足的热情。

这正是马空群需要的女人，太热的女人已不适于他这种年纪。

楼上的房门是关着的，马空群在门外停下来，忽然转身，盯着她，问道："你知不知道我找你上来做什么？"

沈三娘垂下头，柔声道："随便你要做什么都没关系。"

马空群道："我若要杀了你呢？"

他的语气很严肃，脸上也没有丝毫笑意。

沈三娘忽然觉得一阵寒意自足底升起，这才发现自己也是赤着足的。

马空群忽又笑了笑，道："我当然不会杀你，屋里还有个人在等你。"

沈三娘道："有人在等我？谁？"

马空群笑得很奇怪，缓缓道："你永远猜不到他是谁的！"

他转身推开了门，沈三娘却已几乎没有勇气走进去了。

天终于亮了。

傅红雪正慢慢地在啜着刚煮好的热粥。

叶开已隐隐感觉到翠浓不会再回来，正在穿他的靴子。

小楼上静寂无声，公孙断正将头埋入饮马的水槽里，像马一样在喝着冷水，但现在只怕连一条河的水也无法使他清醒。

荒野上的晨风中，还带着一阵淡淡的血腥气。

花满天和云在天也回到他们自己的屋里，开始准备到大堂来用早餐。

每天早上他们都要到大堂来用早餐，这是马空群的规矩。

沈三娘终于鼓起勇气，走进了马空群的房门。

在里面等她的是谁呢？

翠浓手抱膝盖，蜷曲在书房里一张宽大的檀木椅上。

她看来既疲倦又恐惧。

沈三娘看见她的时候，两个人好像都吃了一惊。

马空群冷冷地观察着她们脸上的表情，忽然道："你们当然是认得的。"

沈三娘点点头。

马空群道："现在我已将她带回来了，也免得你以后再三更半夜的去找她。"

沈三娘的反应很奇特，她好像在沉思着，好像根本没有听见马空群的话。

过了很久，她才慢慢地转身，面对着马空群，缓缓道："我昨天晚上的确出去过。"

马空群道："我知道。"

沈三娘道："我要找的人也不是翠浓。"

马空群道："我知道。"

他已坐了下来，神色还是很平静，谁也无法从他脸上的表情看出他心里的喜怒。

沈三娘凝视着他，一字字道："我去找的人是傅红雪！"

马空群在听着，甚至连眼角的肌肉都没有牵动。

他目光中非但没有惊奇和愤怒，反而带着种奇异的了解与同情。

沈三娘也很平静，慢慢地接着道："我去找他，只因为我总觉得他就是杀死那些人的凶手。"

马空群道："他不是。"

沈三娘又慢慢地点了点头，道："他的确不是，但我在没有查明白之前，总是不能安心。"

马空群道："我明白。"

沈三娘道："我可以从他对我的态度上看出来，女人天生就有种微妙的感觉，他若恨你，对我的态度也一定不同。"

马空群道："我懂。"

沈三娘道："可是他却对我很客气，我去的时候，他虽然显得有些吃惊，我要走的时候，他却并没有留难我。"

马空群道："他是个君子。"

沈三娘道："只可惜你有个朋友并不是君子。"

马空群道："哦？"

沈三娘咬着牙，眼眶已发红，忽然解开了衣襟，衣襟下是赤裸着的。

她虽然已是个三十多岁的女人，但身材仍保养得非常好。她的胸膛坚挺，小腹平坦，双腿修长结实，只可惜现在这晶莹雪白的胴体上，已多了好几块瘀青和青肿。

翠浓忍不住发出了一声轻叫，沈三娘的泪已落下，颤声道："你知道这是被谁打的？"

马空群凝视着她腰腹上的伤痕，目中已露出愤怒之色，过了很久，才沉声道："我不想知道。"

他的意思沈三娘当然明白，不想知道的意思，就是他已知道。

沈三娘也没有再说，慢慢地掩起衣襟，黯然道："你不知道也好，我只不过要你明白，为了你，我什么事都肯做。"

马空群目中的愤怒已变为痛苦，又过了很久，才长长叹息了一声，道："这些年来，你的确为我做了很多事，吃了很多苦。"

沈三娘哽咽着，突然跪倒，伏在他膝上，失声痛哭了起来。

马空群轻轻抚着她的柔发，目光凝视着窗外。

清晨的微风吹过草原，杂草如波浪起伏，旭日刚刚升起，金黄色的阳光照在翠绿的草浪上，马群正奔向阳光。

马空群叹息着，柔声道："这地方本是一片荒漠，没有你，我也许根本就不能将这地方改变得如此美丽，没有人知道你对我的帮助有多么大。"

沈三娘轻泣着，道："只要你知道，我就已心满意足了。"

马空群道："我当然知道，你帮助我将这块地方改变得如此美丽，只不过是要我在失去它时觉得更痛苦。"

沈三娘霍然抬起头，失声道："你……你……你在说什么？"

马空群不再看她，缓缓道："我在说一件秘密。"

沈三娘道："什么秘密？"

马空群道："你的秘密。"

沈三娘道："我……我有什么秘密？"

马空群目中的痛苦之色更深，一字字道："从你第一天到这里来的时候，我已知道你是谁了！"

沈三娘身子一阵震颤，就好像有一双看不见的手突然扼住了她咽喉。

她连呼吸都已停顿，慢慢地站起来，一步步向后退，目中也充满了恐惧之色。

马空群道："你不姓沈，姓花。"

这句话又像是一柄铁锤，重重地敲击在沈三娘的头上。

她刚站起来，又将跌倒。

马空群道："白先羽的外室花白凤，才是你嫡亲的姐姐。"

沈三娘道："你……你怎么知道？"

马空群叹息了一声，道："你也许不信，但你还未到这里来时，我已见过你，见过你们姐妹和白先羽在一起，那时你还小，你姐姐肚子里却已有了白先羽的孩子。"

沈三娘颤抖突然停止，全身似已僵硬。

马空群道："白先羽死了后，我也曾找过你们姐妹，但你姐姐却一直隐藏得很好，又有谁能想到你居然到这里来了？"

沈三娘慢慢地向后退，终于找着张椅子坐下来，看着他。

就是这个人，七年来，每个月她至少有十天要陪他上床，忍受着他那只没有手指的手笨拙的抚摸，忍受着他的汗臭。

有时她甚至会觉得睡在她旁边的是一匹马，一匹老马。

她忍受了七年，因为她总认为自己必有收获，这一切他迟早必将付出代价。

现在她才知道自己错了，错得可笑，错得可怕。

她忽然发觉自己就像是一条孩子手里的蚯蚓，一直在被人玩弄。

马空群道："我早已知道你是谁，但却一直没有说出来，你知不知道是为了什么？"

沈三娘摇摇头。

马空群道："因为我喜欢你，而且很需要你这样一个女人。"

沈三娘忽然笑了笑道："而且还是自己心甘情愿地免费送上门来

的。”

她的确在笑，但这笑却比哭还要痛苦。

她忽然觉得要呕吐。

马空群道：“我早就知道你跟翠浓的关系。”

沈三娘道：“哦？”

马空群道：“我这边的消息，由翠浓转出去，外边的消息，也是由翠浓转给你的。”

他也笑了笑，道：“你用她这种人来转达消息，倒的确是个聪明的主意。”

沈三娘叹道：“只可惜还是早已被你知道。”

马空群道：“我一直没有阻止你们，只因为我根本就没有重要的消息给你。”

沈三娘道：“你也许还想从我这里得到外面的消息。”

马空群也叹了口气，道：“只可惜你姐姐比你精明得多，这么多年来，我竟始终查不出她的踪迹。”

沈三娘道：“所以她直到现在还活着。”

马空群道：“她的儿子呢？”

沈三娘道：“也还活着。”

马空群道：“现在是不是已经到这里来了？”

沈三娘道：“你猜呢？”

马空群道：“是叶开？还是傅红雪？”

沈三娘道：“你猜不出？”

马空群又笑了笑，道：“就算你不说，我也有法子知道的。”

沈三娘道：“那么你又何必问我？”

马空群忽然又叹息了一声，道：“其实直到今天为止，我还是不想揭穿你的秘密，因为我还是不忍中断我们现在的这种关系。”

沈三娘道：“只可惜你现在已到了非揭穿我不可的时候。”

马空群道：“因为这件事已不能再拖下去。”

沈三娘道：“既然已拖了十几年，又何妨再拖几天？”

马空群神情更沉重地说道：“我有儿有女，还有几百个兄弟，我不忍眼见着他们再一个个死在我的眼前。”

沈三娘道：“昨天晚上又死了多少？”

马空群黯然道：“死得已够多。”

沈三娘道：“你认为谁是凶手？叶开？傅红雪？”

马空群目中露出憎恨之色，缓缓道：“不管凶手是谁，我可以向你保证，他一定逃不了的！”

沈三娘盯着他，一字字道：“天网恢恢，疏而不漏，杀人者死……对不对？”

马空群道：“不错。”

沈三娘突然冷笑，道：“那么你自己呢？”

马空群目中的愤怒突又变为恐惧，一种深入骨髓的恐惧。

他忽然站起来，面对着窗子，仿佛不愿被沈三娘看到他面上的表情。

就在这时，外面响起了一阵铜铃声。

马空群叹了口气，喃喃道：“好快，又是一天，早膳的时候又到了。”

沈三娘道：“你今天还吃得下？”

马空群道：“这是我自己定下的规矩，至少我自己不能破坏它！”

他没有再看沈三娘一眼，忽然大步走了出去。

沈三娘道：“等一等。”

马空群在等。

沈三娘道：“你怎么能就这样走了？”

马空群道：“为什么不能？”

沈三娘道：“你……你准备对我怎么样？”

马空群道：“不怎么样。”

沈三娘道：“我不懂你的意思。”

马空群道：“我没有意思。”

沈三娘道：“你既已揭穿了我的隐密，为什么不杀了我？”

马空群道：“揭穿你的秘密是一回事，杀你又是另外一回事了！”

沈三娘道：“可是……”

马空群道：“我知道你当然也不能再留在这里。”

沈三娘道：“你让我走？”

马空群笑了笑，笑得很凄凉，缓缓道：“我为什么不让你走？难道我真能杀了你？”

沈三娘看着他，目中露出了惊奇之色。

直到现在，她发觉自己还是不能了解这个人，也许始终都没有真的了解过他。

她忍不住又问道：“你既然已准备让我走，为什么又要揭穿我的秘密？”

马空群又笑了笑，淡淡道：“那也许只因为我要让你知道，我并不是个呆子。”

沈三娘咬着嘴唇，道：“那也许只因为你已不愿我再留在这里。”

马空群道：“也许。”

他没有再说什么，头也不回地走了出去。

脚步声已下了楼，缓慢而沉重。他的心情也许更沉重。

“他为什么不杀我？难道他真的对我不错？”

沈三娘握紧双拳，自己决定绝不能再想下去，想下去只有更痛苦。

就是这个人，欺骗了她，玩弄了她，但却在别人非杀不可的时候放过了她。

也许并不是他要欺骗她，而是她要欺骗他。

无论他以前做什么，但是他对她这个人，却并没有亏负。

沈三娘心里忽然觉得一阵刺痛。

她本不该有这种感觉，更从未想到自己会有这种感觉。

但人总是人。

人总有人的情感、矛盾和痛苦。

翠浓已站了起来，走到她面前，柔声道：“他既然已让我们走，我们为什么还不走？”

沈三娘长长叹息了一声，道：“当然要走，只不过……也许我根本不该来的。”

第十四章

健马长嘶

马空群慢慢地坐了下来。

长桌在他面前笔直地伸展出去，就好像一条漫长的道路一样。

从泥沼和血泊中走到这里，他的确已走了段长路，长得可怕。

从这里开始，又要往哪里走呢？

难道又要走向泥沼和血泊中？

马空群慢慢地伸出手，放在桌上，面上的皱纹在清晨的光线中显得更多、更深，每一条皱纹都不知是多少辛酸血泪刻画出来的。

那其中有他自己的血，也有别人的！

花满天和云在天已等在这里，静静地坐着，也显得心事重重。

然后公孙断才踉跄走了进来，带着一身令人作呕的酒臭。

马空群没有抬头看他，也没有说什么。

公孙断只有自己坐下，垂下了头，他懂得马空群的意思。

这种时候，的确不是应该喝醉的时候。

他心里既羞惭，又愤怒——对他自己的愤怒。

他恨不得抽出刀，将自己的胸膛划破，让血里的酒流出来。

大堂里的气氛更沉重。

早膳已经搬上来，有新鲜的蔬菜和刚烤好的小牛腿肉。

马空群忽然微笑，道："今天的菜还不错。"

花满天点点头，云在天也点点头。

菜的确不错，但又有谁能吃得下？天气也的确不错，但清风中却仿佛还带着种血腥气。

云在天垂着头，道："派出去巡逻的第一队人，昨天晚上已经……"

马空群打断了他的话，道："这些话等吃完了再说。"

云在天道："是。"

于是大家都垂下头，默默地吃着。

鲜美的小牛腿肉，到了他们嘴里，却似已变得又酸又苦。

只有马空群却还是吃得津津有味。

他嘴嚼的也许并不是食物，而是他的思想。

所有的事，都已到了必须解决的时候。

有些事绝不是只靠武力就能解决的，一定还得要用思想。

他想的实在太多、太乱，一定要慢慢咀嚼，才能消化。

马空群还没有放下筷子的时候，无论谁都最好也莫要放下筷子。

现在他终于已放下筷子。

窗子很高。

阳光斜斜地照进来，照出了大堂中的尘土。

他看着在阳光中浮动跳跃的尘土，忽然道："为什么只有在阳光照射到的地方，才有灰尘？"

没有人回答，没有人能回答。

这根本不能算是个问题。

这问题太愚蠢。

马空群目光慢慢地在他们面上扫过，忽然笑了笑，道："因为只有在阳光照射到的地方，你才能看得见灰尘，因为你们若看不见那样东西，往往就会认为它根本不存在。"

他慢慢地接着道："其实无论你看不看得见，灰尘总是存在的。"

愚蠢的问题，聪明的答案。

但却没有人明白他为什么要忽然说出这句话来，所以也没有人开口。

所以马空群自己又接着道："世上还有许多别的事也一样，和灰尘一样，它虽然早在你身旁，你却一直看不见它，所以就一直以为它根本不存在。"

他凝视着云在天和花满天，又道："幸好阳光总是会照进来的，迟早总是会照进来的……"

花满天垂首看着面前剩下的半碗粥，既没有开口，也没有表情。

但没有表情却往往是种很奇怪的表情。

他忽然站起来，道："派出去巡逻的第一队人，大半是我属下，我得去替他们料理后事。"

马空群道："等一等。"

花满天道："堂主还有吩咐？"

马空群道："没有。"

花满天道："那等什么？"

马空群道："等一个人来。"

花满天道："等谁？"

马空群道："一个迟早总会来的人。"

花满天终于慢慢地坐下，却又忍不住道："他若不来呢？"

马空群沉下了脸，一字字道："我们就一直等下去好了。"

他沉下脸的时候，就表示有关这问题的谈话已结束，已没有争辩的余地。

所以大家就坐着，等。

等谁呢？

就在这时，他们已听到一阵急骤的马蹄声。

然后就有条白衣大汉快步而入，躬身道："外面有人求见。"

马空群道："谁？"

大汉道："叶开。"

马空群道："只有他一个人？"

大汉道："只有他一个人。"

马空群面上忽然露出一种很奇特的微笑，喃喃道："他果然来了，来得好快。"

他站起来，走出去。

花满天忍不住道："堂主等的就是他？"

马空群没有承认，也没有否认，却沉声道："你们最好就留在这里等我回来。"

他忽又笑了笑，接着道："但这次你们却不必一直等下去，因为我一定很快就会回来的。"

马空群若说你们最好留在这里，那意思就是你们非留在这里不可。

这意思每个人都明白。

云在天仰面看着窗外照进来的阳光，眼目中带着深思的表情，仿佛还在体味着马空群那几句话中的意思。

公孙断紧握双拳，眼睛里满布血丝。

今天马空群竟始终没有看过他一眼，这为的是什么呢？

花满天却在问自己：叶开怎么会突然来了？为什么而来的？

马空群怎么会知道他要来？

每个人心里都有问题，只有一个人能解答的问题。

这个人当然不是他们自己。

阳光灿烂。

叶开站在阳光下。

只要有阳光的时候，他好像就永远都一定是站在阳光下的。

他绝不会站到阴影中去。

现在他正仰着脸，看着那面迎风招展的白绫大旗，好像根本没有觉察到马空群已走过来。

马空群已走过来，站在他身旁，也仰起脸，去看那面大旗。

大旗上五个鲜红的大字："关东万马堂"。

叶开忽然长长叹了口气，道："好一面大旗，不知道你们是不是天天都将它升上去？"

马空群道："是。"

他一直都在凝视叶开，观察着叶开面上的表情，观察得很仔细。

现在叶开终于也转过头，凝视着他，缓缓道："要让这面大旗天天升上去，想必不是件容易事。"

马空群沉默了很久，也长长叹息了一声，道："的确不容易。"

叶开道："不知道世上有没有容易事？"

马空群道："只有一样。"

叶开道："什么事？"

马空群道："骗自己。"

叶开笑了。

马空群却没有笑，淡淡接着道："你要骗别人虽很困难，要骗自己却很容易。"

叶开微笑着，道："但一个人究竟为什么要骗他自己呢？"

马空群道："因为一个人若能自己骗自己，他日子就会过得愉快些。"

叶开道："你呢？你能不能自己骗自己？"

马空群道："不能。"

叶开道："所以你日子过得并不愉快。"

马空群没有回答，也不必回答。

叶开看着他面上的皱纹，目中似已露出一些同情伤感之色。

这些皱纹都是鞭子抽出来的，一条藏在他心里的鞭子。

栅栏里的院子并不太大，外面的大草原却辽阔得无边无际。

人为什么总是将自己用一道栅栏圈住呢？

他们不知不觉地同时转过身，慢慢地走出了高大的拱门。

晴空如洗，长草如波浪般起伏，天地间却仿佛带着种浓冽的悲怆之意。

马空群纵目四顾，又长长叹息，黯然道："这地方死的人已太多了。"

叶开道："死的全是不该死的人。"

马空群霍然回头，目光灼灼，盯着他道："该死的是谁？"

叶开笑了笑，道："有人认为该死的是我，也有人认为该死的是你，所以……"

马空群道："所以怎么样？"

叶开一字字道："所以有人要我来杀你！"

马空群停下脚步，看着他，面上并没有露出惊奇的表情。

这件事好像本就在他意料之中。

几匹失群的马，也不知从哪里跑了过来。

马空群突然纵身，掠上了一匹马，向叶开招了招手，就打马而出。

他似已算准叶开会跟去。

叶开果然跟去。

这地方本已在天边，这山坡更似在另一个天地里。

叶开来过。

马空群要说机密话的时候，总喜欢将人带来这里。

他好像只有在这里才能将自己心里围着的栏栅撤开去。

石碑上仍有公孙断那一刀砍出的痕迹。

马空群轻抚着碑上的裂痕，就像是在轻抚着自己身上的刀疤一样。

是不是因为这墓碑总要令他忆起昔日那些惨痛的往事？

良久良久，他才转过身。

风吹到这里，似也变得更凄凉萧索。

他鬓边白发已被吹乱，看来仿佛又苍老了些。

但他的眼睛却还是鹰隼般锐利，他盯着叶开，道："有人要你来杀我？"

叶开点点头。

马空群道："但你却不想杀我？"

叶开道："你怎么知道？"

马空群道："因为你若想杀我，就不会来告诉我了。"

叶开笑了笑，也不知是承认，还是否认。

马空群道："你想必也已看出，要杀我并不是一件容易的事。"

叶开沉吟着，道："你为何不问我，是谁要我来杀你？"

马空群道："我不必问。"

叶开道："为什么？"

马空群冷冷道："因为我根本就从未将那些人看在眼里。"

他慢慢地接着道："要杀我的人很多，但值得重视的却只有一个人。"

叶开道："谁？"

马空群道："我本来也不能断定这人究竟是你还是傅红雪。"

叶开道："现在你已能断定？"

马空群点点头，瞳孔似在收缩，缓缓道："其实我本来早就该看出来的。”

叶开目光闪动，道：“你认为那些人全是被傅红雪杀了的？”

马空群道：“不是。”

叶开道：“不是他是谁？”

马空群目中又露出痛恨之色，慢慢地转过身，眺望着山坡下的草原。

他没有回叶开的话，过了很久，才沉声道：“我说过，这地方是我用血汗换来的，绝没有任何人能从我手上抢去。”

这句话也不是回答。

叶开却像是已从他这句话中听出了一些特殊的意义，所以也不再问了。

天是蓝的，湛蓝中带着种神秘的银灰色，就像是海洋。

那面迎风招展的大旗，在这里看来已渺小得很，旗帜上的字迹也已不能辨认。

世上有很多事都是这样子的。

你本来若觉得一件事非常严重，但若能换个方向去看看，就会发现这件事原来也没什么了不起。

过了很久，马空群忽然说道：“你知道我有一个女儿吧？”

叶开几乎忍不住要笑了。

他当然知道马空群有个女儿。

马空群道：“你也认得她？”

叶开点点头，道：“我认得！”

马空群道：“你认为她是个怎么样的人？”

叶开道：“她很好。”

他的确认为她很好。

有时她虽然像是个被宠坏了的孩子，但内心却还是温柔而善良的。

马空群又沉默了很久，忽又转身盯着叶开，道：“你是不是真的很喜欢她？”

叶开忽然发觉自己被问得怔住了，他从未想到马空群会问出这句话来。

马空群道：“你一定很奇怪，我为什么要问你这句话？”

叶开苦笑道：“我的确有点奇怪。”

马空群道："我问你，只因我希望你能带她走。"

叶开又一怔，道："带她走？到哪里去？"

马空群道："随便你带她到哪里去，只要是你愿意去的地方，你都可以带她去，这里的东西，无论什么你们都可以带走。"

叶开忍不住问道："你为什么要我带她走？"

马空群道："因为……因为我知道她很喜欢你。"

叶开目光闪动，道："她喜欢我，我们难道就不能留在这里？"

马空群的脸上掠过一层阴影，缓缓道："这里马上就有很多事要发生了，我不愿意她也被牵连到里面去，因为她本来就跟这些事全无关系。"

叶开凝视着他，忽然长长叹了口气，道："的确是个很好的父亲。"

马空群道："你答不答应？"

叶开目中忽然露出一种很奇怪的表情，也慢慢地转过身，去眺望山坡下的草原。

他也没有回答马空群的话，过了很久，才缓缓道："我说过，这里就是我的家，我既已回来，就不愿再走了。"

马空群变色道："你不答应。"

叶开道："我不能带她走，但却可以保证，无论这里发生了什么事，她都绝不会被牵连进去。"

他眼睛里发出了光，慢慢地接着道："因为那些事本来就跟她毫无关系。"

马空群看着他，眼睛里也发出了光，忽然拍了拍他的肩，道："我请你喝杯酒去。"

酒在桌上。

酒并不能解决任何人的痛苦，但却能使你自己骗自己。

公孙断紧握着他的金杯，他也不知道自己为什么又要喝酒，现在根本不是应该喝酒的时候。

但这杯酒却已是他今天早上的第五杯。

花满天和云在天看着他，既没有劝他不要喝，也没有陪他喝。

他们和公孙断之间，本就是有段距离的。

现在这距离好像更远了。

公孙断看着自己杯中的酒，忽然觉得一种说不出的寂寞孤独。

他流血，流汗，奋斗了一生，到头来换到的是什么呢？

什么都是别人的。

自己骗自己本就有两种形式，一种是自大；一种是自怜。

一个孩子悄悄地溜了进来：鲜红的衣裳，漆黑的辫子。

孩子虽也是别人的，但他却一直很喜欢。

因为这孩子也很喜欢他——也许只有这孩子才是世上唯一真正喜欢他的人吧！

他伸手揽住了孩子的肩，带着笑道：“小鬼，是不是又想来偷口酒喝了？”

孩子摇摇头，忽然轻轻道：“你……你为什么要打三姨？”

公孙断动容道：“谁说的？”

孩子道：“三姨自己说的，她好像还在爹爹面前告了你一状，你最好小心些。”

公孙断的脸沉了下去，心也沉了下去。

他忽然明白马空群今天早上对他的态度为什么和以前不同了。

当然不是真的明白，只不过是他自己觉得已明白了而已。

这远比什么都不明白糟糕得多。

他放开了孩子，沉声道：“三姨呢？”

孩子道：“出去了。”

公孙断一句话都没有再问，他已经跳了起来，冲了出去。

他冲出去的时候，看来就像是一只负了伤的野兽。

云在天和花满天还是坐着没有动。

因为马空群要他们留在这里。

所以他们就留在这里。

风吹长草，万马堂的大旗在远处迎风招展。

沙子是热的。

傅红雪弯下腰，抓起把黄沙。

雪有时也是热的——被热血染红了的时候。

他紧握着这把黄沙，沙粒都似已嵌入肉里。

然后他就看见了沈三娘，事实上，他只不过看见了两个陌生而美丽的女人。

她们都骑着马，马走得很急，她们的神色看来很匆忙。

傅红雪垂下头。

他从来没有盯着女人看的习惯，他根本从未见过沈三娘。

两匹马却已忽然在他面前停下。

他脚步并没有停下，左脚先迈出一脚后，右脚再跟着慢慢地从地上拖过去。

阳光照在他脸上，他的脸却像是远山上的冰雪雕成的。

一种从不融化的冰雪。

谁知马上的女人却已跳了下来，拦住了他的去路。

傅红雪还是没有抬头。

他可以不去看别人，但却没法子不去听别人说话的声音。

他忽然听到这女人在说："你不是一直都想看看我的吗？"

傅红雪整个人都似已僵硬，灼热而僵硬。

他没有看见过沈三娘，但却听见过这声音。

这声音在阳光下听来，竟和在黑暗中同样温柔。

那温柔而轻巧的手，那温暖而潮湿的嘴唇，那种秘密而甜蜜的欲望……本来全都遥远得有如虚幻的梦境。

但在这一瞬间，这所有的一切，忽然全都变得真实了。

傅红雪紧握着双手，全身都已因紧张兴奋而颤抖，几乎连头都不敢抬起。

但他的确是一直都想看看她的。

他终于抬起头，终于看见了那温柔的眼波、动人的微笑。

他看见的是翠浓。

站在他面前的人是翠浓。

她带着动人的微笑，凝视着他，沈三娘却像是个陌生人般远远站着。

翠浓柔声道："现在你总算看见我了。"

傅红雪点了点头，喃喃地说道："现在我总算看见你了。"

他冷漠的眼睛里，忽然充满了火一样的热情。

在这一瞬间，他已将所有的情感，全都给了此刻站在他面前的这个女人。

这是他第一个女人，沈三娘远远地站着，看着，脸上完全没有任何表情。

因为她心里本就没有他那种情感。

她只不过做了一件应该做的事，为了复仇，无论做什么她都觉得应该的。

但现在一切事情都已变得不同了，她已没有再做下去的必要。

她也不能让任何人知道她和傅红雪之间的那一段秘密，更不能让傅红雪自己知道。

她忽然觉得自己很恶心。

傅红雪还在看着翠浓，全心全意地看着翠浓，苍白的脸上，也已起了红晕。

翠浓嫣然一笑，道："你还没有看够？"

傅红雪没有回答，也不知该如何回答。

翠浓笑道："好，我就让你看个够吧。"

在风尘中混过的女人，对男人说话总有一种特别的方式。

远山上的冰雪似乎也已融化。

沈三娘忍不住道："莫忘了我刚才所告诉你的那些话。"

翠浓点点头，忽然轻轻叹息，道："我现在让你看，因为情况已变了。"

傅红雪道："什么情况变了？"

翠浓道："万马堂已经……"

突然间，一阵蹄声打断了她的话。

一匹马冲了过来，马上的人魁伟雄壮如山岳，但行动却矫健如脱兔。

健马长嘶，人已跃下。

沈三娘的脸色变了，很快地躲到翠浓身后。

公孙断就跟着冲过去，一手掴向翠浓的脸，厉声道：“闪开！”

他的喝声突然停顿。

他的手并没有掴上翠浓的脸。

一柄刀突然从旁边伸过来，格住了他的手腕，刀鞘漆黑，刀柄漆黑。

握刀的手却是苍白的。

公孙断额上青筋暴起，转过头，瞪着傅红雪，厉声道：“又是你。”

傅红雪道：“是我。”

公孙断道：“今天我不想杀你。”

傅红雪道：“今天我也不想杀你。”

公孙断道：“那么你最好走远些。”

傅红雪道：“我喜欢站在这里。”

公孙断看了看他，又看了看翠浓，好像很惊奇，道：“难道她是你的女人？”

傅红雪道：“是。”

公孙断突然大笑起来，道：“难道你不知道她是个婊子？”

傅红雪的人突又僵硬。

他慢慢地后退了两步，看看公孙断，苍白的脸似已白得透明。

公孙断还在笑，好像这一生中从未遇见过如此可笑的事。

傅红雪就在等。

他握刀的手似也白得透明。

每一根筋络和血管都可以看得很清楚。

等公孙断的笑声一停，他就一字字地道：“拔你的刀！”

只有四个字，他说得很轻，轻得就像是呼吸。

一种魔鬼的呼吸。

他也说得很慢，慢得就像是来自地狱的诅咒。

公孙断的人似也僵硬，但眸子里却突然有火焰燃烧起来。

他盯着傅红雪，道：“你在说什么？”

傅红雪道：“拔你的刀。”

烈日。

大地上黄沙飞卷，草色如金。

大地虽然是辉煌而灿烂的，但却又带着种残暴霸道的杀机。

在这里，生命虽然不停地滋长，却又随时都可能被毁灭。

在这里，万事万物都是残暴刚烈的，绝没有丝毫柔情。

公孙断的手已握着刀柄。

弯刀，银柄。

冰凉的银刀，现在也已变得烙铁般灼热。

他掌心在流着汗，额上也在流着汗，他整个人都似已将在烈日下燃烧。

"拔你的刀！"

他血液里的酒，就像是火焰般在流动着。

实在太热。

热得令人无法忍受。

傅红雪冷冷地站在对面，却像是一块从不融化的寒冰。

一块透明的冰。

这无情的酷日，对他竟像是全无影响。

他无论站在哪里，都像是站在远山之巅的冰雪中。

公孙断不安地喘息着，甚至连他自己都可能听到自己的喘息声。

一只大蜥蜴，慢慢地从砂石里爬出来，从他脚下爬过去。

"拔你的刀！"

大旗在远方飞卷，风中不时传来马嘶声。

"拔你的刀！"

汗珠流过他的眼角，流入他钢针般的虬髯里，湿透了的衣衫紧贴着背脊。

傅红雪难道从不流汗的？

他的手，还是以同样的姿势握着刀鞘。

公孙断突然大吼一声，拔刀！挥刀！

刀光如银虹掣电。

刀光是圆的。

圆弧般的刀光，急斩傅红雪左颈后的大血管。

傅红雪没有闪避，也没招架。

他突然冲过来。

他左手的刀鞘，突然格住了弯刀。

他的刀也已拔出。

“噗”的一声，没有人能形容出这是什么声音。

甚至连公孙断自己都不知道这是什么声音。

他没有感觉到痛苦，只觉得胃部突然收缩，似将呕吐。

他低下头，就看到了自己肚子上的刀柄。

漆黑的刀柄。

刀已完全刺入他肚子里，只剩下刀柄。

然后他就觉得全身力量突然奇迹般消失，再也无法支持下去。

他看着这刀柄，慢慢地倒下。

只看见刀柄。

他至死还是没有看见傅红雪的刀。

黄沙，碧血。

公孙断倒卧在血泊。

他的生命已结束，他的灾难和不幸也已结束。

但别人的灾难却刚开始。

正午，酷热。

无论在多么酷热的天气中，血一流出来，还是很快就会凝结。

汗却永不凝结。

云在天不停地擦汗，一面擦汗，一面喝水，他显然是个不惯吃苦的人。

花满天却远比他能忍耐。

一匹马在烈日下慢慢地踱入马场。

马背上伏着一个人。

一条蜥蜴，正在舐着他的血。

他的血已凝结。

一柄闪亮的弯刀，斜插在他腰带上，烈日照着他满头乱发。

他已不再流汗。

突然间，一声响雷击下，暴雨倾盆而落。

万马堂中已阴暗了下来，檐前的雨丝密如珠帘。

花满天和云在天的脸色正和这天色同样阴暗。

两条全身被淋得湿透了的大汉，抬着公孙断的尸身走进来，放在长桌上。

然后他们就悄悄地退了下去。

他们不敢看马空群的脸。

他静静地站在屏风后的阴影里，只有在闪电亮起时，才能看到他的脸。

但却没有人敢去看。

他慢慢地坐下来，坐在长桌前，用力握住了公孙断的手。

手粗糙、冰冷、僵硬。

他没有流泪，但面上的表情却远比流泪更悲惨。

公孙断眼珠凸起，眼睛里仿佛还带着临死前的痛苦和恐惧。

他这一生，几乎永远都是在痛苦和恐惧中活着的，所以他永远暴躁不安。

只可惜别人只能看见他愤怒刚烈的外表，却看不到他的心。

雨已小了些，但天色却更阴暗。

马空群忽然道："这个人是我的兄弟，只有他是我的兄弟。"

他也不知是在喃喃自语，还是在对花满天和云在天说话。

他接着又道："若没有他的话，我也绝不能活到现在。"

云在天终于忍不住长长叹息一声，黯然道："我们都知道他是个好人。"

马空群道："他的确是个好人，没有人比他更忠实，没有人比他更勇敢，可是他自己这一生中，却从未有过一天好日子。"

云在天只有听着，只有叹息。

马空群声音已哽咽，道："他本不该死的，但现在却已死了。"

云在天恨恨道："一定是傅红雪杀了他。"

马空群咬着牙，点了点头，道：“我对不起他，我本该听他的话，先将那些人杀了的。”

云在天道：“现在……”

马空群黯然道：“现在已太迟了，太迟了……”

云在天道：“但我们却更不能放过傅红雪，我们一定要为他复仇。”

马空群道：“当然要复仇，只不过……”

他忽然抬起头，厉声道：“只不过，复仇之前，我还有件事要做。”

云在天目光闪动，试探着问道：“什么事？”

马空群道：“你过来，我跟你说。”

云在天当然立刻就走过去。

马空群道：“我要你替我做件事。”

云在天躬身道：“堂主就吩咐。”

马空群道：“我要你死！”

他的手一翻，已抄起了公孙断的弯刀，刀光已闪电般向云在天削过去。

没有人能形容这一刀的速度，也没有人能想到他会突然向云在天出手。

奇怪的是，云在天自己却似乎早已在提防着他这一招。

刀光挥出，云在天的人也已掠起，一个“推窗望月飞云式”，身子凌空翻出。

鲜血也跟着飞出。

他的轻功虽高，应变虽快，却还是比不上马空群的刀快。

这一刀竟将他右手齐腕砍了下来。

断手带着鲜血落下。

云在天的人居然还没有倒下。

一个身经百战的武林高手，绝不是很容易就会倒下去的。

他背倚着墙，脸上已全无血色，眼睛里充满了惊讶和恐惧。

马空群并没有追过去，还是静静地坐在那里，凝视着自刀尖滴落的鲜血。

花满天居然也只是冷冷地站在一旁看着，脸上居然全无表情。

这一刀砍下去的，只要不是他的手，他就绝不会动心。

过了很久，云在天才能开口说话。

他咬着牙，颤声道：“我不懂，我……我真的实在不懂。”

马空群冷冷道：“你应该懂的。”

他抬起头，凝视着壁上奔腾的马群，缓缓接着道：“这地方本来是我的，无论谁想从我手上夺走，他都得死！”

云在天沉默了很久，忽然长叹了一声，道：“原来你已全都知道。”

马空群道：“我早已知道。”

云在天苦笑道：“我低估了你。”

马空群道：“我早就说过，世上有很多事都和灰尘一样，虽然早已在你身旁，你却一直看不见它——我也一直没有看清你。”

云在天的脸已扭曲，冷汗如雨，咬着牙笑道：“可是阳光迟早总会照进来的。”

他虽然在笑，但那表情却比哭还痛苦。

马空群道：“现在你已懂了么？”

云在天道：“我懂了。”

马空群看着他，忽然也长叹了一声，道：“你本不该出卖我的，你本该很了解我这个人。”

云在天脸上突然露出一丝奇特的笑意，道：“我虽然出卖了你，可是……”

他没有说完这句话。

他目光刚转向花满天，花满天的剑已刺入他胸膛，将他整个人钉在墙上。

他已永远没有机会说出他想说的那句话。

花满天慢慢地拔出了剑。

然后云在天就倒下。

每个人迟早总会倒下。

无论他生前多么显赫，等他倒下去时，看来也和别人完全一样。

第十五章

满天飞花

剑尖的血已滴干。

花满天转过身，看着马空群。

马空群也在看着他，淡淡道："你杀了他！"

花满天道："因为他出卖了你。"

马空群道："现在你也懂了？"

花满天道："我不懂，我只知道出卖你的人，就得死！"

马空群道："你知不知道他怎么样出卖了我？"

花满天道："我很想知道。"

马空群道："慕容明珠、乐乐山他们全都是他找来的。"

花满天面上露出吃惊之色，失声道："怎么会是他找来的？这两人跟他又有什么关系？"

马空群道："没有关系。"

花满天道："既然没有关系，为什么要找他们来？我不明白。"

这两句话都问得很愚蠢，"满天飞花"本不是个愚蠢的人。

但马空群却并不在意，他本也不是惯于回答别人愚蠢问题的人。

他还是回答了这问题："就因为他们和他本来全无关系，所以他才要找他们来。"

花满天道："来干什么？"

马空群握紧了弯刀，缓缓道："来杀人！这两天里死的兄弟，全是被他们杀了的。"

花满天吃惊道："是他们杀了的？不是傅红雪？"

马空群摇摇头，冷冷道："傅红雪想杀的人只有一个。"

花满天就算真的很愚蠢，也不会再问了，他当然知道傅红雪要杀的人是谁。

“但云在天为什么要找他们来杀那些人呢？”

马空群道：“因为他想逼我走。”

花满天皱眉道：“逼你走？”

马空群冷笑道：“我若走了，这地方岂非就是他的了。”

花满天叹了口气，道：“他本该知道你绝不是个轻易就会被逼走的人。”

马空群说道：“但他也知道我有个极厉害的仇家，他这样做，只不过要我以为仇家已找上门来。”

他嘴角露出一丝讥诮的笑意，接着道：“开始时我竟也几乎真的相信。”

花满天道：“是什么令你开始怀疑？”

马空群冷笑道：“他计划虽然周密，却还是算错了几件事。”

花满天道：“哦？”

马空群道：“他当然想不到我那真的仇家竟在此时赶来了。”

花满天叹道：“这倒真巧得很。”

马空群道：“傅红雪并不是凑巧赶来的。就因为他知道云在天有这个计划，所以才会来，只有在万马堂发生变乱时，他才有比较好的机会。”

花满天道：“云在天的计划，他又怎么会知道？”

马空群目中露出痛苦之色，过了很久，才缓缓道：“因为沈三娘本就是他们的人。”

花满天又显得很惊讶，道：“但这件事沈三娘又怎会知道的。”

马空群道：“因为翠浓也是他们的人。”

花满天道：“翠浓？”

马空群冷笑道：“他收买了翠浓，用翠浓来传递消息，却不知翠浓同时也将消息告诉了沈三娘。”

花满天长长叹了口气，道：“看来一个男人若是太信任女人，他无论做什么事都注定要失败的。”

马空群冷冷道：“他看错了翠浓，也看错了飞天蜘蛛。”

花满天道：“当时无论谁都没有想到飞天蜘蛛是你找来的人。”

马空群道："所以他们才会被飞天蜘蛛发现了秘密。"

花满天道："所以飞天蜘蛛才会死。"

马空群道："不错，他想必是被慕容明珠杀了灭口的。"

花满天道："但慕容明珠又怎会死了呢？"

马空群道："飞天蜘蛛临死时，手里必定握着一样证据，这样证据想必是慕容明珠身上的。"

花满天点点头，他也想起了飞天蜘蛛那只紧握着的手。

马空群道："云在天当然不会注意到飞天蜘蛛这只手，因为只有他知道飞天蜘蛛是死在谁手上的。"

花满天道："但他却未想到居然还有别人会注意到这只手，而且拿走了手里的证据。"

马空群道："他生怕别人查出他们之间的关系，所以索性将慕容明珠也杀了灭口。"

花满天叹道："看不出他竟是一个如此心狠手辣的人。"

马空群道："现在你已完全明白了么？"

花满天沉吟着，道："还有两件事不明白。"

马空群道："你可以问。"

花满天道："乐乐山乃武林名宿，慕容明珠也是家资巨万的世家子弟，以他们的身份地位，怎么会轻易地被他找来？"

马空群道："慕容明珠早已在垂涎万马堂这片基业，一心想拥为己有，一个人若有了贪心，就难免要被别人利用了。"

花满天点点头，道："愈富有的人愈贪心，这道理我们也明白，只不过……乐乐山又是怎么会被他打动的呢？"

马空群沉吟着，缓缓地道："乐乐山并不是他找来的。"

花满天皱眉道："不是他是谁？"

马空群道："云在天本来就不是这计划的真正主谋人。"

花满天道："哦？"

马空群道："前天晚上，乐乐山、慕容明珠、傅红雪、飞天蜘蛛，全都在自己屋里闭门未出，但你的马场中，却死了十三位兄弟。"

花满天恨恨道："当时我还以为那是叶开下的毒手。"

马空群道："凶手本来是想嫁祸给叶开的，想不到叶开居然也有人证。”

花满天道：“你认为凶手是云在天？”

马空群道：“也不是。”

花满天又皱眉道：“为什么不是？”

马空群沉着脸道：“我很了解他的武功，也很清楚那十三位兄弟的身手，就凭他要杀死那十三位兄弟只怕还很不容易。”

花满天神色也很凝重，道：“所以你认为这其中必定还有另一个人。”

马空群道：“不错。”

花满天道：“你认为这人才是真正的主谋？”

马空群道：“不错。”

花满天道：“你知道这人是谁？”

马空群并没有直接回答这句话，缓缓道：“第一，这人和乐乐山的关系必定很深，所以乐乐山才会被他说动，来做这种事。”

花满天慢慢地点了点头，道：“有道理。”

马空群道：“第二，这人在万马堂中的身份地位必定很高。”

花满天道：“怎见得？”

马空群淡淡道：“就因为他有这种身份，将我逼走后，他才能接管万马堂。”

花满天沉思着，终于又慢慢地点了点头，道：“有道理。”

马空群道：“他想必是云在天平日很信服的人，所以云在天才会听命于他。”

花满天道：“有道理。”

马空群脸色沉重，道：“第四，他当然也是那十三位兄弟很信服的人，就因为他们对这人全没有丝毫防范之心，所以才会遭了他的毒手。”

花满天忽然笑了笑，笑得非常奇怪，缓缓道：“就因为他和乐乐山的关系极深，所以才故意在别人面前作出互相厌恶之态，叫人看不出他们之间的关系。”

马空群道：“正是如此。”

花满天凝视着他，道：“这件事真是你自己看出来的？”

马空群道："并不完全是。"

花满天道："还有人泄漏了秘密给你？"

马空群道："不错。"

花满天道："这人是谁？"

马空群道："翠浓！"

花满天皱眉道："又是她？"

马空群道："云在天以为翠浓已对他死心塌地，沈三娘也认为翠浓对她忠心耿耿，却不知……"

花满天忍不住打断了他的话，抢着说道："他们全错了。"

马空群点点头，道："他们全错了，而且错得很可笑。"

花满天道："其实翠浓是你的人。"

马空群道："也不是。"

花满天道："那么她究竟是……"

马空群忽地打断了他的话，道："你知道她是干什么的？"

花满天目中露出憎恶之色，冷笑道："我当然知道，她是个婊子。"

马空群道："你几时听说婊子对人忠心耿耿过？"

花满天恨道："不错，一个人若连自己都能出卖，当然也能出卖别人。"

马空群淡淡道："只不过她看来的确并不像是这种人。"

花满天忽又笑了笑，道："这件事倒也给了我个教训。"

马空群道："什么教训？"

花满天道："婊子就是婊子，就算她长得像天仙一样，她还是个婊子。"

马空群道："你好像很少说这种粗话。"

花满天道："我今天非但说了不少粗话，也说了不少笨话。"

马空群道："现在你总该已明白了。"

花满天道："现在是不是已太迟了？"

马空群冷冷道："好像已太迟。"

花满天垂下头，沉默了很久，才缓缓道："你真正的仇人是傅红雪？"

马空群道："是的。"

花满天道："我可以替你杀了他。"

马空群道："你杀不了他。"

花满天道："现在公孙断和云在天都已死了，你若再杀了我，岂非孤掌难鸣？"

马空群道："那是我的事。"

花满天又沉默了很久，叹息着道："我跟着你总算已有十几年。"

马空群道："十六年。"

花满天道："这十六年来，我也曾为这地方流过血，流过汗。"

马空群缓缓道："这地方能有今日的局面，本不是一人之力所能造成的。"

花满天道："我也只不过想将你逼走而已，并没有想要杀你。"

马空群道："院子里那棵大树，你想必总是看到过的。"

花满天点点头。

马空群道："这些年来，它一直长得很快，长得很好。"

花满天目中露出一丝伤感之色，缓缓道："我来的时候，它还没有栅栏高，现在却已连两个人都抱不过来了。"

马空群道："但你若要将它移走，它还是很快就会枯死。"

花满天只能承认。

马空群道："我也和这棵树一样，我的根已生在这里，若有人要我走，我也会枯死。"

花满天握紧双拳，道："所以……所以你一定也要我死。"

马空群看着他，缓缓道："你自己说过，无论谁出卖我，都得死。"

花满天看着自己握剑的手，长叹一声道："我的确说过。"

马空群目中也有些黯然之色，道："我本可逼你去跟傅红雪交手的。"

花满天道："我也一定会去。"

马空群道："但我宁可自己动手，也不愿别人来杀你。"

他一字字接着道："因为你是万马堂的人，因为你也曾是我的朋友。"

花满天道："我……我明白。"

马空群长叹道："你明白就好。"

花满天道："现在我只想再问你一句话。"

马空群道："你问。"

花满天忽然抬起头，盯着他，厉声道："我辛苦奋斗十余年，到现在还是一无所有，还得像奴才般听命于你，你若是我，你会不会也像我这么做？"

马空群想也不想，立刻接口说道："我会的，只不过……"

他目中露出刀一般的光，接着道："我若做得不机密，被人发现，我也死而无怨。"

花满天盯着他，突然仰面而笑，道："好，好一个死而无怨，只可惜我还未必就会死在你手里。"

他长剑一挥，剑花如落花飞舞，厉声道："只要你能杀得了我，我也一样死而无怨。"

马空群道："很好，这才是男子汉说的话。"

花满天道："你为何还不站起来？"

马空群淡淡道："我坐在这里，也一样能杀你！"

花满天笑声已停止，握剑的手背上，已有一条条青筋凸起。

马空群却还是静静地坐在那里，静静地凝视着掌中弯刀。

他竟连看都不再看花满天一眼。他全身的血肉却似已突然变成钢铁。

花满天盯着他，一步步走过来，剑尖不停地颤动，握剑的手似也在颤抖。

突然间，他轻叱一声，剑光化为长虹，人也跟着飞起。

这一剑并没有攻向马空群，他连人带剑，闪电般向窗外冲了出去。

马空群突然叹道："可惜……"

这两个字出口，他的人也已掠起，弯刀也化为了银虹。

"叮"的一声，刀剑相击，刀光突然一紧，沿着剑锋削过去。

花满天并不是个不懂得用剑的人，他剑法变化之快，海内很少有人能比得上。

但这一次，他忽然发现自己所有的变化已全部被人先一步封死。

他身子凌空，正是新力未生，余力将尽的时候，亮银般的刀光已封住了他的脸，闭住了他的呼吸。

他突然觉得很冷，冷得可怕。

“你若有勇气和我一战，我也许会饶了你的。”

这就是他听到的最后一句话。

雷电已停了，天色却更阴暗。

马空群又静静地坐在那里，看来仿佛很疲倦，也很伤感。

在他面前的，是公孙断、云在天、花满天三个人的尸身。这本是他最亲近的朋友、最得力的部下，现在却已都变成了没有生命、没有情感的尸体，就和三个陌生人的尸体一样。

但活着的人却绝不会没有情感的。又有谁能了解，这身经百战的垂暮老人的心情，他究竟有过什么？现在还剩下些什么？

墙上的血也已干了，一串串血珠，就像是用颜料画上去的。

两个人悄悄地走进来，看见这情况，立刻屏住了呼吸。

马空群没有回头，过了很久，才沉声道：“传下令去，万马堂内所有兄弟，一律斋戒茹素，即刻准备两位场主和公孙先生的后事。”

第十六章

一入万马堂，休想回故乡

草原上有个茶亭。

马师们喜欢将这地方称作“安乐窝”，事实上这地方却只不过是个草篷而已。

但这里却是附近唯一能避雨的地方。

暴雨刚来的时候，叶开和马芳铃就已避了进来。

雨，密如珠帘。

辽阔无边的牧场，在雨中看来，简直就像是梦境一样。

马芳铃坐在茶亭中的那条长板凳上，用两只手拍着膝盖，痴痴地看着雨中的草原。

她已有很久没有说话。

女人不说话的时候，叶开也从不去要她们开口说话的。

他一向认为女人若是少说些话，男人就会变得长命些。

闪电的光，照着马芳铃的脸。

她脸色很不好，显然是睡眠不足，而且有很多心事的样子。

但这种脸色却使她看来变得成熟了些，懂事了些。

叶开倒了碗茶，一口气喝了下去，只希望茶桶里装的是酒。

他并不是酒鬼，只有在很开心的时候，或者是很不开心的时候，他才会想喝酒。

现在他并不开心。

现在他忽然想喝酒。

马芳铃抬起头，看了他一眼，忽然道：“我爹爹一向不赞成我们来往的。”

叶开道："哦？"

马芳铃道："但今天他却特地叫我出来，陪你到四面逛逛。"

叶开笑了笑，道："他选的人虽然对了，选的时候却不对。"

马芳铃咬着嘴唇，道："你知不知道他怎么会忽然改变主意的？"

叶开道："不知道。"

马芳铃盯着他道："今天早上，你一定跟他说了很多话。"

叶开又笑了笑，道："你该知道他不是个多话的人，我也不是。"

马芳铃忽然跳起来，大声道："你们一定说了很多不愿让我知道的话，否则你为什么不肯告诉我。"

叶开沉吟着，缓缓道："你真的要我告诉你？"

马芳铃道："当然是真的。"

叶开面对着她，道："我若说他要把你嫁给我，你信不信？"

马芳铃道："当然不信。"

叶开道："为什么不信？"

马芳铃道："我……"

她突然跺了跺脚，扭转身，道："人家的心乱死了，你还要开人家的玩笑。"

叶开道："为什么会心乱？"

马芳铃道："我也不知道，我若知道，心就不会乱了。"

叶开笑了笑，道："这句话听起来倒也好像蛮有道理。"

马芳铃道："本来就很有道理。"

她忽又转回身，盯着叶开，道："你难道从来不会心乱的？"

叶开道："很少。"

马芳铃道："你难道从来没有动过心？"

叶开道："很少。"

马芳铃咬了咬嘴唇，道："你……你对我也不动心么？"

叶开道："动过。"

这回答实在很干脆。

马芳铃却像是吃了一惊，脸已红了，红着脸垂下头，用力拧着衣角，过了很久，才轻轻道："这种时候，这种地方，你若真的喜欢我，早就该抱我了。"

叶开没有说话，却又倒了碗茶。

马芳铃等了半天，忍不住道："嗯，我说的话你听见了没有？"

叶开道："没有。"

马芳铃道："你是个聋子？"

叶开道："不是。"

马芳铃道："不是聋子为什么听不见？"

叶开叹了口气，苦笑道："因为我虽然不是聋子，有时却会装聋。"

马芳铃抬起头，瞪着他，忽然扑过来，用力抱住了他。

她抱得好紧。

外面的风很大，雨更大，她的胴体却是温暖、柔软而干燥的。

她的嘴唇灼热。

她的心跳得就好像暴雨打在草原上。

叶开却轻轻地推开了她。

在这种时候，叶开竟推开了她，马芳铃瞪着他，狠狠地瞪着他，整个人却似已僵硬了似的。

她用力咬着嘴唇，好像要哭出来的样子，道："你……你变了。"

叶开柔声道："我不会变。"

马芳铃道："你以前对我不是这样子的。"

叶开沉默着，过了很久，才叹息着道："那也许只因为我现在比以前更了解你。"

马芳铃道："你了解我什么？"

叶开道："你并不是真的喜欢我。"

马芳铃道："我不是真的喜欢你？我……我难道疯了？"

叶开道："你这么样对我，只不过因为你太怕。"

马芳铃道："怕什么？"

叶开道："怕寂寞，怕孤独，你总觉得世上没有一个人真的关心你。"

马芳铃的眼睛突然红了，垂下头，轻轻道："就算我真的是这样子，你就更应对我好些。"

叶开道："要怎么样才算对你好？趁没有人的时候抱住你，要你……”

他的话没有说完。

马芳铃突然伸出手，用力在他脸上掴了一耳光。

她打得自己的手都麻了，但叶开却像是连一点感觉都没有，还是淡淡地看着她，看着她眼泪流出来。

她流着泪，跺着脚，大声道：“你不是人，我现在才知道你简直不是个人，我恨你……我恨死你了……”

她大叫着跑了出去，奔入暴雨中。

雨下得真大。

她的人很快就消失在珠帘般的密雨中。

叶开并没有追出去，他甚至连动都没有动。

但也不知为了什么，只见他脸上的表情却显得非常痛苦。

因为他心里也有种强烈的欲望，几乎已忍不住要冲出去，追上她，抱住她。

可是他并没有这么样做。

他什么都没有做，只是石像般地站在这里，等着雨停……

雨停了。

叶开穿过积水的长街，走入了那窄门。

屋子里静得很，只有一种声音，洗骨牌的声音。

萧别离并没有回头看他，似已将全部精神都放在这副骨牌上。

叶开走过去，坐下。

萧别离凝视着面前的骨牌，神情间仿佛带着种说不出的忧虑。

叶开道：“今天你看出了什么？”

萧别离长长叹息，道：“今天我什么都看不出。”

叶开道：“既然看不出，为什么叹息？”

萧别离道：“就因为看不出，所以才叹息。”

他终于抬起头，凝视着叶开，缓缓接着道：“只有最凶险、最可怕的事，才是我看不出的。”

叶开沉默了很久，忽然笑了笑，道：“但我却看出了一样事。”

萧别离道：“哦？”

叶开道："今天你至少不会破财。"

萧别离在等着他说下去。

他却并没有再说什么，只不过从怀里取出了那沓崭新的银票，轻轻地放在桌上，慢慢地推到萧别离面前。

萧别离看着这沓银票，居然也没有再问什么。

有些事是根本用不着说，也用不着问的。

过了很久，叶开才微笑着道："其实我本不必将这银票还给你的。"

萧别离道："哦？"

叶开道："因为你本来也并不是真的要我去杀他的，是吗？"

萧别离道："哦？"

叶开道："你只不过是想试探试探我，是不是想杀他而已。"

萧别离忽然也笑了，道："你想得太多，想得太多并不是件好事。"

叶开道："无论如何，你现在总该已知道，我并不是那个想杀他的人。"

萧别离道："现在无论谁都已知道。"

叶开道："为什么？"

萧别离道："因为公孙断已死了，死在傅红雪的刀下！"

叶开的微笑突然冻结。

他脸上从未出现过如此奇怪的表情。

萧别离慢慢地接着道："不但公孙断死了，云在天和花满天也死了。"

叶开失声道："难道也是死在傅红雪刀下的？"

萧别离摇摇头。

叶开皱眉道："是谁杀了他们？"

萧别离道："马空群。"

叶开又怔住。

又过了很久，他才长长叹了口气，喃喃道："我想不通，实在想不通。"

萧别离道："有什么想不通的？"

叶开道："现在他明知有个最可怕的仇敌随时都在等着机会杀他，为什么要将自己最得力的两个帮手在这种时候杀了呢？"

萧别离淡淡道："这也许只因为他本来就是个很奇怪的人，所以总是会做出令人想不到的事。"

这回答根本就不能算是回答，但叶开却居然似已接受了。

他忽然改变话题，问道："昨天晚上楼上那位贵客呢？"

萧别离道："贵客？"

叶开道："金背驼龙丁求。"

萧别离似乎现在才想起丁求这个人，微笑道："他也是个怪人，也常常会做出些令人想不到的事。"

叶开道："哦？"

萧别离道："我就从未想到他会到这种地方来。"

叶开道："他不是来找你的？"

萧别离悠悠的一笑，道："又有谁还会来找我这个残废。"

叶开也笑了笑，道："他还在上面？"

萧别离摇摇头，道："已经走了。"

叶开道："哪里去了？"

萧别离道："去找人。"

叶开道："找人？找谁？"

萧别离道："乐乐山。"

叶开很诧异，道："他们也是朋友？"

萧别离道："不是朋友，是对头，而且是多年的对头。"

叶开沉吟着，道："丁求这次来，难道就是为了要找乐乐山？"

萧别离道："也许。"

叶开道："他们究竟是什么过节？"

萧别离叹了口气，道："谁知道，江湖中人的恩怨，本就是纠缠不清的。"

叶开又沉吟了很久，忽又问道："昔年江湖中，有位手段最毒辣的暗器高手，据说是那红花婆婆的唯一传人。"

萧别离道："你说的是'断肠针'杜婆婆？"

叶开道："不错。"

萧别离道："这名字我倒听说过。"

叶开道："见过她没有？"

萧别离苦笑道："我宁愿还是一辈子不要见着她的好。"

叶开道："昔年'千面人魔'门下的四大弟子，最后剩下的一个叫'无骨蛇'西门春的，你当然也听说过他的名字。"

萧别离道："我宁愿见到杜婆婆，也不想见到这个人。"

叶开缓缓道："只不过，据我所知，这两人也都到这里来了。"

萧别离动容道："什么时候来的？"

叶开道："来了已很久。"

萧别离沉默了半晌，突又摇摇头，道："不会，绝不会，他们若到了这里，我一定会知道。"

叶开凝视着他，道："也许他们已到了，万马堂岂非本就是藏龙卧虎之地？"

萧别离点了点头，又摇了摇头。

叶开道："也许万马堂就因为有了这种帮手，所以才有恃无恐。"

萧别离忽然笑了笑，道："这是万马堂的事，和我们有什么关系？"

叶开也笑了，道："今天我的话确实好像太多了一些。"

他好像已想告辞了，但就在这时，门外已走进了一个人。

一个白衣人，腰上系着条麻布，手里捧着沓东西，像是信封，又像是请帖。

那既不是信封，也不是请帖。

是讣闻。

公孙断、云在天和花满天的讣闻，具名的是马空群。大殓的日子就在后天。

清晨大祭，正午入殓，然后当然还有素酒招待吊客们。叶开居然也接到了一份。

那白衣戴孝的马师双手送上了讣闻，又躬身道："三老板再三吩咐，到时务必请萧先生和叶公子去一趟，以尽故人之思。"

萧别离长长叹息，黯然道："多年好友，一旦永别，我怎会不去？"

叶开道："我也会去的。"

白衣人再三拜谢。叶开忽又道："这次讣闻好像发得不少。"

白衣人道："三老板和公孙先生数十年过命的友情，总盼望能将这丧事做得体面些。"

叶开道："只要在这地方的人，都有一份？"

白衣人道："差不多都请到了。"

叶开道："傅红雪呢？"

白衣人目中露出憎恨之色，冷冷道："他也有一份，只怕他不敢去而已。"

叶开沉思着，缓缓道："我想他也会去的。"

白衣人恨恨道："但愿如此。"

叶开道："你找着他的人没有？"

白衣人道："还没有。"

叶开道："你若放心，我倒可以替你送去。"

白衣人沉吟着，终于点头道："那就麻烦叶公子了，在下也实在不愿见到这个人，他最好也莫要被人见到才好。"

萧别离一直凝视着手里的讣闻，直等白衣人走出去，才轻轻叹息了一声，道："想不到马空群居然也将讣闻发了一份给傅红雪。"

叶开淡淡道："你说过，他是个怪人。"

萧别离道："你想傅红雪真的会去？"

叶开道："会去的。"

萧别离道："为什么？"

叶开笑了笑，道："因为我看得出他绝不是个会逃避的人。"

萧别离沉吟着，缓缓道："但你若是他的朋友，还是劝他莫要去的好。"

叶开道："为什么？"

萧别离道："你难道看不出这份讣闻也是个陷阱吗？"

叶开皱眉道："陷阱？"

萧别离神情很严肃，道："这一次傅红雪若是入了万马堂，只怕就真的休想回故乡了。"

天皇皇，地皇皇。

眼流血，月无光。

一入万马堂，

休想回故乡。

午后。

骤雨初晴，晴空万里。

叶开正在敲傅红雪的门。

从今天清晨以后，就没有人再看到过傅红雪了，每个人提起这脸色苍白的跛子时，都会现出奇怪的表情，就像是看到了条毒蛇。

傅红雪杀了公孙断的事，现在想必已传遍了这个山城了。

窄门里没有人回应，但旁边的一扇门里，却有个白发苍苍的老太婆探出头来，带着怀疑而又畏惧的眼色，看着叶开。

她脸上布满了皱纹，皮肤已干瘪。

叶开知道她是这些小木屋的包租婆，带着笑问道："傅公子呢？"

老太婆摇摇头，道："这里没有富公子，这里都是穷人。"

叶开又笑了。

他这人好像从来就很难得生气的。

老太婆忽然又道："你若是找那脸色发白的跛子，他已经搬走了。"

叶开道："搬走了？什么时候搬走的？"

老太婆道："快要搬走了。"

叶开道："你怎么知道他快要搬走？"

老太婆恨恨道："因为我的房子绝不租给杀人的凶手。"

叶开终于明白。

得罪了万马堂的人，在这山城里似乎已很难再有立足之地。

他没有再说什么，只笑了笑，就转身走出巷子。

谁知老太婆却又跟了出来，道："但你若没有地方住，我倒可以将那房子租给你。"

叶开微笑道："你怎么知道我不是杀人的凶手？"

老太婆道："你不像。"

叶开忽然沉下了脸，道："你看错了，我不但杀过人，而且杀了七八十个。"

老太婆倒抽了口凉气，满脸俱是惊骇之色。

叶开已走出了巷子。

他只希望能尽快找到傅红雪。

他没有看到傅红雪，却看到了丁求。

丁求居然就坐在对面的屋檐下，捧着碗热茶在喝。

他华丽的衣衫外，又罩上了一件青袍，神情看来有些无精打采。

这时街那边正有个牧羊人赶着四五条羊慢慢地走过来。

暴雨后天气虽又凉了些，但现在毕竟还是盛暑时。

这牧羊人身上居然披着些破羊皮袄，头上还戴着顶破草帽。

帽子戴得很低，因为他的头本就比帽子小。

他低着头，手里提着条牧羊杖，嘴里有一搭没一搭地哼着小调。

只有最没出息的人才牧羊。

在这种边荒之地，好男儿讲究的是放鹰牧马，牧羊人不但穷，而且没人看得起。

街上的人根本连看都懒得看他一眼，这牧羊人倒也很识相，也不敢走到街心来，只希望快点将这几条瘦羊赶过去。

谁知道街上偏偏就有一个人注意到他。

丁求一看见这牧羊人，眼睛竟忽然亮了，好像本就在等他。

叶开也停下了脚步，看了看这牧羊人，又看了看丁求。

他的眼睛竟似也亮了。

街上积着水。

这牧羊人刚绕过一个小水潭，就看见丁求大步走过来拦住了他的去路。

他连头都没有抬，又想从丁求旁边绕过去。

牧羊人总是没胆子的。

谁知丁求却好像要找定他的麻烦了，突然道：“你几时学会牧羊的？”

牧羊人怔了怔，嗫嚅着道：“从小就会了。”

丁求冷笑道：“难道你在武当门下学的本事，就是牧羊？”

牧羊人又怔了怔，终于慢慢地抬起头，看了丁求两眼，道："我不认得你。"

丁求道："我却认得你。"

牧羊人叹了口气，道："你只怕认错人了。"

丁求厉声道："姓乐的，乐乐山，你就算化骨扬灰，我也一样认得你！这次你还想往哪里走？"

这牧羊人难道真是乐乐山？

他沉默了半晌，又叹了口气，道："就算你认得我，我还是不认得你。"

他居然真是乐乐山。

丁求冷笑着，突然一把扯下了罩在外面的青布袍，露出了那一身华丽的衣服，背后的驼峰上，赫然绣着条五爪金龙。

乐乐山失声道："金背驼龙？"

丁求道："你总算还认得我。"

乐乐山皱眉道："你来找我干什么？"

丁求道："找你算账。"

乐乐山道："算什么账？"

丁求道："十年前的旧账，你难道忘了么？"

乐乐山道："我连见都没有见过你，哪里来的什么旧账？"

丁求厉声道："十七条命的血债，你赖也赖不了的，赔命来吧。"

乐乐山道："这人疯了，我……"

丁求根本不让他再说话，双臂一振，掌中已多了条五尺长的金鞭。

金光闪动，妖矫如龙，带着急风横扫乐乐山的腰。

乐乐山一偏身，右手抓起了披在身上的羊皮袄，乌云般洒了出去，大喝道："等一等。"

丁求不等，金鞭已变了四招。

乐乐山跺了跺脚，反手一拧羊皮袄，居然也变成了件软兵器。

这正是武当内家束湿成棍的功夫。

这种功夫练到家的人，什么东西到了他手里，都可以当作武器。

眨眼间他们就已在这积水的长街上交手十余招。

叶开远远地看着，忽然发现了两件事。

一个真正的酒鬼，绝不可能成为武林高手。乐乐山的借酒装疯，原来只不过是故意做给别人看的姿态而已，其实他也许比谁都清醒。

可是他却好像真的不认得丁求。

丁求当然也绝不会认错人的。

这究竟是怎么回事呢？

叶开沉思着，嘴角又有了笑意。

他忽然觉得这件事很可笑。

但这件事并不可笑。

死，绝不是可笑的事。

乐乐山的武功纯熟、圆滑、老到，攻势虽不凌厉，但却绝无破绽。

一个致命的破绽。

他这种人本不可能露出这种破绽来的，他的手竟似突然僵硬。

就在这一瞬间，叶开看到了他的眼睛。

他眼睛里突然充满了愤怒和恐惧之色，然后他的眼珠子就凸了出来。

丁求的金鞭已毒龙般缠住了他的咽喉。

"咯"的一声，咽喉已被绞断。

丁求仰面狂笑，道："血债血还，这笔账今天总算是算清了。"

笑声中，他的人已掠起，凌空翻身，忽然间已没入屋脊后，只剩下乐乐山还凸着死鱼般的眼珠，歪着脖子躺在那里。

他看来忽然又变得像是个烂醉如泥的醉汉。

没有人走过去，没有人出声。

无论谁看到一个活生生的人突然死了，心里总会觉得很不舒服的。

那杂货店的老板站在门口，用两只手捧着胃，似乎已将呕吐出来。

太阳又升起。

新鲜的阳光照在乐乐山的身上，照着刚从他耳鼻眼睛里流出来的血。

血很快就干了。

叶开慢慢地走过去，蹲下来，看着他狰狞可怖的脸，黯然道："你我总算是朋友一场，你还有什么话要交代我？"

当然没有。

死人怎么会说话呢?

叶开却伸手拍了他的肩，道:“你放心，有人会安排你的后事的，我也会洒几樽浊酒，去浇在你的墓上的。”

他叹息着，终于慢慢地站起来。

然后他就看到了萧别离。

萧别离居然也走了出来，用两只手支着拐杖，静静地站在檐下。

他的脸色在阳光下看来，仿佛比傅红雪还要苍白得多。

他本就是个终年看不到阳光的人。

叶开走过去，叹息着道:“我不喜欢看杀人，却偏偏时常看到杀人。”

萧别离沉默着，神情也显得很伤感。过了很久，才长叹道:“我就知道他会这么样做的，只可惜我已劝阻不及了。”

叶开点点头，道:“乐大先生的确死得太快。”

他抬起头，忽又问道:“你刚出来?”

萧别离叹道:“我本该早些出来的。”

叶开道:“刚才我正跟别人说话，竟没有看见你出来。”

萧别离道:“你在跟谁说话?”

叶开道:“乐大先生。”

萧别离凝视着他，过了很久，才缓缓道:“死人不会说话。”

叶开道:“会。”

萧别离脸上的表情也变得很奇特，道:“死人也会说话?”

叶开点点头，道:“只不过死人说的话，很少有人能听得见。”

萧别离道:“你能听得见?”

叶开道:“能。”

萧别离道:“他说了些什么?”

叶开道:“他说他死得实在太冤。”

萧别离皱眉道:“冤在哪里?”

叶开道:“他说丁求本来杀不了他的。”

萧别离道:“但他却已死在丁求的鞭下。”

叶开道:“那只因有别人在旁边暗算他。”

萧别离皱眉道："有人暗算他？是谁？"

叶开叹息了一声，伸出手掌，在萧别离面前摊开。

他掌心赫然有根针。

惨碧色的针，针头还带着血丝。

萧别离动容道："断肠针？"

叶开道："是断肠针。"

萧别离长长吐出口气，道："如此看来，杜婆婆果然已来了。"

叶开道："而且已来了很久。"

萧别离道："你已看见了她？"

叶开苦笑道："杜婆婆的断肠针发出来时，若有人能看见，她也就不是杜婆婆了。"

萧别离只有叹息。

叶开道："但我却知道她并没有躲在万马堂里。"

萧别离道："怎见得？"

叶开道："因为她就住在这镇上，说不定就是前面那背着孩子的老太婆。"

萧别离脸色变了变，他也已看见一个老妇人在背着她的孩子过街。

叶开道："断肠针既然已来了，无骨蛇想必也不远吧。"

萧别离道："难道他也一直躲在这镇上？"

叶开道："很可能。"

萧别离道："我怎么从未发现这镇上有那样的武林高手？"

叶开淡淡道："真人不露相。真正的武林高手，别人本就看不出来的，说不定他就是那个杂货店的老板。"

他看着萧别离，忽然笑了笑，慢慢地接着道："也说不定就是你。"

萧别离也笑了。

他的笑容在阳光下看来，仿佛带着种说不出的讥诮之意。

然后他就慢慢地转过身，慢慢地走了回去。

叶开看着他微笑时，总会忘记他是个残废，总会忘记他是个多么寂寞，多么孤独的人。

但现在叶开看着的是他的背影。

一个瘦削、残废、孤独的背影。

叶开忽然追上去，拉住了他的臂，道："你难得出来，我想请你喝杯酒。"

萧别离仿佛很惊奇，道："你请我喝酒？"

叶开点点头，道："我也难得请人喝酒。"

萧别离道："到哪里喝？"

叶开道："随便哪里，只要不在你店里。"

萧别离道："为什么？"

叶开道："你店里的酒太贵。"

萧别离又笑了，道："但是我店里可以挂账。"

叶开大笑，道："你在诱惑我。"

可以挂账这四个字，对身上没钱的人来说，的确是种不可抗拒的诱惑。

萧别离微笑道："我只不过是在拉生意。"

叶开叹道："有时你的确像是生意人。"

萧别离道："我本来就是。"

他微笑着，看着叶开，道："现在你要请我到哪里喝酒去？"

叶开眨着眼笑道："在我说来，可以挂账的地方，就是最便宜、最好的地方，我在这种地方喝酒，总是最开心的。"

萧别离道："还账的时候呢？"

叶开道："还账的时候虽痛苦，但那已是以后的事了，我能不能活到那时还是问题。"

他微笑着推开门，让萧别离走进去。

但是他自己却没有走进去。

因为就在这时，他看见了翠浓。

翠浓正低着头，从檐下匆匆地向这里走。

昨天晚上她为什么会忽然失踪？

到哪里去？

从哪里回来的？

叶开当然忍不住要问问她，但是她却好像根本没有看见叶开。

另一个人在瞪着叶开。

傅红雪。

傅红雪终于又出现了。

叶开的手刚伸出去，刚准备去拉住翠浓，就发现了他。

他瞪着叶开的手，冷漠的眼睛似已充满了怒意，苍白的脸已发红。

叶开的手慢慢地缩回，又推开门，让翠浓走进去。

翠浓走进了门，才回过头来对他嫣然一笑，好像直到现在才看见他这个人。

叶开却有点笑不出来。

因为傅红雪还在瞪着他，那眼色就好像一个嫉妒的丈夫在瞪着他妻子的情人。

叶开看着他，再看着翠浓，实在不明白这是怎么回事。

但世上岂非本就有很多莫名其妙的事？这种事岂非本就是每天晚上都可能发生的？

叶开笑了笑，道："我正在找你。"

傅红雪又瞪了他很久，才冷冷道："你有事？"

叶开道："有样东西要留给你。"

傅红雪道："哦？"

叶开道："你杀了公孙断？"

傅红雪冷笑道："我早就该杀了他的。"

叶开道："这是他的讣闻。"

傅红雪道："讣闻？"

叶开微笑着，道："你杀了他，他大祭的那天，马空群却要请你去喝酒，你说是不是妙得很？"

傅红雪凝视着他递过来的讣闻，眼睛里还带着种很奇怪的表情，缓缓道："好得很，的确妙得很。"

叶开凝视着他的眼睛，缓缓道："你当然一定会去的。"

傅红雪道："为什么？"

叶开道："因为那天也一定热闹得很。"

傅红雪忽然抬起头，盯着他道："你好像对我的事很关心？"

叶开又笑了笑，道："那也许只因为我本就是个喜欢管闲事的人。"

傅红雪道："你知不知道公孙断怎么会死的？"

叶开道："不知道。"

傅红雪冷冷道："就因为他管的闲事太多了。"

他再也不看叶开一眼，从叶开身旁慢慢地走过去，走上街心。

街上还积着水。

傅红雪左脚先迈出一步，右脚才跟着慢慢地拖了过去。

他走路的姿态奇特而可笑。

平时他过街的时候，每个人都在盯着他的脚。

但现在却不同。

今天街上每个人都在盯着他的手，他手里的刀。

这把杀了公孙断的刀。

每个人的眼睛里都带着种敌意。

"现在大家都已知道你是万马堂的仇敌，绝不会再有一个人将你当作朋友了。"

"为什么？"

"因为这镇上的人，至少有一半是依靠万马堂为生的。"

"……"

"所以你从此要特别小心，就连喝杯水都要特别小心。"

这些都是沈三娘临走时说的话。

他实在不懂这个女人为什么对他特别关心。

他根本不认得这女人，只知道她是翠浓的朋友，也是马空群的女人。

翠浓怎么会跟这种女人交朋友的？

他也不懂。

也不知为了什么，他对这女人竟有种说不出的厌恶之意，只巴望她快点走开。

可是她却偏偏好像不明白他的意思。

他们在草原上转了很久，只希望找个安静的地方，和翠浓两个安安静静地坐下来。

无论谁都很难相信这是他第一次杀人，甚至连公孙断都不会相信。

但他却的确是第一次杀人。

他将刀从公孙断胸膛上拔出来时，竟忍不住呕吐起来。

无论谁都很难了解他这种心情，甚至连他自己都不了解。

看着一个活生生的人在你手下变成尸体，并不是件愉快的事。

他本不愿杀人的。

但是他却非杀不可！

没有雪，只有沙。

红沙。

鲜血跟着刀锋一起溅出来，染红了地上的黄沙。

他跪在地上呕吐了很久，直到血已干透时，才能站起来。

他站起来的时候，才发现沈三娘一直在看着他，用一种很奇怪的眼色看着他，也不知是同情？是轻蔑？还是怜悯？

无论是什么，都是他不能忍受的！

但他却可以忍受别人的愤恨和轻蔑。

他已习惯。

傅红雪挺直了腰，慢慢地穿过街心。

现在他只想躺下去，躺下去等着翠浓。

直走到镇外，沈三娘才跟他们分手。

他并没有问她要到哪里去，他根本就不想再见到这个人。

但她却拉着翠浓，又去嘀咕了很久。

然后翠浓就说要回去了。

“我回去收拾收拾，然后就去找你，我知道你住在哪里。”

她当然应该知道。

傅红雪当然想不到“她”并不是翠浓，而是他所厌恶的沈三娘。

这秘密也许永不会有人知道。

第十七章

神秘的老太婆

巷口还贴着张招租的红纸条。

傅红雪走过去，就看到那白发苍苍的老太婆站在巷口，用一双狡黠而充满讨厌的眼瞪着他。

这老太婆看来也不是他的朋友。

傅红雪道："请让让路。"

老太婆道："为什么要让路？"

傅红雪道："我要回去。"

老太婆道："听说你嫌这地方不好，已经搬家了，还回到哪里去？"

傅红雪道："谁说我已经搬家了？"

老太婆道："我说的。"

傅红雪皱眉道："谁说我嫌这地方不好？"

老太婆道："也不是你嫌这地方不好，是这地方嫌你不好。"

傅红雪终于明白，所以他什么话都没有再说，也不必再说。

老太婆道："你的包袱我已送到隔壁的杂货店了，你随时都可去拿。"

傅红雪点点头。

老太婆道："还有这锭银子，你还是留着给你自己买棺材吧。"

她手里本已捏着锭银子，此刻忽然用力掷了出来。

傅红雪只有伸手去接。

他没有接住。

银子刚从老太婆手里飞出来，突然又被一样东西打了回去。

一锭银子突然变成了几十根针。

若不是半空中突然飞过来的一样东西将它打了回去，傅红雪就算人不死，这条手臂也必定要废了。

现在银针打的却是老太婆自己。

这走路都要扶着墙的老太婆，身子竟然弹起，凌空一个翻身，已掠上屋脊。

她行藏既露，已准备溜了。

谁知屋脊上竟早已有个人在等着她。

叶开不知何时也已掠上屋脊，正背负着双手，含笑看着她。

老太婆脸色变了，狡黠的眼睛里，也已露出惊惧之意。

她眼睛并没有瞎，当然早已看出叶开不是个好对付的人。

叶开微笑道："老太太，你怎么突然变得年轻起来了？"

老太婆干笑了两声，道："不是年轻，是骨头轻——我看见你这样的小白脸，骨头就会变得很轻。"

叶开淡淡道："听说老人家若是喝了人血，年纪也会变轻的。"

老太婆道："你要我喝你的血？"

叶开道："你刚才岂非也喝过乐乐山的血？"

老太婆狞笑道："那糟老头子血里的酒太多，还是喝你的血好。"

她的手一挥，衣袖中又飞出两条银丝，毒蛇般向叶开脖子上缠了过去。

她用的武器非但奇特，而且恶毒。

但叶开却偏偏专门会对付各种恶毒的武器。

他身子突然溜溜一转，好像从衣袖中摸出一样黑黝黝的东西。只听"叮"的一响，银丝突然就不见了。

老太婆一双鸟爪般的手似也突然僵硬。

叶开又背负起双手，站在那里，微笑着道："你还有什么宝贝，为什么不一起使出来，也好让我见识见识。"

老太婆盯着他，嗄声说道："你……你究竟是什么人？"

叶开道："我姓叶，叫叶开，木叶的叶，开心的开。"

他又笑了笑，接着道："只可惜我开心的时候，你就不会开心了。"

老太婆什么都不再说，突又凌空翻起，掠出去三四丈。

谁知她身子刚落下，就发现叶开又在那里含笑看着她。笑得就像是条小狐狸。

老太婆叹了口气，道："好，好轻功。"

叶开微笑道："倒也不是轻功好，只不过是骨头轻罢了。"

老太婆苦笑道："看来你骨头比我还轻。"

她一句话未说完，鸟爪般的手突然向叶开攻出了四招。

她的招式也同样奇突诡秘。

但叶开却偏偏专门会对付各种诡秘的招式。

他的出手既不奇怪，也不诡异。只不过很快，快得令人不可思议。

老太婆的手刚击出，就觉得有样东西在她脉门上轻轻一划。

然后她一双手就垂了下去，再也抬不起来。

叶开还是背负着双手，站在那里，笑得比刚才更开心了。

只可惜他开心的时候，别人总是不太开心。

老太婆长长叹了口气道："我不认得你，你为什么要跟我作对？"

叶开道："谁说我要跟你作对？"

老太婆道："那么你想怎么样？"

叶开道："只不过想请你喝杯酒而已。"

老太婆一愣，道："请我喝酒？"

叶开道："我一向难得请人喝酒的，这机会错过可惜。"

老太婆咬了咬牙，道："到哪里去喝？"

叶开笑道："当然是萧别离的店里，那地方可以挂账。"

傅红雪手里握着刀，握得很紧。

他还是用刚才一样的姿势站在那里，连动都没有动过。

可是他苍白的脸，又已因激动而发红。

老太婆从屋脊上跳下来，垂着头，傻傻地从他身旁走过去。

傅红雪没有看她，却突然道："等一等。"

老太婆就停下来等，好像忽然变得听话得很。

傅红雪道："我已杀过人。"

老太婆听着。

傅红雪道："我并不在乎多杀一个。"

老太婆的手已在发抖。

叶开也已赶过来，微笑道："杀人就像喝酒一样，只有第一杯最难入口，你若能喝下第一杯，再多喝几杯当然就不在乎了，只不过……"

傅红雪道："只不过怎么样？"

叶开道："杀人也像喝酒一样，喝多了慢慢就会上瘾的。"

他看着傅红雪，微笑着接道："这件事还是莫要上瘾的好。"

傅红雪冷冷道："我并不想杀你。"

叶开道："你想杀她？"

傅红雪道："我本来只杀两种人，现在却又多了一种。"

叶开道："哪一种？"

傅红雪道："想杀我的人。"

叶开点点头，道："她刚才想杀你，你现在想杀她，这倒也很公平。"

傅红雪道："你闪开。"

叶开道："我可以闪开，但你却不能真的杀了她。知道吗？"

傅红雪道："为什么？"

叶开笑道："因为她也没有真的杀了你。"

傅红雪看着他，苍白的脸似已渐渐变得透明。

过了很久，他才一字一字道："你究竟是个什么人？嗯？"

叶开笑道："你们明明全知道我是什么人，为什么还要问我这句话？"

傅红雪道："我要问清楚些，只因为我欠你一样东西。"

叶开道："欠我什么？"

傅红雪道："欠你一条命。"

他突然转身，慢慢地接着道："这笔账我迟早总会还你的，你也可以随时问我来要。"

他左脚先迈出一步，右脚再跟着慢慢地拖过去，脚步看来更沉重。

叶开忽然觉得他的背影看来和萧别离差不多，看来也同样是那么寂寞，那么孤独。

也许他的情况更悲惨，因为他只有一条路可走。

一条永不回头的路。

桌上有酒。

叶开为萧别离斟满一杯，又为老太婆斟满一杯，笑道："这地方如何？"

老太婆道："不错。"

叶开道："酒呢？"

老太婆道："也不错。"

叶开道："那么你就该感激我。若不是我，你怎么能到这里来喝酒。"

老太婆道："为什么不能？"

叶开笑了笑，然后说道："这里是男人的天下，'断肠针'杜婆婆虽然是名闻天下的武林高手，但却是个女人。"

老太婆眨了眨眼，道："我是杜婆婆？"

叶开道："我看到乐乐山中的断肠针，就已想到是你。"

老太婆叹了口气，道："好眼力。"

叶开又笑了笑，道："可是我并没有替他报仇的意思。"

老太婆道："哦？"

叶开道："我只想问问你，你为什么要替万马堂杀人？"

老太婆道："你认为我替万马堂杀了他？"

叶开点点头。

老太婆道："因为当时我在旁边，而且是个老太婆，所以我一定就是杜婆婆？"

叶开笑道："这道理岂非本来就很简单？"

老太婆道："杜婆婆当然不会是个男人。"

叶开道："当然不是。"

老太婆忽然笑了笑，笑得很奇怪。

叶开道："你认为这件事很可笑？"

老太婆道："只有一点可笑。"

叶开道："哪一点？"

老太婆道："我不是杜婆婆。"

叶开道："你不是？"

老太婆笑道："做杜婆婆也并没有什么不好，只可惜我是个男人。"

叶开怔住。这老太婆竟真的是个男人！

她从脸上揭下了个精巧的面具，解开了衣襟，挺直了腰。

这老太婆就忽然变成了瘦小枯干的中年男人，无论谁都可以看得出她是个男人。

叶开忽然发觉自己的眼力并不如自己想象中那么高明。

这人微笑着，悠然道："你还要不要检查检查，我究竟是男是女？"

叶开叹了口气，苦笑道："不必了。"

这人道："杜婆婆当然不会是男人。"

叶开道："当然不是。"

这人道："那么我当然就不是杜婆婆。"

叶开道："你不是。"

这人道："乐乐山当然也不是被我杀了的。"

叶开只有承认，无论谁都知道"断肠针"是杜婆婆的独门暗器！

这人道："我也没有真的杀了傅红雪。"

叶开也只有承认，傅红雪到现在还活着。

这人长长吐出口气，举杯一饮而尽，笑道："果然是好酒。"

他喝完了这杯酒，就站起来转身走出去。

萧别离眼中似又露出了一丝讥诡的笑意，微笑道："下次请再来光顾。"

这人也笑道："我当然会来的，听说这地方可以挂账，我那几间破屋子又租不出去。"

叶开忽然唤道："西门春。"

这人立刻回过头。

他脸上本来还带着笑容，但一回过头，脸色就已变了。

笑容已到了叶开脸上。

他开心的时候，别人通常都不会太开心的。

这人显然还想再笑一笑，只可惜脸上肌肉已几乎完全僵硬。

叶开微笑道："这酒既然不错，西门先生为何不多喝几杯再走？"

这人站在那里，看着他，过了很久，才长长叹息了一声，苦笑道："我现在当然也不必问你究竟是什么人了。"

叶开道："的确已不必。"

这人道："但是，我却想问问你，你究竟是不是个人哪？"

叶开大笑。

他忽然又觉得自己的眼力并不比想象中差多少。

他大笑着道："千面人魔门下的高足，果然是出手奇诡，易容精妙，我本来早就该看出来的。"

西门春叹道："你现在看出来也还不太迟。"

叶开道："杜婆婆当然不会是女人，更不会是老太婆，否则别人岂非一下子就会猜到？"

西门春道："有理。"

叶开道："那么她是谁呢？"

萧别离忽又笑了笑，淡淡道："可能就是你，也可能就是我。"

叶开沉思着，道："也可能就是……"

他忽然跳起来，大声道："我明白了，杜婆婆一定就是他。"

西门春又叹了口气，喃喃道："只可惜你现在明白也许已太迟了。"

傅红雪慢慢地走进了杂货店。

他从没有走进过这杂货店，也从未走进过任何一家杂货店。

他这人本就不是活在凡尘中的，他有他另外一个天地。

那天地中只有仇恨，没有别的。

李马虎伏在柜台上，又在打瞌睡，就好像从来没有清醒过。

傅红雪走过去，用刀柄敲了敲柜台。

李马虎一惊，终于清醒，就看到了傅红雪那柄漆黑的刀。

刀鞘漆黑，刀柄漆黑，但刀锋上还留着鲜红的血！

李马虎的脸已吓白了，失神道："你……你要干什么？"

傅红雪道："要我的包袱。"

李马虎道："你的包袱……哦，不错，这里是有个包袱。"

他这才松了口气，很快地将包袱从柜台里双手捧了出来。

傅红雪当然只用一只手去接。另一只手上还是紧紧地握着他的刀。

公孙断已死在这柄刀下！下一个人是谁呢？

这也许连他自己都不知道。

他慢慢地转过身，看到货架上的蛋，忽又道："蛋怎么卖？"

李马虎道："想买？"

傅红雪点点头。

他忽然发现饥饿这种感觉，有时甚至比仇恨还要强烈。

李马虎看着他，摇了摇头，道："不，这蛋不能卖给你。"

傅红雪也明白，这地方所有的门都已在他面前关了起来，甚至连这杂货店的门都不例外。

他若一定要买，当然也没有任何人能阻拦。

但他却不是这种人。

他发怒的对象绝不是个老太婆，也不是个小杂货店的老板。

月色已淡了，风中已有凉意。

这里难道已真的没有他容身之地？

他紧紧握着他的刀，提着他的包袱——他本就是活在另一个世界中的。

这世界上的人无论对他怎么样，他都不在乎。

谁知李马虎忽又接着道："这蛋不能卖给你，因为蛋是生的，你总不能吃生蛋。"

傅红雪站住。

李马虎道："后面有炉子，炉子里有火，不但可以炒蛋，还可以热酒。"

傅红雪转回头，道："你要多少？"

李马虎笑了，道："公子你既然是个明白人，就马马虎虎算十二两吧。"

十二两银子一顿饭，这杠子实在敲得不轻。

但无论多少银子也不能填饱肚子，饥饿又偏偏如此不能忍受。

李马虎在炒蛋，蛋炒饭。

酒已温好，还有些花生豆干。

“花生豆干全都免费，酒也请尽量喝，马马虎虎算了。”

傅红雪却连一滴酒都没有喝。

他一喝非醉不可，现在却绝不是能喝醉的时候。

李马虎捧上了蛋炒饭，看着他杯中的酒，赔笑道：“大爷你嫌这酒不好？”

傅红雪道：“酒很好。”

李马虎道：“就算不好，也该马马虎虎喝两杯，散散心。”

傅红雪已开始吃饭。

他并不是怕酒里有毒。

分辨食物中是否有毒的法子，一共有三十六种，他至少懂得二十种。

只不过他若不想做一件事时，就绝没有任何人能勉强他做。

李马虎当然也不是喜欢勉强别人的那种人。

傅红雪不喝，他就自己喝。

他将温好的那壶酒一口气喝了下去，苦笑道：“凭良心讲，我也常常觉得奇怪，世上为什么有那么多人喜欢喝酒，这酒实在比毒药还难喝。”

傅红雪道：“你不喜欢喝酒？”

李马虎叹了口气，道：“根本不会喝，现在我已经快醉了。”

他的确已快醉了，不但脸已开始发红，连眼睛都已发红。

傅红雪皱眉道：“不会喝为什么要喝？”

李马虎道：“酒若温好，不喝就会坏的。”

傅红雪道：“所以你宁可喝醉。”

李马虎叹道：“无论谁要开杂货铺，都得先学会一件事。”

傅红雪道：“什么事？”

李马虎道：“宁可自己受点罪，也绝不能糟蹋一点东西。”

他又叹了口气，苦笑道：“所以只有最没出息的人，才会开杂货铺。开杂货铺的人非但娶不到老婆，连朋友都没有一个。”

傅红雪慢慢地扒着饭，忽然也轻轻叹息了一声，道：“你错了。”

李马虎“扑通”一声，在他旁边坐下，道：“我哪点错了？”

傅红雪缓缓道：“世上只有一种人是真正没有朋友的。”

李马虎道：“哪种人？”

傅红雪道：“我这种。”

他抬起头，仿佛在凝视着远方，显得说不出的空虚寂寞。

他从来没有朋友，以后只怕也永不会有。

他的生命已完全贡献给仇恨，一种永远解不开的仇恨。

但是在他内心深处，为什么偏偏总是在渴望着友情呢？

李马虎用发红的眼睛看着他，忽然问道：“那位叶公子不是你的朋友？”

傅红雪冷冷道：“不是。”

李马虎道：“但他却好像已将你当作朋友。”

傅红雪沉着脸，道：“那只因为他有毛病。”

李马虎道：“有毛病？”

傅红雪握紧手里的刀，缓缓道：“拿我当朋友的人，都有毛病。”

李马虎苦笑道：“这么看来，我好像也有点毛病了。”

傅红雪道：“你？”

李马虎道：“因为我现在也很想交你这个朋友。”

他说起话来连舌头都大了，的确醉得很快，但醉话岂非通常都是真话？

傅红雪突然放下筷子，冷冷道：“你这饭炒得并不好。”

他再也不看李马虎一眼，慢慢地站起来，转过身，因为他也不愿再让人看到他脸上的表情。

李马虎却还在看着他，看着他的背。

他的肩已后缩，显见得心里很不平静。

李马虎眼睛里突然露出种很奇怪的表情，慢慢地伸出手，好像要去拍他的肩。

就在这时，突然间寒光一闪！

一柄刀已钉入了他的手背。

第十八章

救命的飞刀

一柄三寸七分长的刀。

飞刀！

李马虎看到这把刀，一张脸突然扭曲。

接着，他的人也倒下，竟像是被一道无声无息的闪电击倒。

他倒下去的时候，手里仿佛有些东西掉在桌上。

傅红雪霍然转身，就看到了叶开。

叶开正微笑着走进来。

他没有带刀。

傅红雪看着他，又看了看倒在地上的李马虎，厉声道："你这是干什么？"

叶开笑了笑。

他总是喜欢用笑来回答一些他根本不必回答的话。

傅红雪永不必再问了。

他也已看见桌上三根针。

惨碧色的针。

针是从李马虎手里掉下来的。

若不是那柄刀，傅红雪现在只怕也和乐乐山一样躺了下去。

难道这马马虎虎的杂货店老板，竟是心狠手辣的杜婆婆？

傅红雪紧握双手，过了很久，才抬起头。

叶开也正在看着他微笑。

傅红雪突然冷冷道："你怎么知道我躲不过他这一招？"

叶开道："我不知道。"

傅红雪道："你为什么总是要来救我？"

叶开又笑了，道："谁说我是来救你的？"

傅红雪道："你来干什么？"

叶开淡淡道："我只不过来将一把刀，打在这个人的手上而已，手是他的，刀是我的，跟你并没有什么关系。"

傅红雪说不出话来了。

叶开施施然走过来，坐下，深深吸了口气，微笑道："饭炒得好像还不错，香得很。"

傅红雪道："哼。"

叶开道："酒好像也不错，只可惜没有了。"

傅红雪正想开口，叶开忽又笑道："我那柄刀够不够换一角酒？"

倒在地上的人没有动，也没有开口。

叶开道："若是不够，你就该还我的刀。"

还是没有人开口。

叶开叹了口气，俯下身，拍了拍这人的肩，道："杜婆婆，我既已认出了你，你又何苦……"

他声音突然停顿，脸上居然也露出惊讶之色。

倒下去的人竟已永远起不来了。

这人的脸已扭曲僵硬，手脚已冰冷。

手背上还钉着那柄刀。

傅红雪看了看这张脸，又看了看这柄刀，道："你刀上有毒？"

叶开道："没有。"

傅红雪道："没有毒这人怎么会？"

叶开沉吟着道："她年纪看来要大得多，老人都是受不了惊吓的。"

傅红雪道："你说她是被骇死的？"

叶开道："手背并不是要害，刀上也绝没有毒。"

傅红雪道："你说她就是'断肠针'杜婆婆？"

叶开叹了口气，道："无骨蛇既然可以是个老太婆，杜婆婆为何不能是个男人？"

傅红雪缓缓道："是的，我知道杜婆婆是个怎么样的人。"

叶开道："你应该知道。"

傅红雪突然冷笑道："像她这种人，难道也会被小小的一把刀吓死？"

叶开道："但她的确已死了。"

傅红雪道："这究竟是把什么样的刀？"

叶开笑了笑。

他也喜欢用笑来回答他不愿回答的话。

他拔起了这柄刀。

刀锋薄而锋利，闪动着淡青的光。

他看着这柄刀时，眼睛里也发出了光。

过了很久，才缓缓道："无论如何，你总不能不承认这也是一柄刀吧。"

傅红雪也沉默了很久，才缓缓道："想不到你也会用刀。"

叶开又笑了笑。

傅红雪道："我从未看过你带刀。"

叶开淡淡道："刀本就不是给人看的。"

傅红雪也只有承认。

叶开道："也许只有看不见的刀，才是最可怕的刀呐！"

傅红雪道："世上没有看不见的刀！"

叶开凝视着手里的刀，缓缓道："也许你能看得见它，但等你看见它时，往往已太迟了……"

可以吓死人的刀，通常都是看不见的刀。

因为等你看见它时，就已太迟了。

刀又看不见了。

突然间，这柄刀已在叶开手里消失，就像是某种魔法奇迹。

傅红雪垂下头，看着自己手里的刀，眼睛里也露出了种奇怪的表情。

他终于明白了叶开的意思。

公孙断也没有看见过他的这把刀。

公孙断能看到的只是刀柄和刀鞘。

叶开淡淡道："很容易被人看见的刀，就很难杀人了。"

傅红雪在听着。

叶开慢慢地接着道："所以懂得用刀的人，也一定懂得收藏他的刀。"

傅红雪轻轻叹息了一声，喃喃道："只可惜这件事并不容易。"

叶开道："的确很不容易。"

傅红雪道："那远比使用它还要困难得多。"

叶开微笑道："看来你已明白了。"

傅红雪道："我已明白了。"

他抬起头，看着叶开。叶开的微笑温暖而亲切。

傅红雪突又沉下了脸，冷冷道："所以我希望你也明白一件事。"

叶开道："什么事？"

傅红雪道："以后永远不要再来救我，你走你的路，我走我的，我们本就完全没关系，你就算死在我面前，我也绝不会救你。"

叶开道："我们不是朋友？"

傅红雪道："不是！"

叶开也轻轻叹息了一声，苦笑道："我明白了。"

傅红雪咬着牙，道："那么现在你已可以去走你的路。"

叶开道："你呢，你不出去？"

傅红雪道："我为什么要出去？"

叶开道："外面有人在等你。"

傅红雪道："谁？"

叶开道："一个不是老太婆的老太婆。"

傅红雪皱眉道："他等我干什么？"

叶开道："等你去问他，为什么要暗算你。"

傅红雪的眼睛突然亮了，立刻大步走了出去。

其实他根本不必急着出去。

因为外面那个人，无论再等多久，都不会着急的。

死人永远不会着急。

西门春本就不是个很高大的人，现在似已缩成了一团。

他躺在柜台后的角落里，眼珠凸出，仿佛还带着临死时的愤怒和恐惧。

是谁杀了他？

他自己显然也未想到这个人会来杀他。

一根钢锥，插在他心口上，从创口流出的血，现在还未干透。

附近却没有人。

现在正是吃晚饭的时候了，本就很少有人还留在街上。

傅红雪站在那里，手脚已僵硬，直到听见叶开的脚步声时，才沉声问道："你说这人就是'无骨蛇'西门春？"

过了很久，叶开才吐出口气，道："是的。"

傅红雪道："我也知道他是个怎么样的人。"

叶开道："你应该知道。"

傅红雪道："他既没有反抗，也没有呼喊，就已被人杀了。"

叶开道："这是致命的一锥。"

傅红雪道："能这样杀他的人并不多。"

叶开道："很多。"

傅红雪皱眉道："很多？"

叶开突然长叹，道："无论谁都可以杀了他，因为他已根本没有反抗之力。"

傅红雪道："为什么？"

叶开苦笑道："我怕他不肯等你，所以先点了他的穴道。"

他忽又接着道："只不过，能杀他的人虽多，想杀他的人却不多，也许只有一个。"

傅红雪道："谁？"

叶开道："一个生怕你将他秘密问出来的人。"

傅红雪沉默了很久，道："他为什么要杀我？是谁要他来杀我的？……这就是他的秘密？"

叶开道："不错。"

傅红雪突然冷笑，然后就转身走了出去。

叶开道："你要到哪里去？"

傅红雪道："我走我的路，你为何不去走你自己的路呢？"

他头也不回，慢慢地走上了长街。

长街寂寂，对面窄门上的灯笼已燃起。

一阵风吹过，将那窄巷口点着的招租红纸吹得飞了起来。

风很冷，夜已将临，是不是秋天也快来了？

晚风中已有秋意，但屋子里却还是温暖如春。

在男人们看来，这地方仿佛永远都是春天。

角落里的桌子上，已有几个人在喝酒，暮色尚未浓，他们的酒意却已很浓了。

叶开刚坐下来，萧别离已将酒杯推过来，微笑道："莫忘记你答应过请我喝酒的。"

酒杯已斟满。

叶开微笑道："莫忘记你答应过可以挂账。"

萧别离笑道："无论谁答应过你的话，想忘记只怕都很难。"

叶开道："的确很难。"

萧别离道："所以你已可以放心喝酒了。"

叶开大笑，举杯一饮而尽，四下看了一眼，道："这里的客人倒真来得早。"

萧别离点点头，道："只要灯笼一亮，立刻就有人来。"

叶开道："所以我总怀疑他们是不是整天都在外面守着那盏灯笼的。"

萧别离又笑了笑，道："这种地方的确很奇怪，只要来过一两次的人，很快就会上瘾了，若是不来转一转，好像连觉都睡不着。"

叶开道："现在我已经上瘾了，今天我就已来了三次。"

萧别离笑道："所以我喜欢你。"

叶开道："所以你才肯让我挂账。"

萧别离大笑。

角落中那几个人都扭过头来看他，目中都带着惊讶之色。

他们到这地方来了至少已有几百次，却从未看过这孤僻的主人如此大笑。

但是他很快又顿住笑声，道："李马虎真的就是杜婆婆？"

叶开点点头。

萧别离道："我还是想不通，你究竟是怎么看出来的？"

叶开道："我没有看出来……我根本就什么也看不出来。"

萧别离道："但是你猜出来了。"

叶开道："我只不过觉得有些奇怪，西门春为什么要叫傅红雪到他那里去拿包袱。"

萧别离道："只有这一点？"

叶开道："我去的时候，又发觉他居然将傅红雪请到里面去吃饭。"

萧别离道："这并没有什么奇怪。"

叶开道："很奇怪。"

他接着又道："现在这地方每个人都已知道傅红雪是万马堂的对头，像他这么圆滑的人，怎么肯得罪万马堂？"

萧别离道："不错，他本该连那包袱都不肯收下来的。"

叶开道："但他却收了下来。"

萧别离道："所以他一定另有目的。"

叶开道："所以我才会猜她是杜婆婆。"

萧别离道："你没有猜错。"

叶开忽然叹了口气，道："幸好我没有猜错。"

萧别离道："为什么？"

叶开道："因为她已经被我吓死了。"

萧别离怔住。

叶开道："你想不到？"

萧别离叹了口气，道："西门春呢？"

叶开道："也死了。"

萧别离拿起面前的酒，慢慢地喝了下去，冷冷道："看来你的心肠并不软。"

叶开凝视着他，淡淡道："现在你是不是后悔让我挂账了。"

萧别离又叹了口气，道："我只奇怪，像他们这种人，怎么会到这种地方来，而且来了就没有走。"

叶开道："也许他们是避难，也许他们的仇家就是傅红雪。"

萧别离道："但他们来的时候，傅红雪还只是个小孩子。"

叶开道："那么他们为何要杀傅红雪？"

萧别离淡淡道："你不该杀了他们的，因为这句话只有他们才能回答你。"

叶开叹道："他们的确死得太早，也死得太快，只不过……"

萧别离道："只不过怎么样？"

叶开忽又笑了笑，悠然道："莫忘记死人有时也会说话的。"

萧别离道："他们说了什么？"

叶开道："现在还没有说，因为我还没有去问。"

萧别离道："为什么还不问？"

叶开道："我不急，他们当然更不会急。"

萧别离又笑了，凝视着叶开，微笑道："你实在也是个很奇怪的人。"

叶开道："和三老板一样奇怪……"

萧别离道："比他更怪……"

他这句话刚说完，外面突然响起一阵急骤的铜锣声，还有人在大呼："火，救火……"

火势猛烈。

起火的地方，赫然就是李马虎的杂货店。

火苗从后面那木板屋里冒出来，一下子就将整个杂货铺都烧着，烧得好快。

就算有人想隔岸观火都不行，因为这条街上的屋子，大多都是木板造的。

片刻间，整条街都已乱了起来，各式各样可以装水的东西，一下子全都出现了。

火光照着萧别离的脸，他苍白的脸也已被映红了，沉吟着道："看来那火是从杂货铺后面的厨房里烧起来的。"

叶开点点头。

萧别离道："你走的时候，是不是忘了熄灯？"

叶开道："那里根本还没有点灯。"

萧别离道："但炉子里想必还有火。"

叶开道："每家人的炉子里都有火。"

萧别离道："你认为有人放火？"

叶开笑了笑，道："我早该想到有人会放火的。"

萧别离道："为什么？"

叶开笑得很奇怪，淡淡道："因为死人烧焦了后，就真的永远不能说话了。"

他忽然抢过一个人手里提着的水桶，也抢着去救火了。

萧别离很快就已看不见他，但眼睛里却还是带着沉思之色。

他身旁忽然悄悄地走过来一个人，悄悄问道："你在想什么？"

萧别离并没有扭头去看，缓缓道："我刚得到个教训。"

这人道："什么教训？"

萧别离道："你若想要一个人不说话，只有将他杀了后再烧成焦炭。"

救火的人虽多，水源却不足。

幸好白天下过雨，屋子并不干燥，所以火势虽未被扑灭，总算还没有蔓延得太快。

叶开挤在救火的人丛中，目光就像鹰一样，在四下搜索。

放火的人通常也会混在救火的人丛里的，这也许因为他不愿被别人怀疑，也许因为他很欣赏别人救火的痛苦，很欣赏自己放的火。

这当然是种残酷而变态的心理，但放火的岂非就是残酷而变态的人？

只可惜这种人外表通常都很不容易看出来的。

叶开正觉得失望，忽然发觉有个人在后面用力拉他的衣襟。

他回过头，又发觉有个人很快地转过身，挤出了人群。

是个头戴着毡帽的青衣人。

叶开当然也很快地跟着挤了出去。

他挤出去后，还是只能看到这青衣人的背影。

叶开常常喜欢研究人的背影，他发现每个人的背影多多少少都有些特征，所以若要从一个人的背影认出他来，并不是件困难的事。

这青衣人的背影却像是完全陌生的。

他身材并不高大，行动却很敏捷，很快地就已走出了这条街。

忽然间，四下就已看不见别的人了。

繁星在天，原野静寂。

叶开大步追过去，轻唤道："前面的朋友是否有何指教？请留步说话。"

青衣人的脚步非但没停，反而更加快了，又走出一段路，就忽然一掠而起，施展的竟是"八步赶蝉"的上乘轻功。

这人的轻功非但很不错，身法也很美。叶开看见他宽大的衣袂在风中飞舞，忽又觉得他的身法很眼熟，却还是想不出在哪里见过这么样一个人。

走得愈远，夜色就愈浓。

叶开并没有急着追上去。

这青衣人若是真的不愿见他，刚才为什么要拉他的衣服？

这人若是本就想见人，他又何必急着去追？

风吹草原，长草间居然有条小径。

这人对草原中的地势显然非常熟悉，在草丛间东一转，西一转，忽然看不见了。

叶开却一点也不着急，就停下脚步，等着。

过了半晌，草丛中果然在低语。"你知道我是谁？"

叶开笑了笑，悠然低吟："天皇皇，地皇皇。人如玉，玉生香。万马堂中沈三娘。"

草丛中有人笑了，笑声轻柔而甜美。

一个人带着笑道："好眼力，有赏。"

叶开微笑道："赏什么？"

沈三娘道："赏你进来喝杯酒。"

第十九章

斩草除根

这荒凉的草原上，怎么会有喝酒的地方?

叶开走进去后才明白，沈三娘竟在这里建造了个小小的地室。

若不是她自己带你，你就算有一万人来找，也绝对找不到这地方。

这实在是个很奇妙的地方，里面非但有酒，居然还有张很干净的床，很精致的妆台，妆台上居然还摆着鲜花。

摆酒的桌子上，居然还有几样很精致的小菜。

叶开怔住。

沈三娘看着他，脸上带着笑，正是那种令人一见销魂的笑。

她微笑着道："你是不是很奇怪。"

叶开忽然也笑了笑，道："不奇怪。"

沈三娘道："不奇怪？"

叶开也在看着她，微笑道："像你这样的女人，无论做出什么样的事来，我都不会奇怪。"

沈三娘眼波流动，道："看来你的确是个很懂事的男人。"

叶开道："你也是个很懂事的女人。"

沈三娘道："所以我们就该像两个真正懂事的人一样，先坐下来喝杯酒。"

叶开眨了眨眼，道："然后呢？"

沈三娘又笑了，咬着嘴唇笑道："你既然是个懂事的男人，就不该在女人面前问这种话。"

叶开叹了口气，苦笑道："其实我只不过想听你说个故事。"

沈三娘道："什么故事？"

叶开道："神刀堂、万马堂的故事。"

沈三娘道：“你怎么知道我会说这故事？”

叶开又笑了笑，淡淡道：“我知道的事还不止这一样。”

沈三娘忽然不说话了。

灯光照着她的脸，使得她看来更美，但却是种很凄凉而伤感的美，就像是夏阳下的归鸿、残秋时的夕阳。

她慢慢地斟了杯酒，递给叶开。

叶开坐下。

风从上面的洞口吹过，灯光在摇晃，夜仿佛已很深了。

大地寂静，又有谁知道地下有这么样两个人，这么样坐在这里。

又有谁知道他们的心事？

沈三娘又为自己倒了杯酒，慢慢地喝下去，然后才缓缓道：“你知道神刀堂的主人是谁？”

叶开点点头。

沈三娘道：“你知道白先羽和马空群，本来是同生死、共患难的兄弟？”

叶开又点点头。

沈三娘道：“他们并肩作战，从关外闯到中原，终于使神刀堂和万马堂的名头响遍了武林。”

叶开道：“我也早已知道白老前辈是个很了不起的人。”

沈三娘叹了口气，黯然道：“就因为他是个了不起的人，所以后来才会死得那么惨。”

叶开道：“为什么？”

沈三娘道：“因为他使神刀堂一天天壮大，不但已渐渐压过了万马堂，江湖中也几乎没有别人能比得上了。”

叶开叹道：“我想他一定得罪了很多人。”

武林大豪的声名，本就是用血泪换来的。

沈三娘咬着牙，道：“他自己也知道江湖中一定有很多人恨他，但他却未想到最恨他的人，竟是他最要好的兄弟。”

叶开道：“马空群？”

沈三娘点点头，道：“他恨他，因为他知道自己比不上他。”

叶开道："难道他真的是死在马空群手下的？"

沈三娘恨恨道："当然还有别的人。"

叶开道："公孙断？"

沈三娘道："公孙断只不过是个奴才，就凭他们两个人，怎么敢动神刀堂，何况白夫人和白二侠也是不可一世的绝顶高手。"

她目中充满了怨毒之意，接着又道："所以那天晚上秘密暗算他们的人，至少有三十个。"

叶开动容道："三十个？"

沈三娘点点头，道："这三十个人想必也一定都是武林中的第一流高手。"

叶开道："你知道他们是谁？"

沈三娘长长叹息了一声，道："没有人知道……除了他们自己外，绝没有别人知道。"

她不让叶开问话，很快地接着又道："那天晚上雪刚停，马空群约了白大哥兄弟去赏雪，说是在城外的梅花庵，准备了一席很精致的酒菜。"

叶开很留意地听着，仿佛每个细节都不肯错过，所以立刻问道："梅花庵既然是出家人的清修之地，怎么会有酒菜？"

沈三娘冷笑道："这世上真正能做到四大皆空的出家人又有几个？"

叶开点点头，替她倒了杯酒。

他了解她的心情。

像她这种人，对世上任何事的看法当然都难免比较尖刻。

沈三娘喝完了这杯酒，才接着说道："那天白大哥的兴致也很高，所以将他一家人全都带去了，谁知道……谁知道马空群要他们去赏的并不是白的雪，而是红的雪！"

她拿着酒杯的手已开始颤抖，明亮的眼睛也已发红了。

叶开的脸色也很沉重，道："马空群是不是已安排好那三十个人埋伏在梅花庵里等着他？"

沈三娘点点头，凄然道："就在那天晚上，白大哥兄弟两家，大小十一口人，全都惨死在梅花庵外，竟没有留下一个活口。"

叶开也不禁黯然，长叹道：“斩草除根，寸草不留，他们的手段好毒！”

沈三娘轻拭着眼角的泪痕，道：“最惨的是白大哥夫妇，他们纵横一生，死的时候竟连首级都无法保存，连他那才四岁大的孩子，都惨死在剑下。”

她又替自己倒了杯酒，很快地喝了下去，道：“但暗算他们的那三十多个蒙面刺客，也被他们手刃了二十多个。”

叶开道：“马空群左掌那四根手指，想必也是被他削断了的。”

沈三娘恨恨道：“若不是他趁白大哥不备时先以金刚掌力重创了白大哥的右臂，那天晚上他们只怕还休想得手。”

叶开道：“金刚掌？”

沈三娘道：“马空群也是个了不起的人才，他右手练的是破山拳，左手练的却是金刚掌，据说这两种功夫都已被他练到了九成火候。”

叶开道：“白大侠呢？”

沈三娘的眼睛里立刻又发出了光，道：“白大哥惊绝天下，无论武功、机智、胆识，世上都绝没有任何人能比得上他。”

你只要看着她的眼睛，就可以知道她对她的白大哥是多么崇敬佩服。

叶开长长叹息，黯然道：“为什么千古以来的英雄人物，总是要落得个如此悲惨的下场？”

他也举杯一饮而尽，才接着说道：“白大侠满门惨死之后，马空群自然就将责任推到那些蒙面刺客身上。”

沈三娘冷笑道：“最可恨的是，他还当众立誓，说他一定要为白大哥报仇。”

叶开道：“那三十个刺客之中，能活着回去的还有几个？”

沈三娘道：“七个。”

叶开道：“没有人知道他们是谁？”

沈三娘道：“没有。”

叶开叹道：“他们自己当然更不肯说出来，马空群只怕再也没有想到这秘密也会泄漏。”

沈三娘道：“他做梦也没想到。”

叶开苦笑道："其实连我也想不通，这秘密是怎么泄漏的。"

沈三娘沉吟着，终于缓缓道："活着的那七个人之中，有一个突然天良发现，将这秘密告诉了一位白凤夫人。"

叶开道："这种人也有天良？"

沈三娘道："他本来也已将死在白大哥刀下，但白大哥却从他的武功上认出了他，念在他做人还有一点好处，所以刀下留情，没有要他的命。"

叶开道："这人是谁？"

沈三娘叹道："白凤夫人已答应过他，绝不将他的姓名泄漏。"

叶开道："他做人有什么好处？"

沈三娘道："若是说出了他这点好处，只怕人人都知道他是谁了。"

叶开道："白大侠对他的武功如此熟悉，难道他竟是白大侠的朋友？"

沈三娘恨恨道："马空群难道不是白大哥的朋友？那三十个蒙面刺客，也许全都是白大哥的朋友。"

叶开叹道："看来朋友的确比仇敌还可怕。"

沈三娘道："可是白大哥饶了他一命之后，他回去总算还是天良发现，否则白大哥只怕就要永远冤沉海底了。"

叶开道："他没有说出另外六个人是谁？"

沈三娘道："没有。"

叶开道："为什么不说？"

沈三娘道："因为他也不知道。"

她接着道："马空群一向是个很谨慎、很仔细的人，他选择这三十个人做暗算白大哥的刺客，当然仔细观察过他们很久，知道他们都必定在暗中对白大哥怀恨在心。"

叶开道："想必如此。"

沈三娘道："但这三十个人却都是和马空群直接联系的，谁都不知道另外的二十九个人是谁。"

叶开道："江湖中的一流高手，大多都有他们独特的兵刃和武功，这人多少总该看出一点线索来。"

沈三娘道："行刺的那天晚上，这三十个人不但全都黑衣蒙面，甚至将他们惯用的兵刃也换过了，何况，这个人当然也很了解白大哥武功的可怕，行刺时心情当然也紧张得很，哪有功夫去注意别人。"

叶开垂下头，沉吟着，忽又问道："那位白凤夫人又是谁？"

沈三娘长长叹息，凄然道："她……她是个很了不起的女人，也是个很可怜的女人，她虽然既聪明又美丽，但命运却比谁都悲惨。"

叶开道："为什么？"

沈三娘道："因为她喜欢的男人不但是有妇之夫，而且是那一门的对头。"

叶开道："对头？"

沈三娘道："她本是魔教中的大公主。"

叶开动容道："魔教？"

沈三娘黯然道："三百年来，武林中无论哪一门哪一派的人，提起魔教两个字来，没有不头疼的。其实魔教中的人也是人，也有血有肉，而且，只要你不去犯他们，他们也绝不会来惹你。"

叶开苦笑道："我总认为魔教只不过是种荒唐神秘的传说而已，谁知道世上竟真有它存在。"

沈三娘道："近二十多年来，魔教中人的确已没人露过面。"

叶开道："为什么？"

沈三娘道："因为魔教教主在天山和白大哥立约赌技，输了一招，发誓从此不再入关。"

叶开叹："白大侠当真是人中之杰，当真是了不起。"

沈三娘幽幽地道："只可惜你晚生了二十年，没有见着他。"

叶开道："但他当年的雄姿英发，现在我还一样能想象得到。"

沈三娘看着他，眼睛里露出一抹温柔之意，像是想说什么，又忍住了。

她又喝了杯酒，才接着道："就因为天山这一战，所以魔教中上上下下，都将白大哥当作不共戴天的大对头。"

叶开叹道："魔教中的人，气量果然未免偏狭了一些。"

沈三娘说道："白凤夫人就是那魔教教主的独生女儿。"

叶开道："但她却爱上了白大侠。"

沈三娘点点头，道："就为了白大哥，她不惜叛教出走。"

叶开道："她知道白大侠已有妻子？"

沈三娘道："她知道，白大哥从没有欺骗过她，所以她才动了真情。"

叶开长叹道："你若要别人真情对你，你也得用自己的真情换取。"

沈三娘的目光又变得温柔起来，轻轻道："她明知白大哥不能常去看她，但她情愿等，有时一年中她甚至只能见到白大哥一面，但她已心满意足。"

叶开的眼睛仿佛遥视着远方，过了很久，才问道："白大侠的夫人想必不知道他们这段情感。"

沈三娘道："她至死都不知道，因为白大哥虽然是一世英雄，但对他这位夫人却带着三分畏惧，所以才苦了我们的白凤姑娘。"

叶开叹息着，道："我明白。"

他的确明白。女人最悲惨的事，就是爱上了一个她本不该去爱的男人。

沈三娘凄然道："最惨的是，那时她已有了白大哥的孩子。"

叶开迟疑着，终于忍不住问道："你说的这孩子是不是……"

沈三娘道："这孩子就是傅红雪。"

叶开动容道："他果然是来找马空群复仇的！"

沈三娘点点头，目中又有了泪光，黯然道："为了这一天，她们母子也不知吃了多少苦。"

叶开道："白凤夫人难道从未去向她的父亲请求帮助？"

沈三娘道："她也是个很倔强的女人，从不要别人可怜她，何况，魔教中人既然对白大哥恨之彻骨，又怎么会帮她复仇。"

叶开叹道："她既然本是魔教中的公主，当然也不会有别的朋友。"

沈三娘道："所以她只有全心全意地来教养她的孩子，希望他能够为白大哥洗雪这血海深仇。"

叶开道："看来她的儿子并没有令她失望。"

沈三娘道："他现在的确已可算是绝顶高手，我敢说天下已没有几个人能比得上，但又有谁知道，他为了练武曾经吃过多少苦？”

叶开道：“无论做什么事，若想出人头地，都一样要吃苦的。”

沈三娘凝视着他，忽然问道：“你呢？”

叶开笑了笑，道：“我？……”

他的笑容中似也带着些悲伤，过了很久，才接着道：“我总比他好，因为从来也没有人管我。”

沈三娘道：“没有人管真是件幸运的事么？”

叶开又笑了笑。

他只笑了笑，什么都没有说。

沈三娘轻轻叹息，柔声道：“我相信你有时也必定希望有个人来管管你的，没有人管的那种痛苦和寂寞，我很明白。”

叶开忽然改变话题，道：“这件事的大概情况，我已明白了。”

沈三娘道：“我说的本来就很详细。”

叶开道：“但你却忘了说一件事。”

沈三娘道：“什么事？”

叶开道：“你自己。”

他凝视着沈三娘，缓缓道：“你究竟是什么人，和这件事又有什么关系。”

沈三娘沉默了很久，才缓缓道：“马空群以为我是白凤夫人的妹妹，其实他错了。”

叶开道：“哦？”

沈三娘凄然一笑，道：“我本来也是魔教中的人，但却只不过是白凤夫人身边的一个小丫头而已。”

叶开道：“傅红雪认得你？”

沈三娘摇摇头道：“他不认识我，他很小的时候，我就离开了白凤夫人。”

叶开道：“为什么？”

沈三娘道：“因为我要找机会，混入万马堂去刺探消息。”

叶开道：“要查出那六个人是谁？”

沈三娘道：“最主要的，当然是这件事。”

叶开道：“你没有查出来？”

沈三娘道："没有。"

她目中又露出悲愤沉痛之色，黯然接着道："所以这几年我都是白活的。"

叶开看着她，道："你只不过是白凤夫人的丫环，但却也为了这段仇恨，付出了你这一生中最好的十年生命？"

沈三娘道："因为她一向对我很好，一向将我当作她的姐妹。"

叶开道："没有别的原因？"

沈三娘垂下头，过了很久，才轻轻道："这当然也因为白大哥一向是我最崇拜的人。"

她忽又抬起头，盯着叶开，道："你好像一定要每件事都问个明白才甘心。"

叶开道："我本来就是个喜欢刨根挖底的人。"

沈三娘眼睛里的表情忽然变得奇怪，盯着他道："所以你也常常喜欢躲在屋顶上偷听别人说话。"

叶开笑了，道："看来你好像也要将每件事都问得清清楚楚才甘心。"

沈三娘咬着嘴唇，道："但那天晚上，屋子里的女人并不是我。"

叶开看着她，眼睛里的表情也变得很奇怪，过了很久，才慢慢地问道："不是你是谁？"

沈三娘道："是翠浓。"

叶开的眼睛突然亮了，直到现在他才明白，傅红雪看着他要拉翠浓时，脸上为什么会露出愤怒之色。

沈三娘慢慢地为他倒了杯酒，道："所以那天晚上和你在一起的女人，就不是翠浓。"

叶开道："不是翠浓是谁？"

沈三娘眼波忽然变得雾一样的朦胧，缓缓地道："随便你要将谁当成她都行，只要不是翠浓……"

叶开长叹了一声，道："我明白了。"

沈三娘柔声道："谢谢你。"

叶开问道："但我又有点不明白，你为什么要这样做？"

沈三娘垂下头，垂得很低，好像不愿再让叶开看到她脸上的表情。

又过了很久，她才叹息着，黯然道："为了复仇，我做过很多不愿做的事！"

叶开道："也许每个人都做过一些他本来不愿做的事。"

沈三娘道："但这一次我却不愿再做。"

叶开眼睛里充满了同情，道："你当然不是为了自己。"

沈三娘道："我的确是怕害了他，他和我这种女人本不该有任何关系，只不过……我也是为了我自己。"

叶开道："哦？"

沈三娘用力咬着嘴唇，道："我已尽了我的力，现在我再也不愿碰一碰我不喜欢的男人。"

第二十章

一醉解千愁

叶开举杯饮尽，酒似已有些发苦。

他当然也了解一个女人被迫和她们憎恶的男人在一起时，是件多么痛苦的事。

沈三娘忽然抬起头来，掠了掠鬓边的散发，道："我这一生中，从未有过我真正喜欢的男人，你信不信？"

她眼波蒙眬，似已有了些酒意。

叶开轻轻叹息，只能叹息。

沈三娘道："其实马空群对我并不错，他本该杀了我的。"

叶开道："为什么？"

沈三娘道："因为他早已知道我是什么人。"

叶开道："可是他并没有杀你。"

沈三娘点点头，道："所以我本该感激他的，但是我却更恨他。"

她用力握紧酒杯，就好像已将这酒杯当作马空群的咽喉。

樽已空。

叶开将自己杯中的酒，倒了一半给她。

然后她就将这杯酒喝了下去，喝得很慢，仿佛对这杯酒十分珍惜。

叶开凝视着她，缓缓道："我想你现在一定永远再也不愿见到马空群。"

沈三娘道："我不能杀他，只有不见他。"

叶开柔声道："但你的确已尽了你的力。"

沈三娘垂着头，凝视着手里的酒杯，忽然道："你知不知道我为什么要告诉你这些事？"

叶开笑了笑，道："因为我是个懂事的男人？"

沈三娘柔声道："你也是个很可爱的男人，若是我年轻，一定会勾引你。"

叶开凝视着她，道："你现在也并不老。"

沈三娘也慢慢地抬起头，凝视着他，嘴角又露出那动人的微笑，幽幽地说道："就算还不老，也已经太迟了……"

她笑得虽美，却仿佛带着种无法形容的苦涩之意。

一种比甜还有韵味的苦涩之意。

一种凄凉的笑。

然后她就忽然站起来，转过身，又取出一樽酒，带着笑道："所以现在我只想你陪我大醉一次。"

叶开轻轻叹了口气，道："我也有很久未曾真的醉过。"

沈三娘："可是在你还没有喝醉以前，我还要你答应我一件事。"

叶开道："你说。"

沈三娘说道："你当然看得出傅红雪是个怎么样的人。"

叶开点点头，道："我也很喜欢他。"

沈三娘道："他的智慧很高，无论学什么，都可以学得很好，但他却又是个很脆弱的人，有时他虽然好像很坚强，其实却只不过是在勉强控制着自己，那打击若是再大一点，他就承受不起。"

叶开在听着。

沈三娘道："他杀公孙断的时候，我也在旁边，你永远想不到他杀了人后有多么痛苦，我也从未看过吐得那么厉害的人。"

叶开道："所以你怕他……"

沈三娘道："我只怕他不能再忍受那种痛苦，只怕他会发疯。"

叶开叹道："但他却非杀人不可。"

沈三娘叹了口气，道："可是我最担心的，还是他的病。"

叶开皱眉道："什么病？"

沈三娘道："一种很奇怪的病，在医书上叫癫痫，也就是通常所说的羊癫疯，只要这种病一发作，他立刻就不能控制自己。"

叶开面上也现出忧郁之色，道："我看过这种病发作的样子。"

沈三娘道："最可怕的是，谁也不知道他这种病要在什么时候发作，连他自己都不知道，所以他心里永远有一种恐惧，所以他永远都是紧张的，永远不能放松自己。”

叶开苦笑道：“老天为什么要叫他这种人得这种病呢？”

沈三娘道：“幸好现在还没有别人知道他有这种病，马空群当然更不会知道。”

叶开道：“你能确定没有别人知道。”

沈三娘道：“绝没有。”

她的确很有信心，因为她还不知道傅红雪的病最近又发作过一次，而且偏偏是在马芳铃面前发作的。

叶开沉吟道：“他若紧张时，这种病发作的可能是不是就比较大？”

沈三娘道：“我想是的。”

叶开道：“他和马空群交手时，当然一定会紧张得很。”

沈三娘叹道：“我最怕的就是这件事，那时他的病若是突然发作……”

她嘴唇突然发抖，连话都已说不下去——非但不敢再说，连想都不敢去想。

叶开又替她倒了杯酒，道：“所以你希望我能在旁边照顾着他。”

沈三娘道：“我并不只是希望，我是在求你。”

叶开道：“我知道。”

沈三娘道：“你答应？”

叶开的目光仿佛忽然又到了远方，过了很久，才缓缓道：“我可以答应，只不过，现在我担心的并不是这件事。”

沈三娘道：“你担心的是什么？”

叶开道：“你知不知道他回去还不到一个时辰，已有两个人要杀他。”

沈三娘动容道：“是什么人？”

叶开道：“你总该听说过‘断肠针’杜婆婆，和‘无骨蛇’西门春。”

沈三娘当然听说过。

她脸色立刻变了，喃喃道：“奇怪，这两人为什么要杀他？”

叶开道：“我奇怪的也不是这一点。”

沈三娘道：“你奇怪的又是什么？”

叶开沉思着，道：“我刚说起他们很可能也在这地方，他们就立刻出现了。”

沈三娘道：“你是不是觉得他们出现得太快？太恰巧？”

叶开道：“不但出现太快，就仿佛生怕别人要查问他们的某种秘密，所以自己急着要死一样。”

沈三娘道：“不是你杀了他们的？”

叶开笑了笑，道：“我至少并不急着要他们死。”

沈三娘道：“你认为是有人要杀了他们灭口？”

叶开道：“也许还不止这样简单。”

沈三娘道：“你的意思我懂。”

叶开道：“也许死的那两个人，并不是真的西门春和杜婆婆。”

沈三娘道：“你能不能说得再详细些？”

叶开沉吟着，道：“他们当然是为了一种很特别的理由，才会躲到这里来的。”

沈三娘道：“不错。”

叶开道：“他们躲了很多年，已认为没有人会知道他们的下落。”

沈三娘道：“本就没有人知道他们的下落。”

叶开道：“但今天我却忽然对人说，他们很可能就在这地方。”

沈三娘道：“你怎么知道的？”

叶开又笑了笑，淡淡道：“我知道很多事。”

沈三娘叹道：“也许你知道的已太多。”

叶开道：“我既然已说出他们很可能在这里，自然就免不了有人要去找。”

沈三娘道：“他们怕的并不是别人，而是你，因为他们想不通你怎会知道他们在这里，也猜不透你还知道些什么事。”

叶开道：“他们生怕自己的行踪泄露，所以就故意安排了那两个人出现，而且想法子让我认为这两个人就是杜婆婆和西门春。”

沈三娘道：“想什么法子？”

叶开道：“有很多法子，最简单的一种，就是叫一个人用断肠针去杀人。”

沈三娘道："断肠针是杜婆婆的独门暗器，所以你当然就会认为这人是杜婆婆。"

叶开道："不错。"

沈三娘道："若要杀人，最好的对象当然就是傅红雪。"

叶开道："这也正是他们计划中最巧妙的一点。"

沈三娘道："那两人若能杀了傅红雪，当然很好，就算杀不了傅红雪，也对他们这计划没有妨碍。"

叶开道："对极了。"

沈三娘道："等到他们出手之后，那真的杜婆婆和西门春就将他们杀了灭口，让你认为杜婆婆和西门春都已死了。"

叶开道："谁也不会对一个死了的人有兴趣，以后当然就绝不会有人再去找他们。"

沈三娘眨着眼，道："只可惜有种人对死人也一样有兴趣的。"

叶开微笑道："世上的确有这种人。"

沈三娘道："所以他们只杀人灭口一定还不够，一定还要毁尸灭迹。"

叶开叹了口气，道："我常听人说，漂亮的女人大多都没有思想，看来这句话对你并不适用。"

沈三娘嫣然一笑，道："有人说，会动脑筋的男人，通常都不会动嘴，看来这句话对你也不适用。"

叶开也笑了。

现在他们本不该笑的。

沈三娘道："其实我也还有几件事想不通。"

叶开道："你说。"

沈三娘道："死的若不是杜婆婆和西门春，他们是谁呢？"

叶开道："我只知道其中有个人的武功相当不错，绝不会是无名之辈。"

沈三娘道："但你却不知道他是谁。"

叶开道："也许我以后会知道的。"

沈三娘看着他道："只要你想知道的事，你就总是能知道！"

叶开笑道："这也许只因为我本就是个很有办法的人。"

沈三娘道："那么你想必也该知道，杜婆婆和西门春是为什么躲到这里来的。"

叶开道："你说呢？"

沈三娘的表情忽然变得很严肃，一字字道："那三十个刺客中活着的还有七个，也许我们现在已找出两个来。"

叶开的表情也严肃起来，道："这是件很严重的事，所以你最好不要太快下判断。"

沈三娘慢慢地点了点头，道："我可不可以假定他们就是？"

叶开叹了口气，叹气有时也是种答复。

沈三娘道："他们若是还没有死，当然一定还在这地方。"

叶开道："不错。"

沈三娘道："这地方的人并不多。"

叶开道："也不太少。"

沈三娘道："以你看，什么人最可能是西门春？什么人最可能是杜婆婆？"

叶开道："我说过，这种事无论谁都不能太快下判断。"

沈三娘道："但只要他们还没有死，就一定还在这地方。"

叶开道："不错。"

沈三娘道："他们既然可以随时找两个人来做替死鬼，这地方想必一定还有他们的手下。"

叶开道："不错。"

沈三娘道："这些人随时随地都可能出现，来暗算傅红雪？"

叶开叹息着点了点头。

沈三娘道："你所担心的，也正是这一点？"

叶开沉吟着，道："以他的武功，这些人当然不是他的对手。"

沈三娘也点了点头。

叶开道："他既然是魔教中大公主的独生子，旁门杂学会的自然也不少。"

沈三娘道："实在不少。"

叶开道："但他却缺少一样事。"

沈三娘道："哪样事？"

叶开道：“经验。”

他慢慢地接着道：“在他这种情况中，这正是最重要的一件事，却又偏偏是谁也没法子教他的。”

沈三娘道：“所以……”

叶开道：“所以你应该去告诉他，真正危险的地方并不是万马堂，真正的危险就在这小镇上，而且是他看不见，也想不到的。”

沈三娘沉思着，道：“你认为马空群早已在镇上布好了埋伏？”

叶开道：“你说过，他是个很谨慎的人。”

沈三娘道：“他的确是。”

叶开道：“可是现在他身边却已没有一个肯为他拼命的人。”

沈三娘道：“公孙断的死，对他本就是个很大的打击。”

叶开道：“一个像他这么谨慎的人，对自己一定保护得很好，公孙断就算是他最忠诚的朋友，他也绝不会想要倚靠公孙断来保护他。”

沈三娘冷冷道：“公孙断本就不是个可靠的人。”

叶开道：“他当然比你更了解公孙断。”

沈三娘道：“所以你认为他一定早已另有布置？”

叶开笑了笑，道：“他若非早已有了对付傅红雪的把握，现在怎么会还留在这里。”

沈三娘道：“难道你认为傅红雪已完全没有复仇的机会？”

叶开道：“假如他只想杀马空群一个人，也许还有机会。”

沈三娘道：“假如他还想找出那六个人呢？”

叶开道：“那就很难了。”

沈三娘凝视着他，忽然叹了口气，道：“你究竟是在替我们担心？还是为马空群来警告我们的？现在我已渐渐分不清了。”

叶开淡淡道：“你真的分不清？”

沈三娘道：“你虽然说出了很多秘密，但仔细一想，这些秘密我们却连一点用都没有。”

叶开道：“哦？”

沈三娘道：“我若真的将这些话告诉傅红雪，他只有更紧张，更担心，更容易遭人暗算。”

叶开道：“你可以不告诉他。”

沈三娘盯着他的眼睛，像是想从他眼睛里看出他心里的秘密。

可是她什么也没有看见。

她忍不住又长叹了一声，道："现在我只想知道，你究竟是什么人？"

叶开又笑了，淡淡道："问我这句话的人，你已不是第一个。"

沈三娘道："从来没有人知道你的来历？"

叶开道："那只因连我自己都忘了。"

他举起酒杯，微笑道："现在我只记得，我答应过要陪你大醉一次的。"

沈三娘眼波流动，道："你真的想喝醉？"

叶开笑得仿佛有些伤感，缓缓道："我不醉又能怎么样呢？"

于是叶开醉了，沈三娘也醉了。

他醒来的时候，却已剩下他自己一个人。

空樽下压着张素笺，是她留下来的。

笺上只有一行字，是用胭脂写的，红得就像是血："夜晚在这里陪你喝酒的女人也不是我。"

樽旁还有胭脂。

于是叶开又加了几个字："昨夜我根本就不在这里。"

不醉又能怎么样呢？还是醉了的好。

凌晨。

轻烟般的晨雾刚刚从长草间升起，东方的穹苍是淡青色的，其余的部分带着神秘的银灰色。

长草碧绿。

叶开走出来，长长吸了口气，空气新鲜而潮湿。

草原尚未苏醒，看不见人，也听不见声音，一种奇妙的和平宁静，正笼罩着大地。

马芳铃现在想必还在沉睡，年轻人很少会连续失眠两个晚上的。

他们的忧郁通常总是无法抗拒他们的睡意。

老年人就不同了。

叶开相信马空群是绝对睡不着的。

像他这种年纪的人，经过这么多事之后，能睡着除非是奇迹。

他在干什么？

是在悲悼着他的伙伴？还是在为自己忧虑？

萧别离现在想必也该回到他的小楼上，也许正在喝他临睡前最后的一杯酒。

丁求是不是也在那里陪他喝？

傅红雪呢？

他是不是找得着能容他安歇一夜的地方？

最让叶开惦记的，也许还是沈三娘。

他实在想不出她还有什么地方可去，但却相信像她这样的女人，无论在什么情况下，总会有地方可去的。

除非她已迷失了自己。

也不知从哪里飞来一只秃鹰，在银灰色的穹苍下盘旋着。

它看来疲倦而饥饿。

叶开抬起头，看着它，目中带着深思之色，喃喃道："你若想找死人，就来错地方了，这里既没有死人，我也还没有死。"

他眨眨眼，忽然笑了笑，道："要找死人，就得到有棺材的地方，是不是？"

鹰低唳，仿佛在问他："棺材呢？棺材呢？……"

第二十一章

无鞘之剑

火熄了。

李马虎的杂货店，已烧成一片焦土；隔壁那“专卖猪牛羊三兽”的屠户和那小面馆，灾情也同样惨重。

那条窄巷里的木屋，也烧得差不多了。

一些被抢救出来的零星家具，还杂乱地堆在路旁，几只破水桶正随风滚动着，也不知它们的主人到底是谁？

焦木还是湿淋淋的，火势显然刚灭不久，甚至连风中都带着焦味。

边城中的人本来起得很早，现在街上却看不见人影，想必是因为昨夜救火劳累，现在正蒙头大睡。

本已荒僻的小镇，看来更凄凉悲惨。

叶开慢慢地走上这条街，心里忽然觉得有种负罪的感觉。

无论如何，若不是他，这场火就不会烧起来，他本该提着水桶来救火的。

但昨天晚上，他提着的却是酒壶。

这一场大火后，镇上有多少人将无家可归？

叶开长长叹息了一声，不禁想起了那小面馆的老板张老实。

张老实真的是个老实人，他不但是这小面馆的老板，也是厨子和伙计，所以一年到头，身上总是围着块油腻腻的围裙，从早上一直忙到天黑，赚来的却连个老婆都养不起。

但他还是整天笑嘻嘻的，你就算只去吃他一碗三文钱的阳春面，他还是拿你当财神爷一样照顾。

所以他煮的面就算像糨糊，也从来没有人埋怨过半句。

现在面馆已烧成平地，这可怜的老实人以后怎么办呢？

隔壁杀猪的丁老四，虽然也是个光棍，情况却比他好多了。

丁老四还可以到萧别离的店里去喝几杯，有时甚至还可以在那里睡一觉。

再过去那家棉花行，居然没有被烧到，竟连外面挂着的那“精弹棉花，外卖雕漆器皿”的大招牌，也还是完整无缺的。

“清水锦绸细缎、工夫作针”。

“精制纨扇、雨具、自捍伏天绒被”。

除了萧别离外，镇上就数这三家店最殷实，就算被火烧一烧也没关系。

但他们却偏偏全都没有被烧到。

叶开苦笑着，正想找个人去问问张老实他们的消息，想不到却先有人来找他了。

窄门上的灯笼，居然还是亮着的。

一个人突然从里面伸出半个身子来，不停地向叶开招手。

这人白白的脸，脸上好像都带着微笑，正是那绸缎行的老板福州人陈大倌。

镇上没有人比他更会做生意，也没有人比他更不得人缘了。

叶开认得他。

这地方只要是开门做生意的人，叶开已差不多认得。

他认为没事的时候找这些人聊聊，总会有些意想不到的收获。

他现在就想不出陈大倌找他干什么？

但他还是走了过去，脸上又故意做出微笑，还没有开口问他，陈大倌的头已缩了回去。

门却开了。

叶开只好走进去，忽然发现他认得的人竟几乎全在这地方，萧别离反而偏偏不在。

除了陈大倌外，每个人的脸色都很沉重，面前的桌子上既没有菜，也没有酒。

他们显然不是请叶开来喝酒的。

天色还没有大亮，屋里也没有燃灯，这些人一个个铁青着脸，瞪着一双双睡眠不足的眼睛，态度一点也不友善。

“难道他们已知道那场火是我惹出来的？”

叶开微笑着，几乎忍不住想要问问他们，是不是想找他来算账的？

他们的确要找人算账，只不过要找的并不是他，是傅红雪。

“自从这姓傅的一来，灾祸也跟着来了。”

“他不但杀了人，而且还要放火。”

“火起之前，有个人亲眼看见他去找李马虎的。”

“他到这里来，为的好像就是要给我们罪受。”

“他若不走，我们简直活不下去。”

说话的人除了陈大倌和棉花行的宋老板外，就是丁老四和张老实，这一向不大说话的老实人，今天居然也开了口。

每个人提起傅红雪，都咬牙切齿的，好像恨不得咬下他一块肉。

叶开静静地听着，等他们说完了，才淡淡问道：“各位准备对他怎么样？”

陈大倌叹了口气，接着说道：“我们本来准备请他走的，但他既然来了，当然不肯就这样一走了之，所以……”

叶开道：“所以怎么样？”

张老实抢着道：“他既然要我们活不下去，我们也要他活不下去。”

丁老四一拳重重地打在桌上，大声道：“我们虽然都是安分守己的良民，但惹急了我们，我们也不是好惹的。”

宋老板捧着水烟袋，摇着头道：“狗急了也会跳墙，何况人呢？”

叶开慢慢地点了点头，好像觉得他们说的话都很有道理。

陈大倌又叹了口气，道：“我们虽然想对付他，只可惜心有余而力不足。”

宋老板叹了口气，道：“像我们这种老实人，当然没法子和杀人的凶手去拼命。”

陈大倌道：“幸好我们总算还认得几个有本事的朋友。”

叶开道：“你说的是三老板？”

陈大倌道：“三老板是有身份的人，我们怎敢去惊动他？”

叶开皱了皱眉，道：“除了三老板外，我倒想不出还有谁是有本事的人了。”

陈大倌道："是个叫小路的年轻人。"

叶开道："小路？"

陈大倌道："这人虽年轻，但据说已是江湖中第一流的剑客。"

宋老板悠然道："据说他在去年一年里，就杀了三四十个人，而且杀的也都是武林高手。"

张老实咬着牙，道："像他这种杀人的凶手，就得找个同样的人来对付他。"

陈大倌道："这就叫以眼还眼，以牙还牙。"

叶开沉吟着，忽然问道："你们说的小路，是不是道路的路？"

陈大倌道："不错。"

叶开道："是不是路小佳？"

陈大倌道："就是他。"

宋老板慢慢地吐出口气道："叶公子莫非也认得他？"

叶开笑了，道："我听说过，听说他的剑又狠又快。"

宋老板也笑了，道："这两年来，江湖中没有听说过他的人，只怕不多。"

叶开道："的确不多。"

宋老板道："听说连昆仑山的神龙四剑和点苍的掌门人都已败在他的剑下。"

叶开点点头，说道："宋老板好像对他的事熟悉得很。"

宋老板又笑了笑，悠然道："好教叶公子得知，这位了不起的年轻人，就是我一门远亲的大少爷。"

叶开道："他来了？"

宋老板道："总算他还没有忘记我这个穷亲戚，前两天才托人带了信来，所以，我才知道他就在这附近。"

丁老四抢着道："所以昨天晚上我们已找人连夜赶去谈了。"

宋老板道："若是没有意外，今天日落之前，他想必就能赶到这里。"

张老实捏紧拳，恨声道："那时我们就得要傅红雪的好看了。"

叶开听着，忽又笑了笑，道："这件事各位既已决定，又何必告诉我？"

陈大倌笑道："叶公子是个明白人，我们一向将叶公子当作自己的朋友。"

他好像生怕叶开开口说出难听的话，所以赶紧又接着解释道："但我们也知道叶公子对那姓傅的一向不错。"

叶开道："你们是不是怕我又来多管闲事？"

陈大倌道："我们只希望叶公子这次莫要再照顾他就是。"

张老实道："我是个老实人，只会说老实话。"

叶开道："你说。"

张老实道："你最好能帮我们的忙杀了他，你若不帮我们，至少也不能帮他，否则……"

叶开道："否则怎么样？"

张老实站起来，大声道："否则我就算打不过你，也要跟你拼命。"

叶开大笑，道："好，果然是老实话，我喜欢听老实话。"

张老实大喜道："你肯帮我们？"

叶开道："我至少不帮他。"

陈大倌松了口气，赔笑道："那我们就已感激不尽了。"

叶开道："我只希望路小佳来的时候，你们能让我知道。"

陈大倌道："当然。"

叶开叹息着，喃喃道："我实在早就想看看这个人了，还有他那柄剑……"

突听一人道："据说他那柄剑也很少给人看的。"

这是萧别离的声音。

他的人还在楼梯上，声音已先传了下来。

叶开抬起头，笑了笑，道："他的剑是不是也和傅红雪的刀一样？"

萧别离也在微笑着，道："只有一点不同。"

叶开道："哪一点？"

萧别离道："傅红雪的刀还杀三种人，他的剑却只杀一种。"

叶开道："只杀哪种人？"

萧别离道："活人！"

他慢慢地走下楼，苍白的脸上带着种惨淡的笑容，接着道："他和傅红雪不同，在他看来，世上只有两种人，活人和死人。”

叶开道：“只要是活人他都杀？”

萧别离叹了口气，道：“至少我还未听说他剑下有过活口。”

叶开也叹了口气，道：“现在，我只想知道一件事了。”

萧别离道：“什么事？”

叶开说道：“不知道是他的剑快？还是傅红雪的刀快？”

这件事也正是每个人都想知道的。

阳光已升起。

镇上的地保赵大，正在指挥着他手下的几个兄弟清理火场。

屋子里的人都已走出来，站在屋檐下看着，发表着议论。

萧别离和叶开却还留在屋子里。

叶开从窗口看着外面的人，微笑道：“想不到赵大做事倒很卖力。”

萧别离道：“他当然应该卖力。”

叶开道：“哦。”

萧别离道：“镇上人人都知道李马虎并不马虎，他干了十来年，据说已存下上千两的银子。”

叶开沉吟着，道：“银子是烧不化的。”

萧别离道：“他也没有后人。”

叶开道：“所以只要能找得出那些银子来，就是地保的。”

萧别离笑道：“难怪他们都说你是个明白人。”

叶开道：“他们说的话你全都听见了？”

萧别离叹道：“这些人说起话来，好像就生怕别人听不见。”

叶开道：“这就难怪你睡不着了，我本来还以为有人陪你在楼上喝酒哩。”

萧别离目光闪动，道：“你以为是丁求？”

叶开笑了笑，拉开张椅子坐下去。

萧别离道：“你想找他？”

叶开道：“说老实话，我真正想要找的人就是傅红雪。”

萧别离道：“你不知道他在哪里？”

叶开道：“你知道？”

萧别离想了想，道："他当然不会离开这地方。"

叶开笑道："只怕连鞭子都赶不走。"

萧别离道："但他在这里却已很难再找得到欢迎他的人。"

叶开道："看来的确不容易。"

萧别离沉吟着，缓缓道："只不过有些地方既没有主人，门也从来不关的。"

叶开道："譬如说哪些地方？"

萧别离道："譬如说，关帝庙……"

叶开的眼睛跟着亮了，忽然站起来，道："我最佩服的人就是这位关夫子，早该到他庙里去烧几根香了。"

萧别离笑道："最好少烧几根，莫要烧着了房子。"

叶开也笑了笑，道："幸好关夫子一向不开口的，否则很有这种可能。"

烧焦了的尸骨已清理出来，银子却还没有消息。

赵大已歇下来，正用大碗在喝着水，大声地吆喝着，叫他手下的弟兄别偷懒。

银子若找出来，大家全有一份的。

叶开走过去，站在他旁边看着，忽然悄悄道："听说有些人总是喜欢将银子埋在铺底下的。"

赵大精神为之一震，道："对，我早该想到这种地方了。"

他好像这才发觉说话的人是叶开，立刻又回头笑道："若是找到了，叶公子你在这地方的酒账，全算我赵大的。"

叶开道："那倒不必，我只希望你能照顾照顾这个死人，替他们弄两口薄皮棺材。"

赵大道："棺材是现成的，而且用不着花钱买。"

叶开道："哦，这里居然有不要钱的棺材，我倒从未听说过。"

赵大笑道："公子你莫非忘了，前天岂非有人送了好几副棺材来。"

叶开眼睛又亮了，却又问道："棺材岂非是要送到万马堂的？"

赵大悄悄道："这两天三老板正在走霉运，谁敢把棺材往那里送？"

叶开道："棺材呢？"

赵大道：“本来就堆在后面的空地上，昨天起火的时候，我才叫人移到关帝庙去了，只便宜了这两天死的人，每人都可以落一口。”

叶开笑道：“看来这两天死在这里的人，倒真是死对了地方。”

赵大却叹了口气，道：“但没死的人待在这种穷地方，却真是活受罪。”

叶开道：“谁说这地方穷，说不定那边就有上千两的银子在等着你去拿哩。”

赵大大笑，道：“多谢公子吉言，我这就去拿。”

他卷起衣袖，赶过去，忽又回过头，道：“公子你若在这里有什么三长两短，我赵大一定选口最好的棺材给你。”

叶开看着他走开了，也不知是好气还是好笑，过了很久，才苦笑着，喃喃道：“看你这小子倒真他妈的够朋友。”

这条街虽然是这地方的精华，这地方却当然不止这么样一条街！

走出这条街往左转，屋子就更简陋破烂，在这里住的不是牧羊人，就是赶车洗马的，那几个大老板店里的伙计，也住在这里。

一个大肚子的妇人，正蹲在那里起火。

她的背上背着个孩子，旁边还站着三个，一个个都是面有菜色。她自己看来却更憔悴，苍老得像是老太婆。

叶开暗中叹了口气——为什么愈穷的人家，孩子偏偏愈多呢？

是不是因为他们没钱在晚上点灯，也没别的事做？

无论如何，人愈穷，孩子愈多，孩子愈多，人就更穷，这好像已成了条不变的定律。

叶开忽然觉得这是一个很严重的问题，却又想不出什么方法来让别人少生几个孩子。

但他相信，这问题以后总有法子解决的。

再往前面走不多远，就可以看到那间破落的关帝庙了。

庙里的香火并不旺，连关帝老爷神像上的金漆都已剥落。

大门也快塌了，棺材就堆在院子里，院子并不大，所以棺材只能叠起来放。

庙里的神案倒还是完整的，若有个人睡上去，保证不会垮下来。

因为现在就有个人睡在上面。

一个脸色苍白的人，手里紧紧地握着一柄漆黑的刀，一双发亮的眼睛，正在瞪着叶开。

叶开笑了。

傅红雪却没有笑，冷冷地瞪着他，道："我说过，你走你的路，我走我的。"

叶开道："我听你说过。"

傅红雪道："你为什么又来找我？"

叶开道："谁说我是来找你的？"

傅红雪道："我。"

叶开又笑了。

傅红雪道："这地方只有两个人，一个活人，一个木头人，你来找的总不会是木头人。"

叶开道："你说的是关夫子？"

傅红雪道："我只知道他是个木头人。"

叶开叹了口气，道："我知道你从来不会尊敬别人，但至少总该对他尊敬的。"

傅红雪道："为什么？"

叶开道："因为……因为他已成神。"

傅红雪冷笑道："他是你的神，不是我的。"

叶开道："你从不信神。"

傅红雪道："我信的不是这种人，也想不出他做过什么值得我尊敬的事。"

叶开道："他至少没有被曹操收买，至少没有出卖朋友。"

傅红雪道："没有出卖朋友的人很多。"

叶开道："但你总该知道……"

傅红雪打断了他的话，冷冷道："我只知道若不是他的狂妄自大，蜀汉就不会亡得那么快。"

叶开叹了口气，道："我也知道你为什么不尊敬他了。"

傅红雪道："哦？"

叶开道："因为别人都尊敬他，你无论做什么事，都一定要跟别人不同。"

傅红雪忽然翻身掠起，慢慢地走了出去。

叶开道："你这就走？"

傅红雪冷冷地道："这里的俗气太重，我实在受不了。"

叶开叹道："一个人若要活在这世上，有时就得俗一点的。"

傅红雪道："那是你的想法，随便你怎么想，都跟我没关系。"

叶开道："你怎么想？"

傅红雪道："那也跟你没关系。"

叶开道："难道你不准备在这世界上活下去？"

傅红雪道："我根本就没有在你这世界上活过。"

他没有回头。

叶开看不见他的脸，却看见他握刀的手突然握得更紧。

只可惜无论他如何用力，也握不碎心里的痛苦。

叶开看着他，缓缓道："无论你怎么想，总有一天，你还是会回到这世界上来的，因为你还是要活下去，而且非活下去不可。"

傅红雪似已听不见这些话，他左脚先迈出一步，僵直的右腿才跟着拖过去。

叶开看着他的眼，目中忽又露出了忧虑之色。

纵然他的刀能比路小佳的剑快，但是这条腿……

傅红雪已走出了院子。

叶开并没有留他，也没有提起路小佳的事。

路小佳至少还有两三个时辰才能来，他不愿让傅红雪从现在一直紧张到日落时。

他到这里来，本来就不是为了警告傅红雪。

他为的是院子里的棺材。

棺材本来是全新的，漆得很亮，现在却已被碰坏了很多地方，有些甚至已经被烧焦。

若不是赵大突然心血来潮，这些棺材只怕也已被那一把火烧光。

也许那放火的人本就打算将这些棺材烧了的。

叶开捡了一大把石子，坐在石阶上，将石子一粒粒往棺材上掷过去。

石子打中棺材，就发出“咚”的一响。

这棺材是空的。

但等到他掷出的第八粒石子打在棺材上时，声音却变了。

这口棺材竟好像不是空的。

棺材里有什么？

空棺材固然比较多，不空的棺材居然也有好几口。

叶开脸上带着种很奇怪的表情，竟走过去将这几口棺材搬出来。

他为什么突然对空棺材发生了兴趣？

打开棺盖，里面果然不是空的。

棺材里竟有个死人。

除了死人，棺材里还会有什么？

棺材里有死人，本不是件奇怪的事。

但这死人竟赫然是刚才还在跟他说话的张老实。

他静静地躺在棺材里，身上那块油围裙总算已被脱了下来。

这辛苦了一辈子的老实人，现在总算已安息了。

但他刚才明明还在镇上，身上明明还系着那块油围裙，现在怎么已躺在棺材里。

更奇怪的是，陈大倌、丁老四、宋老板和街头粮食行的胡掌柜，居然也都在棺材里。

这些人刚才明明也都在镇上的，怎么会忽然都死在这里？

是什么时候死的？

摸摸他们的胸口，每个人都已冰冷僵硬，至少已死了十个时辰。

他们都已死了十来个时辰。

他们若已死了十来个时辰，刚才在镇上和叶开说话的那些人又是谁呢？

叶开看着这些尸身，脸上居然也没有惊奇之色，反而笑了，竟似对自己觉得很满意。

难道这件事本就在他意料之中？

人既然死了，当然有致命的原因。

叶开将这些人的致命伤痕，很仔细地检查了一遍，忽然将他们全都从棺材里拖了出来，藏到庙后的深草中。

然后他就将这几口棺材，又摆回原来的地方。

他自己却还是不肯走，居然掠上屋脊，藏在屋脊后等着。

他在等谁？

他并没有等多久，就看到一骑马自草原上急驰而来，马上人衣衫华丽，背后驼峰高耸，竟是“金背驼龙”丁求。

丁求当然没有看见他，急驰到庙前，忽然自鞍上掠起，掠上墙头。

棺材仍还好好地放在院子里，并不像被人动过的样子。

丁求四下看了一眼，附近也没有人影。

这正是放火的好机会。

于是他就开始放火。

放火也需要技巧的，他在这方面竟是老手，火一燃起，就烧得很快。

将这些棺材带来的人是他，将这些棺材烧了的人也是他。

他为什么要辛辛苦苦将这些棺材带来，又放火烧了呢？

太阳已升得很高了，但距离日落却还有段时候。

叶开已回到镇上来。

他不能不回来，他忽然发觉自己饿得简直可以吞下一匹马。

关帝庙的火已烧了很久，现在火头已小，犹在冒着浓烟。

“关帝庙的火怎么会烧起来的？”

“一定又是那跛子放的火。”

“有人亲眼看见他睡在庙里的神案上。”

一堆人围在火场前议论纷纷，其中赫然又有陈大倌、丁老四和张老实。

叶开却一点也没有觉得奇怪，好像早已算准会在这里看到他们。

但他却没有想到会看见马芳铃。

马芳铃也看见了他，脸上立刻露出很奇怪的表情，似乎正在考虑，不知道是不是应该跟他打招呼。

叶开却已向她走了过去，微笑着道："你好。"

马芳铃咬着嘴唇，道："不好。"

她今天穿的不是一身红，是一身白，脸色也是苍白的，看来竟似瘦了很多。

难道她竟连着失眠了两个晚上？

叶开眨了眨眼，又问道："三老板呢？"

马芳铃瞪着眼，道："你问他干什么？"

叶开道："我只不过问问而已。"

马芳铃道："用不着你问。"

叶开叹了口气，苦笑道："那么我就不问。"

马芳铃却还是瞪着眼，道："我倒要问问你，你刚才到哪里去了？"

叶开又笑了，道："我既然不能问你，你为什么要问我？"

马芳铃道："我高兴。"

叶开淡淡道："我也很想告诉你，只可惜男人做的事，有些是不便在女人面前说的。"

马芳铃咬了咬嘴唇，恨恨道："原来你做的都是些见不得人的事。"

叶开道："幸好我还不会放火。"

马芳铃道："放火的是谁？"

叶开道："你猜呢？"

马芳铃道："你看见那姓傅的没有？"

叶开道："当然看见过。"

马芳铃道："几时看见的？"

叶开道："好像是昨天。"

马芳铃瞪着他，狠狠地跺了跺脚，苍白的脸已气红了。

陈大倌想了想，忽然道："不知他会不会去找三老板……"

马芳铃冷笑道："他找不着的。"

陈大倌道："为什么？"

马芳铃道："因为连我都找不着。"

三老板怎么会忽然不见了呢？到哪里去了？

有人正想问，但就在这时，已有一阵马蹄声响起，打断了他们的话。

一匹油光水滑、黑得发亮的乌骓马，自镇外急驰而来。

马上端坐个铁塔般的大汉，光头、赤膊，黑缎绣金花的灯笼裤，倒赶千层浪的绑腿，搬尖大洒鞋，一双手没有提缰，却抱着根海碗粗的旗杆。

四丈多高的旗杆上，竟还站着个人。

一个穿着大红衣裳的人，背负着双手，站在杆头，马跑得正急，他的人却纹风不动，竟似比站在平地上还稳些。

叶开只抬头看了一眼，就忍不住叹了口气，喃喃道："他来得倒真早。"

乌骓已急驰入镇，每个人都不禁仰起了头去看，显得又是惊奇，又是欢喜。

每个人都已猜出来此人是谁了。

突然间，健马长嘶，已停下了脚。

红衣人还是背负着双手，纹风不动地站在长杆上，仰着脸道："到了么？"

光头大汉立刻道："到了。"

红衣人道："有没有出来迎接咱们？"

光头大汉道："好像有几个。"

红衣人道："都是些什么样的人？"

光头大汉道："看起来倒都还像个人。"

红衣人这才点了点头，喃喃道："今天的天气真不错，倒真是杀人的天气。"

叶开笑了，微笑着道："只可惜在那上面只能杀几只小鸟，人是杀不到的。"

红衣人立刻低下头，瞪着他。

从下面看上去，也可以看得出他是个很漂亮的年轻人，一双眸子更亮如点漆。

他高高在上，瞪着叶开，厉声道："你刚才在跟谁说话？"

叶开道："你。"

红衣人道："你知道我是什么人？"

叶开道："莫非你就是杀人不眨眼的路小佳？"

红衣人冷笑道："总算你还有些眼力。"

叶开笑道："过奖。"

红衣人道："你是什么人？"

叶开道："我姓叶。"

红衣人道："他们请我到这里来杀的人，是不是就是你？"

叶开道："好像不是。"

红衣人叹了口气，冷冷道："可惜。"

叶开也叹了口气，道："实在可惜。"

红衣人道："你也觉得可惜？"

叶开道："有一点。"

红衣人道："我杀了那人后，再来杀你好不好？"

叶开道："好极了。"

他居然好像觉得很愉快的样子。

红衣人仰起脸，冷冷道："谁说他看起来像个人的，真是瞎了眼睛。"

光头大汉道："是，奴才是瞎了眼睛。"

红衣人道："这里是不是有个姓陈的？"

陈大倌立刻抢身道："就是在下。"

红衣人道："你找我来杀的人呢？"

陈大倌赔笑道："路大侠来得太早了些，那人还没有到。"

红衣人沉下了脸，道："去叫他来，让我快点杀了他，我没空在这里等。"

听他说话的口气，就好像能死在他手里本是件很荣幸的事，所以早就该等在这里挨宰。

连陈大倌听了都似也觉得有些哭笑不得，又赔着笑道："路大侠既然来了，为何不先下来坐坐？"

红衣人冷冷道："这上面凉快……"

一句话未说完，突听"嚓"一声，海碗般粗的旗杆，竟突然断了。

红衣人双臂一振，看来就像是只长着翅膀的红蝙蝠，盘旋着落下。

每个人的眼睛都已看直了，马芳铃突然拍手道："好轻功……"

她刚说完这三个字，就发现红衣人已落在她面前，瞪大了一双眼睛看着她，冷冷地道："你又是什么人？"

他的眼睛又黑又亮。

马芳铃的脸却似已有些发红，垂下头道："我……我姓马。"

又是"砰"的一声，断了的半截旗杆，这时才落下来，打在屋脊上，再掉下来眼看就要打中好几个人的头。

谁知那大汉竟蹿过来，用光头在旗杆上一撞，竟将这段旗杆撞出去四五丈，远远抛在屋脊后。

马芳铃又忍不住嫣然一笑，道："这个人的头好硬啊。"

红衣人道："你的头最好也跟他一样硬。"

马芳铃眨了眨眼，道："为什么？"

红衣人道："因为还有那半截旗杆，马上就要敲到你头上来了。"

马芳铃怔住。

红衣人沉着脸道："这旗杆怎么会忽然断了的？难道不是你捣的鬼？我一看见你，就知道你不是什么好东西。"

马芳铃的脸又通红，这次是气红的，她手里还提着马鞭，忽然一鞭向红衣人抽了过去。

谁知红衣人一伸手，就将鞭梢抓住，冷笑道："好呀，你胆子倒真不小，竟敢跟我动手。"

他的手往后一带，马芳铃就身不由主向这边跌了过来，刚想伸手去掴他的脸，但这只手一伸出来，也被他抓住。

马芳铃连脖子都已涨红，咬着牙道："你……你放不放开我？"

红衣人道："不放。"

马芳铃道："你想怎么样？"

红衣人道："先跪下来跟我磕三个头，在地上再爬两圈，我就饶了你！"

马芳铃叫了起来，道："你休想！"

红衣人道："那么你也休想要我放了你。"

马芳铃咬着牙，跺脚道："姓叶的，你……你难道是个死人？"

叶开叹了口气，悠悠道："这里的确有个死人，但却不是我。"

马芳铃恨恨道："不是你是谁？"

叶开笑了笑，却抬起了头，看着对面的屋脊道："旗杆明明是你打断的，你何苦要别人替你受罪。"

大家都忍不住跟着他看了过去，屋顶上空空的，连个鬼影子都没有。

但屋檐后却忽然有样东西抛了出来，"噗"地掉落地上，竟是个花生壳。

过了半晌，又有样东西抛出来，却是个风干了的桂圆皮。

红衣人的脸色竟似变了，咬着牙道："好像那个鬼也来了。"

光头大汉点点头，突然大喝一声，跳起七尺高，抡起了手里的半截旗杆，向屋檐上扑了下去。

只听风声虎虎，整栋房子都像是要被打垮。

谁知屋檐后突然飞出道淡青色的光芒，只一闪，旗杆竟又断了一截。

光头大汉一下子打空，整个人都栽了下来，重重地摔在地上。

那截被削断了的旗杆，却突然弹起，再落下。

屋檐下又有青光闪了闪。

一截三尺多长的旗杆，竟然又变成了七八段，一片片落了下来。

每个人的眼睛都看直了。

叶开又叹了口气，喃喃道："好快的剑，果然名不虚传。"

红衣人却用力跺了跺脚，恨恨道："你既然来了，为什么还不下来？"

屋檐后有个人淡淡道："这上面凉快。"

红衣人跳起来，大声道："你为什么总是要跟我作对？"

这人道："你为什么总是要跟别人作对？"

红衣人道："我跟谁作对？"

这人道："你明明知道旗杆不是这位马姑娘打断的，为什么要找她麻烦？"

红衣人道："我高兴。"

叶开笑了。

马芳铃本来已经够不讲理了，谁知竟遇着个比她更不讲理的。

红衣人大声道："我就是看她不顺眼，跟你又有什么关系？你为什么要帮她说话，我受了别人气时，你为什么从来不帮我？"

这人道："你是谁？"

红衣人道："我……我……"

这人道："杀人不眨眼的路小佳，几时受过别人气的？"

红衣人居然垂下了头，道："谁说我是路小佳？"

这人道："不是你说的？"

红衣人道："是那个人说的，又不是我。"

这人道："你不是路小佳，谁是路小佳？"

红衣人道："你。"

这人道："既然我是路小佳，你为什么要冒充？"

红衣人忽又叫起来，道："因为我喜欢你，我想来找你。"

这句话说出来，大家又怔住，一个个全都睁大了眼睛，看着他。

红衣人道："你们看着我干什么，难道我就不能喜欢他？"

他突然将束在头上的红巾用力扯了下来，然后大声道："你们的眼睛难道全都瞎了，难道竟看不出我是个女人？"

她居然真的是个女人！

她仰起了脸，道："我已经放开了她，你为什么还不下来？"

屋檐后竟忽然没有人开腔了。

红衣女人道："你为什么不说话？难道忽然变成了哑巴？"

屋檐后还是没有声音。

红衣女人咬了咬嘴唇，忽然纵身一跃，跳了上去。

屋檐后哪里有人？

人竟已不见，却留下一堆剥空了的花生壳。

红衣女人脸色变了，大喊道："小路，姓路的，你死到哪里去了，还不给我出来。"

没有人出来。

她跺了跺脚，恨恨道："我看你能躲到哪里去？你就算躲到天边，我也要找到你。"

只见红影一闪，她的人也不见了。

那光头大汉竟也突然从地上跃起，跳上马背，打马而去。

陈大倌怔在那里，苦笑着，喃喃道：“看来这女人毛病倒不小。”

马芳铃也在发着怔，忽然轻轻叹息了一声，道：“我倒很佩服她。”

陈大倌又一怔，道：“你佩服她？”

马芳铃垂下头，轻轻道：“她喜欢一个人时，就不怕当着别人面前说出来，她至少比我有勇气。”

一阵风吹过，吹落了屋檐上的花生壳，却吹不散马芳铃心中的幽怨。

她目光仿佛在凝视着远方，但有意无意，却又忍不住向叶开瞧了过去。

叶开却在看着风中的花生壳，仿佛世上再也没有比花生壳更好看的东西。

也不知为了什么，马芳铃的脸突又红了，轻轻跺了跺脚，呼哨一声，她的胭脂马立刻远远奔来。

她立刻蹿上去，忽然反手一鞭，卷起了屋檐上还没有被吹落的花生壳，撒在叶开面前，大声道：“你既然喜欢，就全给你。”

花生壳落下来时，她的人和马都已远去。

陈大倌似笑非笑地看着叶开，悠然道：“其实有些话不说，也和说出来差不多，叶公子你说对吗？”

叶开淡淡道：“不说总比说了的好。”

陈大倌道：“为什么？”

叶开道：“因为多嘴的人总是讨人厌的。”

陈大倌笑了，当然是假笑。

叶开已从他面前走过去，推开了那扇窄门，喃喃道：“不说话没关系，不吃饭才真的受不了，为什么偏偏有人不懂这道理？”

只听一人悠然道：“但只要有花生，不吃饭也没关系的。”

这人就坐在屋子里，背对着门，面前的桌子上，摆着一大堆花生。

他剥开一颗花生，抛起，再用嘴接住，抛得高，也接得准。

叶开笑了，微笑着道：“你从未落空过？”

这人没有回头，道：“绝不会落空的。”

叶开道：“为什么？”

这人道："我的手很稳，嘴也很稳。"

叶开道："所以别人才会找你来杀人。"

杀人的确不但要手稳，也要嘴稳。

这人淡淡道："只可惜他们并不是要我来杀你。"

叶开道："你杀了那人后，再来杀我好不好？"

这人道："好极了。"

叶开大笑。

这人忽然也大笑。

刚走进来的陈大倌却怔住了。

叶开大笑着走过去，坐下，伸手拿起了一颗花生。

这人的笑容突然停顿。

他也是个年轻人。一个奇怪的年轻人，有着双奇怪的眼睛，就连笑的时候，这双眼睛都是冰冷的，就像是死人的眼睛，没有情感，也没有表情。

他看着叶开手里的花生，道："放下去。"

叶开道："我不能吃你的花生？"

这人冷冷道："不能，你可以叫我杀了你，也可以杀了我，但却不能吃我的花生。"

叶开道："为什么？"

这人道："因为路小佳说的。"

叶开道："谁是路小佳？"

这人道："我就是。"

眼睛是死灰色的，但却在闪动着刀锋般的光芒，叶开看着自己手里的花生，喃喃道："看来这只不过是颗花生而已。"

路小佳道："是的。"

叶开道："和别的花生有没有什么不同？"

路小佳道："没有。"

叶开道："那么我为什么一定要吃这颗花生呢？"

他微笑着，将花生慢慢地放回去。

路小佳又笑了，但眼睛还是冰冷，道："你一定就是叶开。"

叶开道："哦？"

路小佳道："除了叶开外，我想不出还有你这样的人。"

叶开道："这是恭维？"

路小佳道："有一点。"

叶开叹了口气，苦笑道："只可惜十斤恭维话，也比不上一颗花生。"

路小佳凝视着他，过了很久，才缓缓道："你从不带刀的？"

叶开道："至少还没有人看见我带刀。"

路小佳道："为什么？"

叶开道："你猜呢。"

路小佳道："是因为你从不杀人？还是因为你杀人不必用刀？"

叶开笑了笑，但眼睛里却也没有笑意。

他眼睛正在看着路小佳的剑。

一柄很薄的剑，薄而锋利。

没有剑鞘。

这柄剑就斜斜地插在他腰带上。

叶开道："你从不用剑鞘？"

路小佳道："至少没有人看过我用剑鞘。"

叶开道："为什么？"

路小佳道："你猜呢？"

叶开道："是因为你不喜欢剑鞘？还是因为这柄剑本就没有鞘？"

路小佳道："无论哪柄剑，炼成时都没有鞘。"

叶开道："哦？"

路小佳道："剑鞘是后来才配上去的。"

叶开道："这柄剑为何不配鞘？"

路小佳道："杀人的是剑，不是鞘。"

叶开道："当然。"

路小佳道："别人怕的也是剑，不是鞘。"

叶开道："有道理。"

路小佳道："所以剑鞘是多余的。"

叶开道："你从来不做多余的事？"

路小佳道："我只杀多余的人！"

叶开道："多余的人？"

路小佳道："有些人活在世上，本就是多余的。"

叶开又笑了，道："你这道理听起来倒的确很有趣的。"

路小佳道："现在你也已同意？"

叶开微笑着，道："我知道有两个人佩剑也从来不用鞘的，但他们却说不出如此有趣的道理。"

路小佳道："也许他们纵然说了，你也未必能听得到。"

叶开道："也许他们根本不愿说。"

路小佳道："哦？"

叶开道："我知道他们都不是多话的人，他们的道理只要自己知道就已足够，很少会说给别人听。"

路小佳盯着他，说道："你真知道他们是什么样的人？"

叶开点点头。

路小佳冷冷道："那么你就知道得太多了。"

叶开道："但我却不知道你。"

路小佳道："幸好你还不知道，否则这里第一个死的人就不是傅红雪，是你。"

叶开道："现在呢？"

路小佳道："现在我还不必杀你。"

叶开笑了笑，道："你不必杀我，也未必能杀得了他。"

路小佳冷笑。

叶开道："你见过他的武功？"

路小佳道："没有。"

叶开道："既然没有见过，怎么能有把握？"

路小佳道："但我却知道他是个跛子。"

叶开道："跛子也有很多种。"

路小佳道："但跛子的武功却通常只有一种。"

叶开道："哪一种？"

路小佳道："以静制动，后发制人，那意思就是说他出手一定要比别人快。"

叶开点点头，道："所以他才能后发先至。"

路小佳忽然抓起一把花生，抛起。

突然间，他的剑已出手。

剑光闪动，仿佛只一闪，就已回到他的腰带上。

花生却落入他手里——剥了壳的花生，比手剥得还干净。

花生壳竟已粉碎。

门口突然有人大声喝彩，就连叶开都忍不住要在心里喝彩。

好快的剑！

路小佳拈起颗花生，送到嘴里，冷冷道：“你看他是不是能比我快？”

叶开沉默着，终于轻轻叹了口气，道：“我不知道……幸好我还不知道。”

路小佳道：“只可惜了这些花生。”

叶开道：“花生还是你吃的。”

路小佳道：“但花生却要一颗颗地剥，一颗颗地吃，才有滋味。”

叶开道：“我倒宁愿吃剥了壳的。”

路小佳道：“只可惜你吃不到。”

他的手一提，花生突然一连串飞出，竟全都像钉子般钉入柱子里。

叶开叹道：“你的花生宁可丢掉，也不给人吃？”

路小佳淡淡道：“我的女人也一样，我宁可杀了她，也不会留给别人。”

叶开道：“只要是你喜欢的，你就绝不留给别人？”

路小佳道：“不错。”

叶开又叹了口气，苦笑道：“幸好你喜欢的只不过是花生和女人。”

路小佳道：“我也喜欢银子。”

叶开道：“哦？”

路小佳道：“因为没有银子，就没有花生，更没有女人。”

叶开道：“有道理，世上虽然有很多东西比金钱重要，但这些东西往往也只有钱才能得到。”

路小佳也笑了。

他的笑冷酷而奇特，冷冷地笑着道：“你说了半天，也只有这一句才像叶开说的话。”

第二十二章

杀人前后

陈大倌、张老实、丁老四，当然已全都进来了，好像都在等着路小佳吩咐。

但路小佳却仿佛一直没有发觉他们的存在。

直到现在，他还是没有回头去看他们一眼，却冷冷道："这里有没有替我付钱的人？"

陈大倌立刻赔笑道："有，当然有。"

路小佳道："我要的你全能做到？"

陈大倌道："小人一定尽力。"

路小佳冷冷道："你最好尽力。"

陈大倌道："请吩咐。"

路小佳道："我要五斤花生，要干炒的，不太熟，也不太生。"

陈大倌道："是。"

路小佳道："我还要一大桶热水，要六尺高的大木桶。"

陈大倌道："是。"

路小佳道："还得替我准备两套全新的内衣，麻纱和府绸的都行。"

陈大倌道："两套？"

路小佳道："两套，先换一套再杀人，杀人后再换一套。"

陈大倌道："是。"

路小佳道："花生中若有一颗坏的，我就砍断你的手，有两颗，就要你的命。"

陈大倌倒抽了口凉气，道："是。"

叶开忽然道："你一定要洗过澡才杀人？"

路小佳道："杀人不是杀猪，杀人是件很干净痛快的事。"

叶开带着笑道："被你杀的人，难道也一定要先等你洗澡？"

路小佳冷冷道："他可以不等，我也可以先砍断他的腿，洗过澡后再要他的命。"

叶开叹了口气，苦笑道："想不到你杀人之前还有这么多麻烦。"

路小佳道："我杀人后也有麻烦。"

叶开道："什么麻烦？"

路小佳道："最大的麻烦。"

叶开道："女人？"

路小佳道："这是你说的第二句聪明话。"

叶开笑道："男人最大的麻烦本就是女人，这道理只怕连最笨的男人也懂得。"

路小佳道："所以你还得替我准备个女人，要最好的女人。"

陈大倌迟疑着，道："可是刚才那位穿红衣服的姑娘如果又来了呢？"

路小佳忽然又笑了，道："你怕她吃醋？"

陈大倌苦笑道："我怎么不怕，我这脑袋很容易就会被敲碎的。"

路小佳道："你以为她真是来找我的？"

陈大倌道："难道不是？"

路小佳道："我根本从来就没有见过她这个人。"

陈大倌怔了怔，道："那么她刚才……"

路小佳沉下了脸，道："你难道看不出她是故意来捣乱的！"

陈大倌怔住。

路小佳道："那一定是你们泄露了风声，她知道我要来，所以就抢先来了。"

陈大倌道："来干什么呢？"

路小佳冷冷道："你为何不问她去？"

陈大倌眼睛里忽然露出种惊惧之色，但脸上却还是带着假笑。

这假笑就好像是刻在他脸上的。

陈大倌的绸缎庄并不大，但在这种地方，已经可以算是很有气派了。

今天绸缎庄当然不会有生意，所以店里面两个伙计也显得没精打采的样子，只希望天快黑，好赶回家去，他们在店里虽然是伙计，在家里却是老板。

陈大倌并没有在店里停留，一回来就匆匆赶到后面去。

穿过后面小小的一个院子，就是他住的地方。

他永远想不到院子里竟有个人在等着他。

院子里有棵榕树，叶开就站在树下，微笑着，道："想不到我在这里？"

陈大倌一怔，也立刻勉强笑道："叶公子怎么没有在陪路小佳聊天？两位刚才岂非聊得很投机？"

叶开叹了口气，道："他连颗花生都不请我吃，我却饿得可以吞下一匹马。"

陈大倌道："我正要赶回来起火烧水的，厨房里也还有些饭菜，叶公子若不嫌弃……"

叶开抢着道："听说陈大嫂烧得一手好菜，想不到我也有这口福尝到。"

陈大倌叹了口气，道："只可惜叶公子今天来得不巧，正赶上她有病。"

叶开皱眉道："有病？"

陈大倌道："而且病得还不轻，连床都下不来。"

叶开突然冷笑，道："我不信。"

陈大倌又怔了怔，道："这种事在下为什么要骗叶公子？"

叶开冷冷道："她昨天还好好的，今天怎么就忽然病了？我倒要看看她得的什么怪病。"

他沉着脸，竟好像准备往屋里闯。

陈大倌垂下头，缓缓道："既然如此，在下就带公子去看看也好。"

他真的带着叶开从客厅走到后面的卧房，悄悄推开门，掀起了帘子。

屋里光线很暗，窗子都关得严严的，充满了药香。

一个女人面向着墙，睡在床上，头发乱得很，还盖着床被，果然是在生病的样子。

叶开叹了口气，道："看来我倒错怪你了。"

陈大倌赔笑道："没关系。"

叶开道："这么热的天，她怎么还盖被？没病也会热出病来的。"

陈大倌道："她在打摆子，昨天晚上盖了两床被还在发抖。"

叶开忽然笑了笑，淡淡道："死人怎么还会发抖的呢？"

这句话没说完，他的人已冲了进去，掀起了被。

被里是红的。

血是红的！人已僵硬冰冷。

叶开轻轻地盖起了被，就好像生怕将这女人惊醒。

他当作她永不会醒。

叶开叹息了一声，慢慢地回过头。

陈大倌还站在那里，阴沉沉的笑容——就仿佛刻在脸上的。

叶开叹道："看来我已永远没有口福尝到陈大嫂做的菜了。"

陈大倌冷冷道："死人的确不会做菜。"

叶开道："你呢？"

陈大倌道："我不是死人。"

叶开道："但你却应该是的。"

陈大倌道："哦。"

叶开道："因为我已在棺材里看过你。"

陈大倌的眼皮在跳，脸上却还是带着微笑——这笑容本就是刻在脸上的。

叶开说道："要扮成陈大倌的确并不太困难，因为这人本就整天在假笑，脸上本就好像在戴着个假面具。"

陈大倌冷冷道："所以这人本就该死。"

叶开道："但你无论扮得多像，总是瞒不过他老婆的，天下还没有这么神秘的易容术。"

陈大倌道："所以他的老婆也该死。"

叶开道："我只奇怪，你们为什么不将他老婆也一起装进棺材里？"

陈大倌道："有个人睡在这里总好些，也免得伙计疑心。"

叶开道："你想不到还是有人起疑心。"

陈大倌道："的确想不到。"

叶开道："所以我也该死？"

陈大倌忽然叹了口气，道："其实这件事根本就和你完全没有关系。"

叶开点点头，道："我明白，你们为的是要对付傅红雪。"

陈大倌也点点头，道："他才真的该死。"

叶开道："为什么？"

陈大倌冷笑道："你不懂？"

叶开道："只要是万马堂的对头都该死？"

陈大倌的嘴闭了起来。

叶开道："你们是万马堂找来的？"

陈大倌的嘴闭得更紧。

但是他的手却松开了，手本是空的，此刻却有一蓬寒光暴雨般射了出来。

就在这同一刹那间，窗外也射入了一点银星，突然间，又花树般散开。

一点银星竟变成了一蓬花雨，银光闪动，亮得令人连眼睛都张不开。

也就在这同一刹那间，一柄刀已插入了"陈大倌"的咽喉。

他至死也没有看见这柄刀是从哪里来的。

刀看不见，暗器却看得见。

暗器看得见，叶开的人却已不见了。

接着，满屋闪动的银光、花雨也没有了消息。

叶开的人还是看不见。

风在窗外吹，屋子里却连呼吸都没有。

过了很久，突然有一只手轻轻地推开了窗子——一只很好看的手，手指很长，指甲也很干净。

但衣袖却脏得很，又脏、又油、又腻。

这绝不是张老实的手，却是张老实的衣袖。

一张脸悄悄地伸进来，也是张老实的脸。

他还是没有看见叶开，却看见陈大倌咽喉上的刀。

他的手突然僵硬。

然后他自己咽喉上也突然多了一柄刀。

他至死也没有看见这柄刀。

插在别人咽喉上的刀，当然就已没有危险，他当然看得见。

不幸的是，他只看见了刀柄。

难道真的只有看不见的刀，才是最可怕的？

叶开轻烟般从屋梁上掠下来，先拾取了两件暗器，再拔出了他的刀。

他凝视着他的刀，表情忽然变得非常严肃，严肃得甚至已接近尊敬。

“我绝不会要你杀死多余的人。我保证，我杀的人都是非杀不可的！”

宋老板张开了眼睛。

屋子里有两个人，两个人都睡在床上，一个女人面朝着墙，睡的姿势几乎和陈大倌的妻子完全一样，只不过头发已灰白。

他们夫妻年纪都已不小。

他们似乎都已睡着。

直到屋子里有了第三个人的声音时，宋老板才张开眼睛。

他立刻看见了一只手。

手里有两样很奇怪的东西，一样就像是山野中的芒草，一样却像是水银凝结成的花朵。

他再抬头，才看见叶开。

屋子里也很暗，叶开的眼睛却亮得像是两盏灯，正凝视着他，道：“你知道这是什么？”

宋老板摇了摇头，目中充满了惊讶和恐惧，连脖子都似已僵硬。

叶开道：“这是暗器。”

宋老板道：“暗器？”

叶开道：“暗器就是种可以在暗中杀人的武器。”

宋老板也不知是否听懂，但总算已点了点头。

叶开道：“这两样暗器，一种叫‘五毒如意芒’，另一种叫‘火树银花’，正是采花蜂、潘伶的独门暗器。”

宋老板舔了舔发干的嘴唇，勉强笑道：“这两位大侠的名字我从未听说过。”

叶开道：“他们不是大侠。”

宋老板道：“不是？”

叶开道：“他们都是下五门的贼，而且是采花贼。”

他沉下了脸，接着道：“我一向将别人的性命看得很重，但他们这种人却是例外。”

宋老板道：“我懂……没有人不恨采花贼的。”

叶开道：“但他们也是下五门中，最喜用暗器的五个人。”

宋老板道：“五个人？”

叶开道：“这五个人就叫作江湖五毒，除了他们两个人，还有三个更毒的。”

宋老板动容道：“这五个人难道已全都来了？”

叶开道：“大概一个也不少。”

宋老板道：“是什么时候来的？”

叶开道：“前天，就是有人运棺材来的那一天。”

宋老板道：“我怎么没看见那天有五个这样的陌生人到镇上来！”

叶开道：“那天来的还不止他们五个，只不过全都是躲在棺材中来的，所以镇上没有人发现。”

宋老板道：“那驼子运棺材来，难道就是为了要将这些人送来？”

叶开道：“大概是的。”

宋老板道：“现在他们难道还躲在棺材里？”

叶开道：“现在棺材里已只有死人。”

宋老板松了口气，道：“原来他们全都死了。”

叶开道：“只可惜死的不是他们，是别人。”

宋老板道：“怎么会是别人？”

叶开道：“因为他们出来时，就换了另一批人进去了。”

宋老板失声道："换了什么人进去？"

叶开道："现在我只知道采花蜂换的是陈大倌，潘伶换的是张老实。"

宋老板道："他……他们怎么换的？"

叶开道："这镇上有个人，本是天下最善于易容的人！"

宋老板道："谁？"

叶开道："西门春。"

宋老板皱眉道："西门春又是谁呢？我怎么也从未听见过？"

叶开道："我现在也很想找出他是谁，我迟早总会找到的。"

宋老板道："你说他将采花蜂扮成陈大倌，将潘伶扮成了张老实？"

叶开点点头，道："只可惜无论多精妙的易容术，也瞒不过自己亲人的，所以他们第一个选中的就是张老实。"

宋老板道："为什么？"

叶开道："因为张老实既没有亲人，也没有朋友，而且很少洗澡，敢接近他的人本就不多。"

宋老板道："所以他就算变了样子，也没有人会去注意的。"

叶开道："只可惜像张老实、丁老四这样的人，镇上也没几个。"

宋老板道："他们为什么要选中陈大倌呢？"

叶开道："因为他也是个很讨厌的人，也没有什么人愿意接近他。"

宋老板道："但他却有老婆。"

叶开道："所以他的老婆也非死不可。"

宋老板叹了口气，道："这真是闭门家中坐，祸从天上来了。"

他叹息着，想坐起来，但叶开却按住了他的肩，道："我对你说了很多事，也有件事要问你。"

宋老板道："请指教。"

叶开道："张老实既然是潘伶，陈大倌既然是采花蜂，你是谁呢？"

宋老板怔了怔，讷讷道："我姓宋，叫宋大极，只不过近来已很少有人叫我名字。"

叶开道："那是不是因为大家都知道你老奸巨猾，没有人敢缠你？"

宋老板勉强笑道："幸好那些人还没有选中我做他们的替身。"

叶开道："哦？"

宋老板道："我想，叶公子总不会认为我也是冒牌的吧？"

叶开道："为什么不会？"

宋老板道："我这黄脸婆，跟了我几十年，难道还会分不出我是真是假？"

叶开冷冷道："她若已是死人的话，就分不出真假来了。"

宋老板失声道："我难道还会跟死人睡在一张床上不成？"

叶开道："你们还有什么事做不出的？莫说是死人，就算是死狗……"

他的话还没有说完，床上睡着的老太婆突然叹息着，翻了个身。

叶开的话说不下去了。

死人至少是不会翻身的。

只听他老婆喃喃自语，仿佛还在说梦话……死人当然也不会说梦话。

叶开的手缩了回去。

宋老板目中露出了得意之色，悠然道："叶公子要不要把她叫起来，问问她？"

叶开只好笑了笑，道："不必了。"

宋老板终于坐了起来，笑道："那么就请叶公子到厅上奉茶。"

叶开道："也不必了。"

他似乎已不好意思再耽下去，已准备要走，谁知宋老板突然抓起那老太婆的腕子，将她整个人向叶开掷过来。

这一招当然也很出人意料，叶开正不知是该伸手去接，还是不接。

就在这时，被窝里已突然喷出一股烟雾。

浅紫色的烟雾，就像是晚霞般美丽。

叶开刚伸手托住那老太婆，送回床上，他自己的人已在烟雾里。

宋老板看着他，目中带着狞笑，等着他倒下去。

叶开居然没有倒下去。

烟雾消散时，宋老板就发现他的眼睛还是和刚才一样亮。

这简直是奇迹。

只要闻到一丝化骨瘴，铁打的人也要软成泥。

宋老板全身都似已因恐惧而僵硬。

叶开看着他，轻轻叹了口气，道："果然是你。"

宋老板道："你早就知道我是谁了？"

叶开道："若不知道，我现在已倒了下去。"

宋老板道："你来的时候已有准备？"

叶开笑了笑，道："我既然已对你说了那些话，你当然不会再让我走的，若是没有准备，我怎么还敢来？"

宋老板咬着牙，道："但我却想不出你怎能化解我的化骨瘴。"

叶开道："你可以慢慢地去想。"

宋老板眼睛又亮了。

叶开道："只要你说出是谁替你易容改扮的，也许还可以再想个十年二十年。"

宋老板道："我若不说呢？"

叶开淡淡道："那么你只怕永远没时间去想了。"

宋老板瞪着他，冷笑道："也许我根本不必想，也许我可以要你自己说出来。"

叶开道："你连一分机会也没有。"

宋老板道："哦？"

叶开道："只要你的手一动，我就立刻叫你死在床上。"

他的语调温文，但却充满一种可怕的自信，令人也不能不信。

宋老板看着他，长长叹了口气，道："我连你究竟是谁都不知道，但是我却相信你。"

叶开微笑道："我保证你绝不会后悔的。"

宋老板道："我若不说，你永远想不到是谁……"

他这句话并没有说完。

突然间，他整个人一阵痉挛，眼睛已变成死黑色，就好像是两盏灯突然熄灭。

叶开立刻蹿过去，就发现他脖子上钉着一根针。

惨碧色的针。

杜婆婆又出手了！她果然没有死。

她的人在哪里？难道就是宋老板的妻子？

但那老太婆的人却已软瘫，呼吸也已停顿，化骨瘴并不是人人都可以像叶开一样抵抗的。

断肠针是从哪里打来的呢？

叶开抬起头，才发现屋顶上有个小小的气窗，已开了一线。

他并没有立刻蹿上去。

他很了解断肠针是种什么样的暗器。

刚才他是从什么地方进来，现在也要从什么地方出去。

因为他知道这是条最安全的路。

第二十三章

铃儿响叮当

外面也有个小小的院子。

叶开退出门，院子里阳光遍地。一条黑猫正懒洋洋地躺在树荫下，瞪着墙角花圃间飞舞着的蝴蝶，想去抓，又懒得动。

屋顶上当然没有人。

叶开也知道屋顶上已绝不会有人了，杜婆婆当然不会还在那里等着他。

他叹了口气，忽然觉得自己就像这条猫一样，满心以为只要一出手，就可以抓住那蝴蝶。

其实它就算不懒，也一样抓不到蝴蝶的。蝴蝶不是老鼠，蝴蝶会飞。

蝴蝶飞得更高了。

突然间，一双手从墙外伸进来，“啪”的一声，就将蝴蝶夹住。

蝴蝶不见了，手也不见了。

墙头上却已有个人在坐着。

墙外是一片荒瘠的田地，也不知种的是麦子，还是梅花。

在这种地方，无论种什么，都不会有好收成的，但却还是要将种子种下去。

这就是生活。每个人都要活下去，每个人都得要想个法子活下去。

荒田间，也有些破烂的小屋，他们才是这贫穷的荒地上，最贫穷的人。

在这小屋子里长大的孩子，当然一个个都面有菜色。但孩子毕竟还是孩子，总是天真的。

现在正有七八个孩子，围在墙外，睁大了眼睛，看着树下的一个人。

坐在墙头上的叶开，也正在看着这个人。

这人圆圆的脸，大大的眼睛，皮肤雪白粉嫩，笑起来一边一个酒窝。

她也许并不能算是个美人，但却无疑是个很可爱的女人。

现在她穿着件轻飘飘的月白衫子，雪白的脖子上，戴着个金圈圈，金圈圈上还挂着两枚金铃铛。

她手上也戴着个金圈圈，上面也有两枚金铃铛，风吹过的时候，全身的铃铛就“叮铃铃”地响。

但刚才她并不是这种打扮的，刚才她穿着的是件大红衣裳。

刚才她站在旗杆上，现在却站在树下。

她面前摆着张破木桌子，桌上摆着一个穿红衣服的洋娃娃、一面刻着花的银牌、一块紫水晶、一条五颜六色的链子、一对绣花荷包、一个鸟笼、一个鱼缸。

她刚抓来的那只蝴蝶，也和这些东西放在一起。谁也想不出她是从什么地方将这些东西弄到这里来的。最妙的是，鸟笼里居然有对金丝雀，鱼缸里居然也有双金鱼。

孩子们看着她，简直就好像在看着刚从云雾中飞下来的仙女。

她拍着手，笑道：“好，现在你们排好队，一个个过来拿东西，但一个人只能选一样拿走，贪心的人我是要打他屁股的。”

孩子们果然很听话。

第一个孩子走过，直着眼睛发了半天愣，这些东西每样都是他没看过的，他实在已看得眼花缭乱，到最后才选了那面银牌。第二个孩子选的是金丝雀。

大眼睛的少女笑道：“好，你们都选得很好，将来一个可以去学做生意，一个可以去学作诗。”

两个孩子都笑了，笑得很开心。

第三个是女孩子，选的是那绣花荷包。

第四个孩子最小，正在流着鼻涕，选了半天，竟选了那只死蝴蝶。

少女皱了皱眉，道：“你知不知道别的东西比这死蝴蝶好？”

孩子点了点头。

少女道：“那么你为什么要选这只死蝴蝶呢？”

孩子嗫嚅着，吃吃道：“因为我选别的东西，他们一定会想法子来抢走的，我又打不过他们，不好的东西才没有人抢，我才可以多玩几天。”

少女看着他，忽然笑了，嫣然道：“想不到你这孩子倒很聪明。”

孩子红着脸，垂下头。

少女眨着眼，又笑道：“我认得一个人，他的想法简直就跟你完全一样。”

孩子忍不住道：“他打不过别人？”

少女道：“以前他总是打不过别人，所以也跟你一样，总是情愿自己吃点亏。”

孩子道：“后来呢？”

少女笑道：“就因为这缘故，所以他就拼命地学本事，现在已没有人打得过他了。”

孩子也笑一笑，道：“现在好东西一定全是他的了。”

少女道：“不错，所以你若想要好东西，也得像他一样，去拼命学本事，你懂不懂？”

孩子点头道：“我懂，一个人要不被别人欺负，就要自己有本事。”

少女嫣然道：“对极了。”

她从手腕上解下个金铃铛，道：“这个给你，若有别人抢你的，你告诉我，我就打他屁股。”

孩子却摇摇头，道：“现在我不要。”

少女道：“为什么？”

孩子道：“因为你一定会走的，我要了，迟早还是会被抢走，等以后我自己有了本事，我自然就会有很多好东西的。”

少女拍手道：“好，你这孩子将来一定有出息。”

孩子眨着眼，道：“是不是就跟你那朋友一样？”

少女道：“对极了。”

她忽就弯下腰，在这孩子脸上亲了亲。

孩子红着脸跑走了，却又忍不住回过头问道：“那个拼命学本事的人，叫什么名字？”

少女道："你为什么要问？"

孩子道："因为我要学他，所以我要把他的名字记在心里。"

少女眨着眼，柔声道："好，你记着，他姓叶，叫叶开。"

孩子们终于全都走了。少女伸了个懒腰，靠在树上，一双美丽的大眼睛正在瞟着叶开。

叶开在微笑。

少女眼波流动，悠然道："你得意什么？我只不过叫一个流鼻涕的小鬼来学你而已。"

叶开笑道："其实他应该学你的。"

少女道："学我什么？"

叶开道："只要看见好东西，就先拿走再说，管他有没有人来抢呢？"

少女咬着嘴唇，瞪着他，过了很久，才慢慢地说道："但若是我真喜欢的东西，就算有人拿走，我迟早也一定要抢回来的，拼命也要抢回来。"

叶开叹了口气，苦笑道："可是丁大小姐喜欢的东西，又有谁敢来抢呢？"

少女也笑了，嫣然道："他们不来抢，总算是他们的运气。"

她笑得花枝招展，全身的铃铛也开始"叮铃铃"地直响。

她的名字就叫丁灵琳。她身上的铃铛，就叫"丁灵琳的铃铛"。

丁灵琳的铃铛并不是很好玩的东西，也并不可笑。非但不可笑，而且可怕。

事实上，江湖中有很多人简直对丁灵琳的铃铛怕得要命。

但叶开却显然不怕。这世界上好像根本就没什么是他害怕的。

丁灵琳笑完了，就又瞪起眼睛看着他，道："喂，你忘了没有？"

叶开道："忘了什么？"

丁灵琳道："你要我替你做的事，我好歹已替你做了。"

叶开道："哦？"

丁灵琳道："你要我冒充路小佳，去探听那些人的来历。"

叶开道："你好像并没有探听出来。"

丁灵琳道："那也不能怪我。"

叶开道："不怪你怪谁？"

丁灵琳道："怪你自己，你自己说他不会这么早来的。"

叶开道："我说过？"

丁灵琳道："你还说，就算他来了，你也不会让我吃亏。"

叶开道："你好像也没有吃亏。"

丁灵琳恨恨道："但我几时丢过那种人？"

叶开道："谁叫你整天正事不做，只顾着去欺负别人。"

丁灵琳的眼睛突然瞪得比铃铛还圆，大声道："别人？别人是谁？你和她又有什么关系？到现在还帮着她说话？"

叶开苦笑道："至少她并没有惹你。"

丁灵琳道："她就是惹了我，我看见她在你旁边，我就不顺眼。"

别人还以为她在为了路小佳吃醋，谁知她竟是为了叶开。

她对路小佳说的那些话，原来也只不过是说给叶开听的。

她的手叉着腰，瞪着眼睛，又道："我追了你三个多月，好容易才在这里找到你，你要我替你装神扮鬼，我也依着你，我有哪点对不起你，你说！"

叶开还有什么话可说的？

丁灵琳跺着脚，脚上也有铃铛在响，但她说话却比铃铛还脆还急。

叶开就算有话说，也没法子说得出来。

丁灵琳道："我问你，你明明要对付马空群，为什么又帮着他的女儿？那小丫头究竟跟你有什么见不得人的关系？"

叶开道："什么关系也没有。"

丁灵琳冷笑道："好，这是你说的，你们既然没有关系，我现在就去杀了她。"

丁大小姐说出来的话，一向是只要说得出，就做得到的。

叶开只有赶紧跳下来，拦住她，苦笑道："我认得的女人也不知道有多少个，你难道要把她们一个个全都杀了？"

丁灵琳道："我只杀这一个。"

叶开道："为什么？"

丁灵琳道："我高兴。"

叶开叹了一口气，说道：“好吧，你究竟要我怎么样？”

丁灵琳眼珠子转了转，道：“第一，我要你以后无论到哪里去，都不许甩开我。”

叶开道：“嗯。”

丁灵琳的大眼睛眯起来了，用她那晶莹的牙齿，咬着纤巧的下唇，用眼角瞟着叶开，道：“还有，我要你拉着我的手，到镇上去走一圈，让每人都知道我们是……是好朋友，你答不答应？”

叶开又叹了口气，苦笑道：“莫说只要我拉着你的手，就算要我拉着你的脚都没关系。”

丁灵琳笑了。

她笑起来的时候，身上的铃铛又在“叮铃铃”地响，就好像她的笑声一样清悦动人。

烈日。

大地被烘烤得就像是一张刚出炉的麦饼，草木就是饼上的葱。你若伸手去摸一摸，就会感觉出它是热的。

马芳铃打着马，狂奔在草原上。

草原辽阔，晴空万里。

一粒粒珍珠般的汗珠，沿着她纤巧的鼻子流下来，她整个人都像是在烤炉里。

她根本不知道要往哪里去。直到现在，她才知道自己是个多么可怜的人，她忽然对自己起了种说不出的同情和怜悯。

她虽然有个家，但家里却已没有一个可以了解她的人。

沈三娘走了，现在连她的父亲都已不在。

朋友呢？没有人是她的朋友，那些马师当然不是，叶开……叶开最好去死。

她忽然发觉自己在这世界上竟是完全无依无靠的。这种感觉简直要令她发疯。

第二十四章

烈日照大旗

“关东万马堂”鲜明的旗帜，又在风中飘扬。

你若站在草原上，远远看过去，有时甚至会觉得那像是一个离别的情人，在向你挥着丝巾。

那上面五个鲜血的字，却像是情人的血和泪。

这五个字岂非就是血泪交织成的。

现在正有一个人静静地站在草原上，凝视着这面大旗。

他的身形瘦削而倔强，却又带着种无法描述的寂寞和孤独。

碧天长草，他站在那里，就像是这草原上一棵倔强的树。

树也是倔强、孤独的。却不知树是否也像他心里有那么多痛苦和仇恨？

马芳铃看到了他，看到了他手里的刀：阴郁的人，不祥的刀。

但她看见他时，心里却忽然起了种说不出的温暖之意，就仿佛刚把一杯辛辣的苦酒，倒下咽喉。

她本不该有这种感觉。

一个孤独的人，看到另一个孤独的人时，那种感觉除了他自己外，谁也领略不到。

她什么都不再想，就打马赶了过去。

傅红雪好像根本没有发现她——至少并没有回头看她。

她已跃下马，站着凝视着那面大旗，有风吹过的时候，他就可以听见她急促的呼吸。

风并不大。烈日之威，似已将风势压了下去，但风力却刚好还能将大旗吹起。

马芳铃忽然道：“我知道你心里在想什么。”

傅红雪没有听见，他拒绝听。

马芳铃道：“你心里一定在想，总有一天要将这面大旗砍倒。”

傅红雪闭紧了嘴，也拒绝说。

但他却不能禁止马芳铃说下去，她冷笑了一声，道：“可是你永远砍不倒的！永远！”

傅红雪握刀的手背上，已暴出青筋。

马芳铃道：“所以我劝你，还是赶快走，走得愈远愈好。”

傅红雪忽然回过头，瞪着她。他的眼睛里仿佛带着种火焰般的光，仿佛要燃烧了她。

然后他才一字字道：“你知道我要砍的并不是那面旗，是马空群的头！”

他的声音就像刀锋一样。

马芳铃竟不由自主后退了两步，却又大声道：“你为什么要这样恨他？”

傅红雪笑了，露出了雪白的牙齿，笑得就像头愤怒的野兽。

无论谁看到这种笑容，都会了解他心里的仇恨有多么可怕。

马芳铃又不由自主后退了半步，大声道：“可是你也永远打不倒他的，他远比你想象的强得多，你根本比不上他！”

她的声音就像是在呼喊。一个人心里愈恐惧时，说话的声音往往就愈大。

傅红雪的声音却很冷静，缓缓道：“你知道我一定可以杀了他的，他已经老了，太老了，老得已只敢流血。”

马芳铃拼命咬着牙，但是她的人却已软了下去，她甚至连愤怒的力量都没有，只是恐惧。

她忽然垂下了头，黯然道：“不错，他已老了，已只不过是个无能为力的老头子，所以你就算杀了他对你也没什么好处。”

傅红雪目中也露出一种残酷的笑意，道：“你是不是在求我不要杀他？”

马芳铃道：“我……我是在求你，我从来没有这样求过别人。”

傅红雪道：“你以为我会答应？”

马芳铃道："只要你答应，我……"

傅红雪道："你怎么样？"

马芳铃的脸突然红了，垂着头道："我就随便你怎么样，你要我走，我就跟着你走，你要我到哪里，我就到哪里。"

她一口气说完了这些话，说完了之后，才后悔自己为什么会说出这些话。连她自己也不知道这些话是不是她真心想说的。

难道这只不过是她在试探傅红雪，是不是还像昨天那么急切地想得到她！

用这种方法来试探，岂非太愚蠢、太危险、太可怕了！

幸好傅红雪并没有拒绝，只是冷冷地看着她。

她忽然发现他的眼色不但残酷，而且还带着种比残酷更令人无法忍受的讥诮之意。

他好像在说："昨天你既然那样拒绝我，今天为什么又来找我？"

马芳铃的心沉了下去。这无言的讥诮，实在比拒绝还令人痛苦。

傅红雪看着她，忽然道："我只有一句话想问你——你是为了你父亲来求我的？还是为了你自己？"

他并没有等她回答，问过了这句话，就转身走了，左腿先跨出一步，右腿再慢慢地跟了上去。这种奇特而丑陋的走路姿态，现在似乎也变成了一种讽刺。

马芳铃用力握紧了她的手，用力咬着牙，却还是倒了下去。

砂土是热的，又咸又热又苦。她的泪也一样。

刚才她只不过是在可怜自己，同情自己，此刻却是在恨自己，恨得发狂，恨得要命，恨不得大地立刻崩裂，将她埋葬！

刚才她只想毁了那些背弃她的人，现在却只想毁了自己……

太阳刚好照在街心。

街上连个人影都没有，但窗隙间，门缝里，却有很多双眼睛在偷偷地往外看，看一个人。

看路小佳。

路小佳正在一个六尺高的大木桶里洗澡，木桶就摆在街心。

水很满，他站在木桶里，头刚好露在水面。

一套雪白崭新的衫裤，整整齐齐地叠着，放在桶旁的木架上。

他的剑也在木架上，旁边当然还有一大包花生。

他一伸手就可以拿到剑，一伸手也可以拿到花生，现在他正拈起一颗花生，捏碎，剥掉，抛起来，张开了嘴。

花生就刚好落入他嘴里。

他显然惬意极了。

太阳很热，水也在冒着热气，但他脸上却连一粒汗珠都没有。

他甚至还嫌不够热，居然还敲着木桶，大声道："烧水，多烧些水。"

立刻有两个人提着两大壶开水从那窄门里出来，一人是丁老四，另一人面黄肌瘦，留着两撇老鼠般的胡子，正是粮食行的胡掌柜。

他看来正像是个偷米的老鼠。

路小佳皱眉道："怎么只有你们两个人，那姓陈的呢？"

胡掌柜赔笑道："他会来的，现在他大概去找女人去了，这地方中看的女人并不多。"

他刚说完这句话，就立刻看到了一个非常中看的女人。

这女人是随着一阵清悦的铃声出现的，她的笑声也正如铃声般清悦。

太阳照在她身上，她全身都在闪着金光，但她的皮肤却像是白玉。

她穿的是件薄薄的轻衫，有风吹过的时候，男人的心跳都可能要停止。

她的手腕柔美，手指纤长秀丽，正紧紧地拉着一个男人的手。

胡掌柜的眼睛已发直，窗隙间，门隙里的眼睛也全都发了直。

他们还依稀能认得出她，就是那"很喜欢"路小佳的红衣姑娘。

谁也想不到她竟会拉着叶开的手，忽然又出现在这里。

就算大家都知道女人的心变得快，也想不到她变得这么快。

丁灵琳却全不管别人在想什么。

她的眼睛里根本就没有别人，只是看着叶开，忽然笑道："今天明明是杀人的天气，为什么偏偏有人在这里杀猪？"

叶开道："杀猪？"

丁灵琳道："若不是杀猪，要这么烫的水干啥？"

叶开笑了，道："听说生孩子也要用烫水的。"

丁灵琳眨着眼，道："奇怪，这孩子一生下来，怎么就有这么大了。"

叶开道："莫非是怪胎？"

丁灵琳一本正经地点点头，忍住笑道："一定是怪胎。"

门后面已有人忍不住笑出声来。

笑声突又变成惊呼，一个花生壳突然从门缝里飞进来，打掉他两颗大牙。

路小佳的脸色铁青，就好像坐在冰水里，瞪着丁灵琳，冷冷道："原来是要命的丁姑娘。"

丁灵琳眼波流动，嫣然道："要命这两个字多难听，你为什么不叫我那好听一点的名字？"

路小佳道："我本就该想到是你的，敢冒我的名字的人并不多。"

丁灵琳道："其实你的名字也不太好听，我总奇怪，为什么有人要叫你梅花鹿呢？"

路小佳淡淡道："那也许只因为他们都知道梅花鹿的角也很利，碰上它的人就得死。"

丁灵琳道："那么你就该叫大水牛才对，牛角岂非更厉害？"

路小佳沉下了脸。他现在终于发现跟女人斗嘴是件不智的事，所以忽然改口道："你大哥好吗？"

丁灵琳笑了，道："他一向很好，何况最近又赢来了一口好剑，是跟南海来的飞鲸剑客比剑赢来的，你知道他最喜欢的就是好剑了。"

路小佳又道："你二哥呢？"

丁灵琳道："他当然也很好，最近又把河北'虎风堂'打得稀烂，还把那三条老虎的脑袋割了下来，你知道他最喜欢的就是杀强盗了。"

路小佳道："你三哥呢？"

丁灵琳道："最好的还是他，他和姑苏的南宫兄弟斗了三天，先斗唱、斗棋，再斗掌、斗剑，终于把'南宫世家'藏的三十坛陈年女儿红全赢了过来，还加上一班清吟小唱。"

她嫣然接着道："丁三少最喜欢的就是醇酒美人，你总该也知道的。”

路小佳道：“你姐夫喜欢的是什么？”

丁灵琳失笑道：“我姐夫喜欢的当然是我姐姐。”

路小佳道：“你有多少姐姐？”

丁灵琳笑道：“不多，只有六个。你难道没听说过丁家的三剑客、七仙女？”

路小佳忽然笑了笑，道：“很好。”

丁灵琳眨了眨眼，道：“很好是什么意思？”

路小佳道：“我的意思就是说，幸好丁家的女人多，男人少。”

丁灵琳道：“那又怎么样？”

路小佳道：“你知道我一向不喜欢杀女人的。”

丁灵琳道：“哦？”

路小佳道：“只杀三个人幸好不多。”

丁灵琳好像觉得很有趣，道：“你是不是准备去杀我三个哥哥？”

路小佳道：“你是不是只有三个哥哥？”

丁灵琳忽然叹了口气，道：“很不好。”

路小佳道：“很不好？”

丁灵琳道：“他们不在这里，当然很不好。”

路小佳道：“他们若在这里呢？”

丁灵琳悠然道：“他们只要有一个人在这里，你现在就已经是条死鹿了。”

路小佳看着她，目光忽然从她的脸移到那一堆花生上。

他好像因为觉得终于选择了一样比较好看的东西，所以对自己觉得很满意，连那双锐利的眸子，也变得柔和了起来。

然后他就拈起颗花生，剥开，抛起。

雪白的花生在太阳下带着种赏心悦目的光泽，他看着这颗花生落到自己嘴里，就闭起眼睛，长长地叹了口气，开始慢慢咀嚼。

温暖的阳光，温暖的水，花生香甜。

他对一切事都觉得很满意。

丁灵琳却很不满意。

这本来就像是一出戏，这出戏本来一定可以继续演下去的。她甚至已将下面的戏词全都安排好了，谁知路小佳却是个拙劣的演员，好像突然间就将下面的戏词全都忘记，竟拒绝陪她演下去。

这实在很无趣。

丁灵琳叹了口气，转向叶开道："你现在总该已看出他是个怎么样的人了吧？"

叶开点点头，道："他的确是个聪明人。"

丁灵琳道："聪明人？"

叶开微笑着道："聪明人都知道用嘴吃花生要比用嘴争吵愉快得多。"

丁灵琳只恨不得用嘴咬他一口。

叶开若说路小佳是个聋子，是个懦夫，那么这出戏一样还是能继续演下去。

谁知叶开竟也是一个拙劣的演员，也完全不肯跟她合作。

路小佳嚼完了这颗花生，又叹了口气，喃喃道："我现在才知道原来女人也一样喜欢看男人洗澡的，否则为什么她还不肯走？"

丁灵琳跺了跺脚，拉起叶开的手，红着脸道："我们走。"

叶开就跟着她走。他们转过身，就听见路小佳在笑，大笑，笑得愉快极了。

丁灵琳咬着牙，用力用指甲掐着叶开的手。

叶开道："你的手疼不疼？"

丁灵琳道："不疼。"

叶开道："我的手为什么会很疼呢？"

丁灵琳恨恨道："因为你是个混蛋，该说的话从来不说。"

叶开苦笑道："不该说的话，我也一样从来就不说的。"

丁灵琳道："你知道我要你说什么？"

叶开道："说什么也没有用。"

丁灵琳道："为什么没有用？"

叶开道："因为路小佳已知道我们是故意想去激怒他的，也知道在这种时候绝不能发怒。"

丁灵琳道："你怎么知道他知道？"

叶开道："因为他若不知道，用不着等到现在，早已变成条死鹿了。"

丁灵琳冷笑道："你好像很佩服他？"

叶开道："但最佩服的却不是他。"

丁灵琳道："是谁？"

叶开道："是我自己。"

丁灵琳忍住笑，道："我倒看不出你有哪点值得佩服的。"

叶开道："至少有一点。"

丁灵琳道："哪一点？"

叶开道："别人用指甲掐我的时候，我居然好像不知道。"

丁灵琳终于忍不住嫣然一笑，她忽然也对一切事都觉得很满意了，竟没有发现有双嫉恨的眼睛正在瞪着他们。

马芳铃的眼睛里充满了嫉恨之色，看着他们走进了陈大倌的绸缎庄。

他们本就决定在这里等，等傅红雪出现，等那一场可怕的决斗。

丁灵琳也可借这机会在这里添几套衣服。

只要有买衣服的机会，很少女人会错过的。

马芳铃看着他们手拉着手走进去，他们两个人的手，就像是捏着她的心。

这世上为什么从来没有一个人这样来拉着她的手呢？

她恨自己，恨自己为什么总是得不到别人的欢心。

墙角后很阴暗，连阳光都照不到这里。

她觉得自己就像是个一出生就被父母遗弃了的私生子。

热水又来了。

路小佳看着粮食行的胡掌柜将热水倒进桶里，道："人怎么还没有来？"

胡掌柜赔笑道："什么人？"

路小佳道："你们要我杀的人。"

胡掌柜道："他会来的。"

路小佳道："他一个人来还不够。"

胡掌柜道："还要一个什么人来？"

路小佳道："女人。"

胡掌柜道："我也正想去找陈大倌。"

路小佳淡淡道："也许他永远不会来了。"

胡掌柜目光闪动，道："为什么？"

路小佳并没有回答他的话，却半睁着眼，看着他的手。

他的手枯瘦蜡黄，但却很稳，装满了水的铜壶在他手里，竟像是空的。

路小佳忽然笑了笑，道："别人都说你是粮食店的掌柜，你真的是？"

胡掌柜勉强笑道："当然……"

路小佳道："但是我愈看你愈不像。"

他忽然压低声音，悄悄道："我总觉得你们根本不必请我来。"

胡掌柜道："为什么？"

路小佳悠然道："你们以前要杀人时，岂非总是自己杀的？"

壶里的水，已经倒空了，但提着壶的手，仍还是吊在半空中。

过了很久，这双手才放下去，胡掌柜忽然也压低声音，一字字道："我们是请你来杀人的，并没有请你来盘问我们的底细。"

路小佳慢慢地点了点头，微笑道："有道理。"

胡掌柜道："你开的价钱，我们已付给了你，也没有人问过你的底细。"

路小佳道："可是我要的女人呢？"

胡掌柜道："女人……"

他的话还没有说完，忽然听见一个人大声道："那就得看你要的是哪种女人了？"

这也是女人说话的声音。

路小佳回过头，就看到一个女人从墙后慢慢地走了出来。

一个很年轻、很好看的女人，但眼睛里却充满了悲愤和仇恨。

马芳铃已走到街心。

太阳照在她脸上，她脸上带着种很奇怪的表情，通常只有一个人被绑到法场时脸上才会有这种表情。

路小佳的目光已从她的脚，慢慢地看到她的脸，最后停留在她的嘴上。

她的嘴柔软而丰润，就像是一枚成熟而多汁的果实一样。

路小佳笑了，微笑着道："你是在问我想要哪种女人？"

马芳铃点点头。

路小佳笑道："我要的正是你这种女人，你自己一定也知道的。"

马芳铃道："那么你要的女人现在已有了。"

路小佳道："是你？"

马芳铃道："是我！"

路小佳又笑了。

马芳铃道："你以为我在骗你？"

路小佳道："你当然不会骗我，只不过我总觉得你至少也该先对我笑一笑的。"

马芳铃立刻就笑，无论谁也不能不承认她的确是在笑。

路小佳却皱起了眉。

马芳铃道："你还不满意？"

路小佳叹了口气，道："因为我一向不喜欢笑起来像哭的女人。"

马芳铃用力咬着嘴唇，过了很久，才轻轻道："我笑得虽然不好，但别的事却做得很好。"

路小佳道："你会做什么？"

马芳铃道："你要我做什么？"

路小佳看着她，忽然将盆里的一块浴巾抛了过去。

马芳铃只有接住。

路小佳道："你知不知道这是做什么用的？"

马芳铃摇摇头。

路小佳道："这是擦背的。"

马芳铃看看手里的浴巾，一双手忽然开始颤抖，连浴巾都抖得跌了下去。

可是她很快地就又捡起来，用力握紧。

她仿佛已将全身力气都使了出来，光滑细腻的手背，也已因用力而凸出青筋。

可是她知道，这次被她抓在手里的东西，是绝不会再掉下去的。她绝不能再让手里任何东西掉下去，她失去的已太多。

路小佳当然还在看着她，眼睛里带着尖针般的笑意，像是要刺入她心里。

她咬紧牙，忽然问道："我还有句话要问你。"

路小佳悠然道："我也不喜欢多话的女人，但这次却可以破例让你问一问。"

马芳铃道："你的女人现在已有了，你要杀的人现在还活着。"

路小佳道："你不想让他活着？"

马芳铃点点头。

路小佳道："你来，就是为了要我杀了他？"

马芳铃又点点头。

路小佳又笑了，淡淡道："你放心，我保证他一定活不长的。"

第二十五章

一剑震四方

酷热。

刚下过雨的天气，本不该这么热的。

汗珠沿着人们僵硬的脖子流下去，流入几乎已湿透的衣服里。

变色的大蜥蜴在砂石间爬行，仿佛也想找个比较阴凉的地方。

刚被雨水打湿的草，已又被晒干了。

连风都是热的。

风从草原上吹过来，吹在人身上，就像是地狱中魔鬼的呼吸。

只有在屋子里比较阴凉些。

三尺宽的柜台上，堆满了一匹匹鲜艳的绸缎，一套套现成的衣服。

叶开坐在旁边一张藤椅里，伸长了两条腿，懒懒地看着丁灵琳选她的衣服。

店里的两个伙计，一个年纪比较大的，垂着手，赔笑在旁边等着。

另一个年轻人，已乘机溜到门口去看热闹了。

他们在这行已干了很久，已懂得女人在选衣服的时候，男人最好不要在旁边参加意见。

丁灵琳选了件淡青色的衣服，在身上比了比，又放下，轻轻叹了口气，道："想不到这地方的存货倒还不少。"

叶开道："别人只有嫌货少的，你难道还嫌货多了不成？"

丁灵琳点点头，道："货愈多，我愈拿不定主意，若是只有几件，说不定我已全买了下来。"

叶开也叹了口气，道："这倒是实话。"

年轻的伙计赔笑道："只因为万马堂的姑奶奶和小姐们常来光顾，所以小店才不能不多备些货，实在抱歉得很。"

丁灵琳忍不住笑了，道：“你用不着为这点抱歉的，这不是你的错。”

年长的伙计道：“但主顾永远是对的，姑娘若嫌小店的货多了，就是小店的错。”

丁灵琳笑道：“你倒真会做生意，看来我想不买也不行了。”

站在门口的年轻伙计，忽然长长叹息了一声，喃喃道：“想不到，真想不到……”

丁灵琳皱眉道：“你想不到我会买？”

年轻的伙计怔了怔，转过身赔笑道：“小的怎么敢有这意思！”

丁灵琳道：“你是什么意思？”

年轻的伙计道：“小的只不过绝想不到马大小姐真会替人擦背而已。”

丁灵琳道：“马大小姐？”

伙计道：“就是万马堂三老板的千金。”

丁灵琳道：“是不是那个穿红衣服的？”

伙计道：“三老板只有这么样一位千金。”

丁灵琳道：“她在替谁擦背？”

伙计道：“就是……就是那位在街上洗澡的大爷呐。”

丁灵琳眼珠子一转，转过头去看叶开。

叶开眯着眼，似乎在打瞌睡。

丁灵琳道：“喂，你听见了没有？”

叶开道：“嗯。”

丁灵琳道：“你的好朋友在替人擦背，你难道不想出去看看？”

叶开道：“嗯。”

丁灵琳道：“嗯是什么意思？”

叶开打了个呵欠，道：“若是男人在替女人擦背，用不着你说，我早已出去看了，女人替男人擦背是天经地义的事，有什么好看的。”

丁灵琳瞪着他，终于又忍不住笑了。

那年轻的伙计忽又叹了口气，道：“小的倒明白马姑娘是什么意思。”

丁灵琳道：“哦？”

这伙计叹道："马姑娘这样委屈自己，全是为了三老板。"

丁灵琳道："哦？"

这伙计道："因为那跛子是三老板的仇家，马姑娘生怕三老板年纪大了，不是他的对手。"

丁灵琳道："所以她不惜委屈自己，为的就是要路小佳替她杀了那跛子？"

这伙计点头叹道："她实在是位孝女。"

丁灵琳突然冷笑，道："也许她只不过是喜欢替男人擦背而已。"

这伙计怔了怔，想说什么，但被那年长的伙计瞪了一眼后，就垂下了头。

这时外面突然传来一阵马蹄声。蹄声很乱，来的人显然不止一个。

丁灵琳眼珠流动，道："你出去看看，是些什么人来了！"

这伙计虽然对她很不服气，还是垂着头走了出去。

"来的是万马堂的老师傅。"

"来了多少？"

"好像有四五十位。"

丁灵琳沉吟着，用眼角瞟着叶开，道："你看他们是想来帮忙的？还是来看热闹的？"

叶开又打了个呵欠，道："这就得看他们是笨蛋，还是聪明人了。"

丁灵琳道："假如他们是想来帮忙的，就是如假包换的笨蛋？"

叶开道："不折不扣的笨蛋。"

他笑了笑，又道："这么好看的热闹，也只有笨蛋才会错过的。"

丁灵琳也笑了笑，道："你是不是一心一意等着看究竟是傅红雪的刀快，还是路小佳的剑快？"

叶开道："就算要我等三天，我都会等。"

丁灵琳道："所以你不是笨蛋。"

叶开道："绝不是。"

这时街上已渐渐有各式各样的声音传了进来，有咳嗽声，有低语声，但大多数却还都是充满了惊讶和感慨的叹息声。

看到马大小姐在替人擦背，显然有很多人惊讶，有很多人不平。但却没有一个人敢出来管这闲事的。这世上的笨蛋毕竟不多。

突然间，所有的声音全部停止，连风都仿佛也已停止。

店里的两个伙计仿佛突然感觉到有种说不出的压力，令人窒息。

丁灵琳的眼睛里却突然发出了光，喃喃道：“来了，终于来了……”

没有人动，没有声音。

每个人都已感觉到这种不可抗拒的压力，压得人连气都透不过来。

“来了！终于来了……”

好热的太阳，好热的风！

风从草原上吹过来，这人也是从草原上来的。

路上的泥泞已干透。

他慢慢地走上了这条路，左腿先迈出一步，右腿再慢慢地跟上来。

每个人都在看着他，太阳也正照在他脸上。

他的脸却是苍白的，白得透明，就像是远山上亘古不化的冰雪。

但他的眼睛却似已在燃烧。他的眼睛在瞪着马芳铃。

马芳铃的手停下，手里的浴巾，还在往下滴着水。

她心里却在滴着血。

一滴，两滴……悲哀、愤怒、羞侮、仇恨。

“你为什么还不走？为什么还要留在这里？”

“我不能走，因为我要看着他死，死在我面前！”

她的心里在挣扎、呐喊，可是她的脸上却全没有一丝表情。

傅红雪的眼睛已盯在路小佳脸上。

路小佳却连看都没有看他，反而向丁老四和胡掌柜招了招手。

他们只好走过去。

路小佳道：“你们要我杀的就是这个人？”

丁老四迟疑着，看了看胡掌柜，两个人终于同时点了点头。

路小佳道：“你们真要我杀他？”

丁老四道：“当然。”

路小佳忽然笑了笑，道：“好，我一定替你们把他杀了。”

他伸出一只手，慢慢地拿起了木架上的剑。

傅红雪握刀的手立刻握紧。

路小佳还是没有看他，却凝注着手里的剑，缓缓道："我答应过的事，就一定会做到。"

丁老四赔笑道："当然。"

路小佳道："你放心？"

丁老四道："当然放心。"

路小佳轻轻叹了口气，道："你们既然已放心，就可以死了。"

丁老四皱眉道："你说什么？"

路小佳道："我说你们已可以死了。"

他手里的剑突然挥出，慢慢地挥出，并不快，也并没有刺向任何人。

丁老四看着他手里的剑挥出，一张脸突然抽紧，整个人都突然抽紧。

大家诧异地看着他的脸，谁也不知道这究竟是怎么回事？

丁老四的人却已倒了下去。他倒下去的时候，小腹下竟突然有股鲜血箭一般飙出去。

大家这才看出，木桶里刺出了一柄剑，剑尖还在滴着血。

丁老四正在看着路小佳右手中的剑时，路小佳左手的剑已从木桶里刺出，刺进了他的小肚子。

就在这时，胡掌柜也倒了下去，咽喉里也有股鲜血飙出来。

路小佳右手的剑，剑尖也在滴着血。

胡掌柜看到那柄从木桶刺出的剑时，路小佳右手的剑已突然改变方向，加快，就仅是电光一闪，已刺穿了他的咽喉！

没有人动，也没有声音。每个人连呼吸都似已停顿。

剑尖还在滴着血。

路小佳看到鲜血从他的剑尖滴落，轻轻叹息着，喃喃道："干我这一行的人，就算洗澡的时候，也会在澡盆留一手的，现在你们总该懂了吧。"

马芳铃突然嘶声道："可是我不懂。"

路小佳道："你不懂我为什么要杀他们？"

马芳铃当然不懂，道："你要杀的人并不是他们！"

路小佳忽又笑了笑，转过头，目光终于落到傅红雪身上。

“你懂不懂？”

傅红雪当然也不懂，没有人懂。

路小佳道：“其实他们并不是真的要我来杀你的。他们只不过要在我跟你交手时，从旁边暗算你。”

傅红雪还是不太懂。

路小佳道：“这主意的确很好，因为无论谁跟我交手时，都绝无余力再防备别人的暗算了，尤其是从木桶里发出的暗算。”

傅红雪道：“木桶里？”

就在这时，突听“砰”的一声大震。声音竟是从木桶里发出来的，接着，木桶竟已突然被震开。

水花四溅，在太阳下闪起了一片银光。竟突然有条人影从木桶里蹿了出来。

这人的身手好快。但路小佳的剑更快，剑光一闪，又是一声惨呼。

太阳下又闪起了一串血珠，一个人倒在地上，赫然竟是金背驼龙！

没有声音，没有呼吸。惨呼声已消失在从草原上吹过来的热气里。

也不知过了多久，丁灵琳才长长吐出口气，道：“好快的剑！”

叶开点点头，他也承认。

无论谁都不能不承认，一柄凡铁打成的剑到了路小佳的手里，竟似已变得不是剑了。

竟似已变成了一条毒蛇、一道闪电，从地狱中击出的闪电。

丁灵琳叹道：“现在连我都有点佩服他了。”

叶开道：“哦？”

丁灵琳道：“他虽然未必是聪明人，也未必是好人，但他的确会使剑。”

最后一滴血也滴了下去。

路小佳的眼睛这才从剑尖上抬起，看着傅红雪，微笑道：“现在你懂了么？”

傅红雪点点头。

现在他当然已懂了，每个人都懂了。

木桶下面竟有一节是空的，里面竟藏着一个人。

水注入木桶后，就没有人能再看得出桶有多深。

路小佳当然也没有站直，所以也没有人会想到木桶下还有夹层。

所以金背驼龙若从那里发出暗器来，傅红雪的确是做梦也想不到的。

路小佳道："现在你总该明白，我洗澡并不是为了爱干净，而是因为有人付了我五千两银子。"

他笑了笑，又道："为了五千两银子，也许连叶开都愿意洗个澡了。"

叶开在微笑。

傅红雪的脸却还是冰冷苍白的，在这样的烈日下，他脸上甚至连一滴汗都没有。

路小佳悠然道："这主意连我都觉得不错，只可惜他们还是算错了一件事。"

傅红雪忍不住问道："什么事？"

路小佳道："他们看错了我。"

傅红雪道："哦？"

路小佳道："我杀过人，以后还会杀人；我也喜欢钱，为了五千两银子，我随时随地都愿意洗澡。"

他又笑了笑，淡淡地接着道："但是我却不喜欢被人利用，更不喜欢被人当作工具。"

傅红雪长长吐出口气，目中的冰雪似已渐渐开始融化。

他忽然觉得湿淋淋地站在他面前的这个人，至少还是个人。

路小佳道："我若要杀人，一向都自己动手的。"

傅红雪道："这是个好习惯。"

路小佳道："其实我还有很多好习惯。"

傅红雪道："哦？"

路小佳道："我还有个好习惯，就是从不会把自己说出的话再吞下去。"

傅红雪道："哦？"

路小佳道："现在我已收了别人的钱，也已答应别人要杀你。"

傅红雪道："我听见了。"

路小佳道："所以我还是要杀你。"

傅红雪道："但我却不想杀你。"

路小佳道："为什么？"

傅红雪道："因为我一向不喜欢杀你这种人。"

路小佳道："我是哪种人？"

傅红雪道："是种很滑稽的人。"

路小佳很惊讶，道："我很滑稽？"

有很多人骂过他很多种难听的话，却从来还没有人说过他滑稽的！

傅红雪淡淡道："我总觉得穿着裤子洗澡的人，比脱了裤子放屁的人还滑稽得多。"

叶开忍不住笑了，丁灵琳也笑了。

一个大男人身上若只穿着条湿裤子，样子的确滑稽得很。

这种样子至少绝不像杀人的样子。

路小佳忽然也笑了，微笑着道："有趣有趣，我实在想不到你这人也会如此有趣的，我一向最喜欢你这种人了。"

他忽又沉下脸，冷冷地说道："只可惜我还是要杀你！"

傅红雪道："现在就杀？"

路小佳道："现在就杀！"

傅红雪道："就穿着这条湿裤子？"

路小佳道："就算没有穿裤子，也还是一样要杀你的。"

傅红雪道："很好。"

路小佳道："很好？"

傅红雪道："我也觉得这机会错过实在可惜。"

路小佳道："什么机会？"

傅红雪道："杀我的机会。"

路小佳道："现在我才有杀你的机会？"

傅红雪道："因为你知道我现在绝不会杀你！"

路小佳动容道："你这是什么意思？"

傅红雪淡淡道："我只不过告诉你，我说出的话，也从来不会吞回去的。"

路小佳看着他，脸上带着很奇怪的表情。

傅红雪的脸上却全无表情。

路小佳忽然笑了。

木架上有个皮褡包，被压在衣服下。

他忽然用剑尖挑起，从褡包中取出两张银票。

一张是一万两的，一张是五千两的。

路小佳道："人虽没有杀，澡却已洗过了，所以这五千两我收下，一万两却得还给你。"

他将一万两的银票抛在丁老四身上，喃喃道："抱歉得很，每个人都难免偶尔失信一两次的，你们想必也不会怪我。"

没有人怪他，死人当然更不会开口。

路小佳竟已用剑尖挑着他的褡包，扬长而去，连看都没有再看傅红雪一眼，也没有再看马芳铃一眼。

大家只有眼睁睁地看着。

可是他走到叶开面前时，却又忽然停下了脚步。

叶开还是在微笑。

路小佳上上下下看了他两眼，忽也笑了笑，道："你知道我为什么要将这五千两留下来？"

叶开微笑道："不知道。"

路小佳将银票送过去，道："这是给你的。"

叶开道："给我？为什么给我？"

路小佳道："因为我要求你一件事。"

叶开道："什么事？"

路小佳道："求你洗个澡，你若再不洗澡，连我都要被你活活臭死了。"

他不让叶开再开口，就已大笑着扬长而去。

叶开看着手里的银票，也不知是好气，还是好笑。

丁灵琳却已忍不住笑道："无论如何，洗个澡就有五千两银子可拿，总是划得来的。"

叶开故意板着脸，冷冷道："你好像很佩服他。"

丁灵琳眨了眨眼，道："可是我最佩服的人并不是他。"

叶开道："你最佩服的是你自己？"

丁灵琳道："不是我，是你。"

叶开道："你也最佩服我？"

丁灵琳点点头道："因为这世上居然有男人肯花五千两银子要你洗澡。"

叶开忍不住要笑了，但却没有笑。

因为就在这时，他已听到有个人放声大哭起来。

哭的是马芳铃。

她已忍耐了很久，她已用了最大的力量去控制她自己。

但她还是忍不住要哭，要放声大哭。

她不但悲伤，而且气愤。

因为她觉得被侮辱与损害了的人总是她，并没有别人。

她开始哭的时候，傅红雪正走过来，走过她身旁。

可是他并没有看她，连一眼都没有看，就好像走过金背驼龙的尸身旁一样。

万马堂的马师们，全都站在檐下，有的低下了头，有的眼睛望着别的地方。

他们本也是刚烈凶悍的男儿，但现在眼看着他们堂主的独生女在他们面前受辱，大家竟也全都装作没有看见。

马芳铃突然冲过去，指着傅红雪，嘶声道："你们知道他是谁？他就是你们堂主的仇人，就是杀死你们那些兄弟的凶手，他存心要毁了万马堂，你们就这样在旁边看着？"

还是没有人开口，也没有人看她一眼。

大家的眼睛都在看着一个满脸风霜的中年人。

他们叫这人焦老大，因为他正是马师中年纪最长的一个。

他这一生，几乎全都是在万马堂度过的，他已将这一生中最宝贵的岁月，全都消磨在万马堂中的马背上。

现在他双腿已弯曲，背也已有些弯了，一双本来很锐利的眼睛，已被劣酒泡得发红。

每当他睡在又冷又硬的木板床上抚摸到自己大腿上的老茧时，他也会想到别处去闯一闯。

可是他已没有别的地方可去，因为他的根也已生在万马堂。

马芳铃第一次骑上马背，就是被他抱上去的，现在她也在瞪着他，大声道："焦老大，只有你跟我爹爹最久，你为什么也不开口？"

焦老大目中似也充满悲愤之色，但却在勉强控制着，过了很久，才长长叹息了一声，缓缓道："我也无话可说。"

马芳铃道："为什么？"

焦老大握紧双拳，咬着牙道："因为我已不是万马堂的人了。"

马芳铃悚然道："谁说的？"

焦老大道："三老板说的。"

马芳铃怔住。

焦老大道："他给了我们每个人一匹马，三百两银子，叫我们走。"

他拳头握得更紧，牙也咬得更紧，嗄声道："我们为万马堂卖了一辈子命，可是三老板说要我们走，我们就得走。"

马芳铃看着他，一步步往后退。

她也已无话可说。

叶开一直在很注意地听着，听到这里，忽然失声道："不好！"

丁灵琳道："什么事不好？"

叶开摇了摇头，还没有说话，忽然看见一股浓烟冲天而起。

那里本来正是万马堂的白绫大旗升起处！

浓烟，烈火。

叶开他们赶到那里时，万马堂竟已赫然变成了一片火海。

天干物燥，火势一发，就不可收拾。

何况火上加了油——草原中独有的，一种最易燃烧的乌油。

同时起火的地方至少有二三十处，一烧起来，就烧成了火海。

马群在烈火中惊嘶，互相践踏，想在这无情烈火中找条生路。

有的侥幸能冲出，四散飞奔，但大多数却已被困死。

烈火中已发出炙肉的焦臭。

"万马堂已毁了，彻底毁了。"

"毁了这地方的人，也正是建立这地方的人。"

叶开仿佛还可以看见马空群站在烈火中，在向他冷笑着说："这地方是我的，没有人能够从我手里抢走它！"

现在他已实践了他的诺言，现在万马堂已永远属于他。

火势虽猛，但叶开的掌心却在淌着冷汗。

谁也不会了解他现在的心情，谁也不知道他在想着什么？

丁灵琳忽然叹了口气，道："既然得不到，不如就索性毁了它，这人的做法也并不是完全错的。"

她苍白的脸，也已被火焰照得发红，忽又失声道："奇怪，那里怎么还有个孩子？"

烈火将天都烧红了，看来就像是一块透明的琥珀。

血红的太阳，动也不动地挂在琥珀里。

也不知何时又起了风。

有火的地方，总是有风的。

远处一块还未被燃起的长草，在风中不停起伏，黄沙自远处卷过来，消失在烈火里。

烈火中的健马悲嘶未绝，听在耳里，只令人忍不住要呕吐。

血红的太阳下，起伏的长草间，果然有个孩子痴痴地站在那里。

他看着这连天的烈火，将自己的家烧得干干净净。

他的泪似也被烤干了，似已完全麻木。

"小虎子。"

这孩子正是马空群最小的儿子。

叶开忍不住匆忙赶过去，道："你……你怎么还在这里？"

小虎子并没有抬头看他，只是轻轻地说道："我在等你。"

叶开道："等我？怎么会在这里等我？"

小虎子道："我爹爹叫我在这里等你，他知道你一定会来的。"

叶开忍不住问道："他的人呢？"

小虎子道："走了……已经走了……"

这小小的孩子直到这时，脸上才露出一丝悲哀的表情，像是要哭出来。

但他却居然忍住了。

叶开忍不住拉起这孩子的手，道："他什么时候走的？"

小虎子道："走了已经很久。"

叶开道："他一个人走的？"

小虎子摇摇头。

叶开道："还有谁跟着他走？"

小虎子道："三姨。"

叶开失声道："沈三娘？"

小虎子点点头，嘴角抽动着，嗄声道："他带着三姨走，却不肯带我走，他……他……"

这句话还没有说完，这孩子终于已忍不住失声痛哭了起来。

哭声中充满了悲恸、辛酸、愤怒，也充满了一种不可知的恐惧。

他毕竟还是个孩子。

叶开看着他，心里也不禁觉得很酸楚，丁灵琳已忍不住在悄悄地擦眼泪。

这孩子突然扑到叶开怀里，痛苦着道："我爹爹要我在这里等你，他说你答应过他，一定会好好照顾我的，还有我姐姐……是不是？是不是？"

叶开又怎么能说不是？

丁灵琳已将这孩子拉过去，柔声道："我保证他一定会好好照顾你的，否则连我都不答应。"

孩子抬头看了看她，又垂下头，道："我姐姐呢？你们是不是也会好好照顾她？"

丁灵琳没法子回答这句话了，只有苦笑。

叶开这才发现马芳铃竟已不知到什么地方去了。

还有傅红雪呢？

太阳已渐西沉。

草原上的火势虽然还在继续燃烧着，但总算也已弱了下去。

西风怒嘶，暮霭渐临。

显赫一时的关东万马堂现在竟已成了陈迹，火熄时最多也只不过还能剩下几丘荒坟，一片焦土而已。

一手创立这基业的马空群，现在竟已不知何处去。

这一切是谁造成的？

仇恨！有时甚至连爱的力量都比不上仇恨！

傅红雪的心里充满了仇恨。他也同样恨自己——也许他最恨的就是他自己。

长街上没有人，至少他看不见一个活人。

所有的人都已赶到火场去了。这场大火不但毁了万马堂，无疑也必将毁了这小镇，很多人都能看得出，这小镇很快也会像金背驼龙他们的尸身一样僵硬干瘪的。

街上泥土也同样僵硬干瘪。

傅红雪一个人走过长街，他左腿先迈出一步，右腿再慢慢地跟上去。他走的虽慢，却绝不会停。

“也许我应该找匹马。”他正在这么样想的时候，就看见一个人悄悄地从横巷中走出来。

一个纤弱而苗条的女人，手里提着很大的包袱。

翠浓。

傅红雪心里突然一阵刺痛，因为他本已决心要忘记她了。

自从他知道她在这些年来一直在为萧别离“工作”时，他已决心忘记她了。

但她却是他这一生中唯一的女人。

翠浓仿佛早已在这里等着他，此刻垂着头，慢慢地走过来，轻轻道：“你要走？”

傅红雪点点头。

翠浓道：“去找马空群？”

傅红雪又点点头，他当然非找马空群不可。

翠浓道：“你难道要把我一个人留在这里？”

傅红雪的心又是一阵刺痛。他本已决心不再看她，但到底还是忍不住看了她一眼。

这一眼已足够。

血红的太阳，正照在她脸上，她的脸苍白、美丽而憔悴。

她的眼睛里充满了一种无助的情意，仿佛正在对他说："你不带我走，我也不敢再求你，可是我还是要你知道，我永远都是你的。"

黑暗中甜蜜的欲望，火一般的拥抱，柔软香甜的嘴唇和胸膛——就在这一刹那间，全部又涌上了傅红雪的心头。

他的掌心开始淌出了汗。

太阳还照在他头上，火热的太阳。

翠浓的头垂得更低，漆黑浓密的头发，流水般散落下来。

傅红雪忍不住慢慢地伸出手，握着了她的头发。

她头发黑得就像是他的刀一样。

第二十六章

血海深仇

太阳已消失，长街上寂无人迹。只有小楼上亮起了一点灯光，一个人推开了楼上的窗子，凝视着静寂的长街。他知道黑夜已快来了。

血迹已干透。一阵风吹过来，卷起了金背驼龙的头发。

萧别离阖起眼睛，轻轻叹息了一声，慢慢地关起窗子。

灯刚点起来。他在孤灯旁坐了下去，他的人也正和这盏灯同样孤独。

灯光照在他脸上，他脸上的皱纹看来已更多，也更深了。

每一条皱纹中，不知隐藏着多少辛酸、多少苦难、多少秘密？

他替自己倒了杯酒，慢慢地喝下去，仿佛在等着什么。

可是他又还能等待什么呢？生命中那些美好的事物，早都已随着年华逝去，现在他唯一还能等得到的，也许就是死亡。

寂寞的死亡，有时岂非也很甜蜜！

黑夜已来了。他用不着回头去看窗外的夜色，也能感觉得到。

酒杯已空，他正想再倒一杯酒时，就已听到从楼下传来的声音。

洗骨牌的声音。

他嘴角忽然露出种神秘而辛涩的笑意，仿佛早已知道一定会听到这种声音。

于是他支起了拐杖，慢慢地走了下去。

楼下不知何时也已燃起了一盏灯。

一个人坐在灯下，正将骨牌一张张翻起来，目光中也带着种神秘而辛涩的笑意。

叶开很少这么笑的。他凝视着桌上的骨牌，并没有抬头去看萧别离。

萧别离却在凝视着他，慢慢地在他对面坐下，忽然道："你看出了什么？"

叶开沉默了很久，才叹息着，道："我什么也看不出来。"

萧别离道："为什么？"

叶开在听着。他看得出萧别离已准备在他面前说出一些本来绝不会说的话。

过了很久，萧别离果然又叹息着道："你当然早已想到我本不姓萧。"

叶开承认。

萧别离道："一个人的姓，也不是他自己选的，他根本没有选择的余地。"

叶开道："这句话我懂，但你的意思我却不懂。"

萧别离道："我的意思是说，我们本是同一种人，但走的路不同，只不过因为你的运气比我好。"

他迟疑着，终于下了决心，一字字接着道："因为你不姓西门。"

叶开道："西门？西门春？"

萧别离苦笑道："你是不是早已想到了？"

叶开道："我看到假扮老太婆的人，死在李马虎店里时才想到的。"

萧别离道："哦？"

叶开道："那时我才想到，我叫了一声西门春，他回过头来，并不是在看我，而是在看你。"

萧别离道："哦？"

叶开道："他回头，只因为觉得惊讶，我怎会突然叫出你的名字。"

萧别离道："所以你才会认为他就是西门春。"

叶开叹道："每个人都有错的。"

萧别离道："何况他自己也并不否认。"

叶开道："他在你面前怎么敢否认？"

萧别离道："那时你还以为李马虎就是杜婆婆。"

叶开苦笑道："直到现在，我还是想不出杜婆婆究竟藏在哪里。"

萧别离道："你永远想不出的。"

叶开道："为什么？"

萧别离缓缓道："因为谁也想不到杜婆婆和西门春本是一个人。"

叶开长长吐出口气，苦笑道："我实在想不到！"

他又看了萧别离两眼，叹道："直到现在，我还是看不出你能扮成老太婆。"

萧别离淡淡道："你若能看得出，我就不是西门春了。"

叶开叹道："这也就难怪江湖中人都说只有西门春才是千面人门下唯一的衣钵弟子。"

萧别离道："不是衣钵弟子。"

叶开道："是什么？"

萧别离道："是儿子！"

叶开动容道："令尊就是千面人？"

萧别离道："嗯！"

叶开道："因为我从一开始就已错了。"

萧别离叹息着，慢慢地点了点头，道："每个人都难免会错的。"

叶开叹道："我没有想到马空群会走，从来也没有想到。"

萧别离淡淡道："我本来也以为他走不了的。"

叶开道："可是他比我们想象中更聪明，他知道谁也不会错过路小佳和傅红雪的决斗。"

萧别离道："他若要走，这的确是个再好也没有的机会。"

叶开道："也许他正是为了这缘故，才去找路小佳的。"

萧别离道："哦？"

叶开道："他故意安排好那些诡计，故意要别人发现，为的只不过是要别人相信他的确是想暗算傅红雪，想杀了傅红雪。"

他叹了口气，苦笑道："假如别人对他这目的完全没有怀疑的话，当然就想不到他其实是想乘此机会逃走而已。"

萧别离也笑了，淡淡道："你最大的毛病，也许就是你总是想得太多了。"

叶开叹道："不错，一个人的确还是不要想得太多的好。"

萧别离忽也长长叹了口气，道："你知道我最大的毛病是什么？"

叶开摇摇头。

萧别离苦笑道："我的毛病也是想得太多了。"

叶开凝视着他，道："所以你也没有想到他会走？是吧？"

萧别离点点头。

叶开眼睛里又露出那种尖针般的笑意，看着他一字字道："所以你才会替他去找路小佳来。"

萧别离道："你什么时候知道的？"

他非但神色还是很平静，而且竟完全没有否认的意思。

叶开反问道："你不否认？"

萧别离淡淡地笑了笑，道："在你这种人面前，否认又有什么用？"

叶开也笑了，笑得并不像平时那么开朗，仿佛对这个人觉得很惋惜。

萧别离叹了口气，黯然地道："也许我的确走错了路。"

叶开道："但你看来根本并不像是一个容易走错路的人。"

萧别离道："走对了路的原因只有一种，走错路的原因却有很多种。"

叶开道："哦？"

萧别离道："每个走错路的人，都有他的种种原因。"

叶开道："你的原因是什么？"

萧别离道："我走的这条路，也许并不是我自己选择的。"

他目中露出了迷惘沉痛之色，仿佛在凝视着远方，过了很久，才慢慢地接着道："也许有些人一生下来就已在这条路上，所以他根本没有别的路可走。"

萧别离目中又露出那种凄凉的笑意，道："连我自己也不知道这究竟是我的幸运？还是我的不幸？"

叶开没有说话，这句话本不是任何人能答复的。

萧别离道："无论谁都不能不承认，先父是武林中的一位奇才，他武功的渊博和神奇之处，直到现在还没有人能比得上。"

叶开也不能不承认。

萧别离道："他这一生中，忽男忽女，忽邪忽正，有人尊称他为千面人神，也有人骂他是千面魔人，谁都不知道他究竟是怎么样一个人。”

叶开道：“你呢？”

萧别离道：“我也不知道。我只知道他虽然将平生所学全都传给了我，但也留给我一副担子。”

叶开道：“什么担子？”

萧别离道：“仇恨。”

这两个字他说得很慢，仿佛用了很大力气才能说出来。

叶开了解这种心情，也许没有人比他更能了解仇恨是副多么沉重的担子了。

萧别离道：“直到现在，江湖中人也还不知道他究竟是不是已经死了，有人说他已浮海东去，有人甚至说他已得道成仙。”

叶开道：“其实呢？”

萧别离黯然道：“其实他当然早已死了。”

叶开忍不住问道：“怎么死的？”

萧别离道：“死在刀下。”

叶开道：“谁的刀？”

萧别离霍然抬起头，盯着他，道：“你应该知道是谁的刀！世上并没有几个人的刀能杀得死他！”

叶开沉默。他只有沉默，因为他的确知道那是谁的刀！

萧别离冷冷道：“据说白大侠也是武林中的一位奇才，据说他刀法不但已独步武林，而且可以算得上是空前绝后。”

他语声中已带着种比刀锋还利的仇恨之意，冷笑着道：“但他的为人呢？他……”

叶开立刻又打断了他的话，道：“你无权批评他的为人，因为你恨他。”

萧别离道：“你错了，我并不恨他，我根本不认得他。”

叶开道：“但你却想杀了他。”

萧别离道：“我的确想杀他，甚至不惜付出任何代价，你知不知道那是为了什么？”

叶开摇摇头。他就算知道，也只能摇头。

萧别离道：“因为仇恨和爱不一样，仇恨并不是天生的，假如有人也将一副仇恨的担子交给了你，你就会懂得了。”

叶开道：“可是……”

萧别离打断了他的话，道：“傅红雪就一定会懂的，因为这道理就跟他要杀马空群一样。”

他叹了口气，接着道：“傅红雪也不认得马空群，但却也非杀他不可！”

叶开终于点了点头，长叹道：“所以那天晚上，你也到了梅花庵。”

萧别离目光似又到了远方，喃喃地叹息着道：“那天晚上的雪真大……”

叶开眼睛突地露出刀锋般的光，盯着他，道：“那天晚上的事你还记得很清楚？”

萧别离黯然道：“我本来想忘记的，只可惜偏偏忘不了。”

叶开道：“因为你的这双腿就是在那天晚上被砍断的。”

萧别离看着自己的断腿，淡淡道：“世上又有几个人的刀能砍断我的腿。”

叶开道：“他虽然砍断了你的腿，但却留下了你的命。”

萧别离道：“留下我这条命的，并不是他，而是那场大雪。”

叶开道：“大雪？”

萧别离道：“就因为雪将我的断腿冻住了，所以我才能活到现在，否则我连人都只怕已烂光了。”

叶开道：“所以你忘不了那场雪！”

萧别离道：“我也忘不了那柄刀。”

他目中忽又露出种说不出的恐惧之色，那一场惊心动魄的血战，仿佛又回到他面前。

白的雪，红的血……血流在雪地上，白雪都被染红。刀光也仿佛是红的，刀光到了哪里，哪里就立刻飞溅起一片红雾。

萧别离额上已有了汗珠，是冷汗。过了很久，他才长叹道：“没有亲眼看见的人，绝对想不到那柄刀有多么可怕，那许多武林中的绝顶高手，竟有大半死在他的刀下。”

叶开立刻追问道：“你知道那些人是谁？”

萧别离不知道。除了马空群自己外，没有人知道。

萧别离道："我只知道，那些人没有一个人不恨他。"

叶开道："难道每个人都跟他有仇？"

萧别离冷笑道："我就算无权批评他的人，但至少有权批评他的刀！"

他目中的恐惧之意更浓，握紧双拳，嗄声接着道："那柄刀本不该在一个有血肉的凡人手里，那本是柄只有在十八层地狱下才能炼成的魔刀。"

叶开道："你怕那柄刀？"

萧别离道："我是个人，我不能不怕。"

叶开道："所以现在你也同样怕傅红雪，因为你认为那柄刀现在已到了他手里。"

萧别离道："只可惜这也不是他的运气。"

叶开道："哦？"

萧别离道："因为那本是柄魔刀，带给人的只有死和不幸！"

他声音突然变得很神秘，也像是某种来自地狱中的魔咒。

叶开竟忍不住打了个寒噤，勉强笑道："可是他并没有死。"

萧别离道："现在虽然还没有死，但他这一生已无疑都葬送在这柄刀上。他活着，已不会再有一点快乐，因为他心里只有仇恨，没有别的！"

叶开忽然站起来，转身走过去，打开了窗子。他好像忽然觉得这里很闷，闷得令人窒息。

萧别离看着他的背影，忽然笑了笑，道："你知不知道我本来一直都在怀疑你！"

叶开没有回答，也没有回头。

窗外夜色如墨。

萧别离道："我要你去杀马空群，本来是在试探你的。"

叶开道："哦？"

萧别离道："但这主意并不是我出的，那天晚上，楼上的确有三个人。"

叶开道："还有一个是马空群！"

萧别离道："就是他。"

叶开道："丁求也是那天晚上在梅花庵外的刺客之一？"

萧别离冷笑道："他还不够，他只不过是个贪财的驼子。"

叶开道："所以你们收买了他。"

萧别离道："但我们却没有买到你，当时连我都没有想到你会将这件事去告诉马空群，我付出的代价并不小。"

叶开冷冷道："那价钱的确已足够买到很多人了，只可惜那些人现在都已变成了死人。"

萧别离道："他们死得并不可怜，也不可惜。"

叶开道："可惜的是傅红雪没有死？"

萧别离冷冷道："那也不可惜，因为我知道迟早总有一天，他也必将死在刀下。"

叶开道："马空群呢？"

萧别离道："你认为傅红雪能找到他？"

叶开道："你认为找不到？"

萧别离道："他本来是匹狼，现在却已变成条狐狸，狐狸是不容易被找到的，也很不容易被杀死。"

叶开道："你这句话皮货店老板一定不同意。"

萧别离道："为什么？"

叶开道："若没有死狐狸，那些狐皮袍子是哪里来的？"

萧别离说不出话来了。

叶开道："莫忘记世上还有猎狗，而猎狗又都有鼻子。"

萧别离突又冷笑道："傅红雪就算也有个猎狗般的鼻子，但是现在恐怕也只能嗅得到女人身上的脂粉香气了。"

叶开道："是因为翠浓？"

萧别离点点头。

叶开道："难道翠浓在他身旁，他就找不到马空群了？"

萧别离淡淡道："莫忘记女人喜欢的通常都是珠宝，不是狐皮袍子。"

这次是叶开说不出话来了。

萧别离忽又笑了，道："其实傅红雪是否能找到马空群，跟我有什么关系？又跟你有什么关系？”

叶开又沉默了很久，才一个字一个字地慢慢说道：“只有一点关系。”

萧别离道：“什么关系？”

叶开忽然转过身，凝视着他，缓缓道：“你为何不问问我是什么人？”

萧别离道：“我问过，很多人都问过。”

叶开道：“现在你为何不问？”

萧别离道：“因为我已知道你叫叶开，木叶的叶，开心的开。”

叶开道：“但叶开又是个什么样的人呢？”

萧别离微笑道：“在我看来像是个很喜欢多管闲事的人。”

叶开忽然也笑了笑，道：“这次你错了。”

萧别离道：“哦？”

叶开道：“我管的并不是闲事。”

萧别离道：“不是？”

叶开道：“绝不是！”

萧别离看着他，看了很久，忽然问道：“你究竟是什么人？”

叶开又笑了，道：“这句话我知道你一定会再问一次的。”

萧别离道：“你知道的实在太多。”

叶开道：“你知道的实在太少。”

萧别离冷笑。叶开忽然走过来，俯下身，在他耳边低低说了几句话。他声音说得很轻，除了萧别离外，谁也不能听见他在说什么。

萧别离只听了一句，脸上的笑容就忽然冻结，等叶开说完了，他全身每一根肌肉都似已僵硬。

风从窗外吹进来，灯光闪动。

闪动的灯光照在他脸上，这张脸竟似已变成了另外一个人的脸。他看着叶开时，眼色也像是在看着另外一个人。

没有人能形容他脸上这种表情。那不仅是惊讶，也不仅是恐惧，而是崩溃……只有一个已完全彻底崩溃了的人，脸上才会有这种表情。

叶开也在看着他，淡淡道：“现在你是不是已承认了？”

萧别离长长叹息了一声，整个人就像是突然萎缩了下去。

又过了很久，他才叹息着道：“我的确知道的太少，我的确错了。”

叶开也叹了口气，道：“我说过，每个人都难免会错的。”

萧别离凄惨地点点头，道：“现在我总算已明白你的意思，这虽然已经太迟，但至少总比永远都不明白的好。”

他垂下头，看着桌上的骨牌，苦笑着又道：“我本来以为它真的能告诉我很多事，谁知道它什么也没有告诉我。”

骨牌在灯下闪着光，他伸出手，轻轻摩挲。

叶开看着他手里的骨牌，道：“无论如何，它总算已陪了你很多年。”

萧别离叹道：“它的确为我解除了不少寂寞，若没有它，日子想必更难过，所以它虽然骗了我，我并不怪它。”

叶开道：“能有个人骗骗你，至少也比完全寂寞的好。”

萧别离凄然笑道：“你真的懂，所以我总觉得能跟你在一起谈谈，无论如何都是件令人愉快的事。”

叶开道：“多谢。”

萧别离道：“所以我真想把你留下来陪陪我，只可惜我也知道你绝不肯的。”

他苦笑着，叹息着，突然出手，去抓叶开的腕子。

他的动作本来总是那么优美，那么从容。但这个动作却突然变得快如闪电，快得几乎已没有人能闪避。

他指尖几乎已触及了叶开的手腕。只听“咔嚓”的一声，已有样东西被他捏碎了，粉碎!

但那并不是叶开的手腕，而是桌上装骨牌的匣子。就在那电光石火般的一瞬间，叶开用这匣子代替了自己的腕子。

这本是个精巧而坚固的匣子，用最坚实干燥的木头做成的。

这种木头本来绝对比任何人的骨头都结实得多了，但到了他手里，竟似突然变成了腐朽的干酪，变成了粉末。

木屑粉末般从他指缝里落下来。叶开的人却已在三尺外。

过了很久，萧别离才抬起头，冷冷道：“你有双巧手。”

叶开微笑道：“所以我很想留着它，留在自己的腕子上。”

萧别离道："你想必还有个猎犬般的鼻子。"

叶开道："鼻子也捏不得，尤其是你这双手更捏不得。"

摸了十几年铁铸的骨牌后，无论什么东西到了这双手里，都会变得不堪一捏了。

萧别离道："你难道真的不肯留下来陪陪我？"

叶开笑道："这副骨牌陪了你十几年，你却还是把它的匣子捏碎了，岂非叫人看着寒心。"

萧别离又长长叹息了一声，喃喃道："看来你真是个无情的人。"

他身子突然跃起，以左手的铁拐作圆心，将右手的铁拐横扫了出去。

没有人能形容这一扫的威力。这么大的一间屋子，现在几乎已完全在他这只铁拐的威力笼罩下。

这一拐扫出，屋子里就像是突然卷起了一阵狂风！

叶开的人却已到了屋梁上。

他刚用脚尖勾住了屋梁，萧别离突又凌空翻身，铁拐双举。铁拐里突然暴雨般射出了数十点寒星。

断肠针！他的断肠针，原来竟是从铁拐里发出来的，他的手根本不必动，难怪没有人能看得出了。

每一根断肠针，都没有人能闪避。现在他发出的断肠针，已足够要三十个人的命！

但叶开却偏偏是第三十一个人。

他的人突然不见了。

等他的人再出现时，断肠针却已不见了。

萧别离已又坐到他的椅子上，仿佛还在寻找着那已不存在了的断肠针。

他不能相信。数十年来，他的断肠针只失手过一次——在梅花庵外的那一次。

他从不相信还有第二次。但现在他却偏偏不能不信。

叶开轻飘飘落下来，又在他对面坐下，静静地凝视着他。

屋子里又恢复了平静，没有风，没有针，就像是什么都没有发生过。

也不知过了多久，萧别离终于叹息了一声，道："我记得有人问过你一句话，现在我也想问问你。"

叶开道："你问。"

萧别离盯着他，一字字道："你究竟是不是个人？算不算是一个人？"

叶开笑了。有人问他这句话，他总是觉得很愉快，因为这表示他做出的事，本是没有人能做得到的。

萧别离当然也不会等他答复，又道："我刚才对你三次出手，本来都是没有人能闪避的。"

叶开道："我知道。"

萧别离道："但你却连一次都没有还击。"

叶开道："我为什么要还击，是你想要我死，并不是我想要你死。"

萧别离道："你想怎么样？"

叶开道："不怎么样。你还是可以在这里开你的妓院，摸你的骨牌，喝你的酒。"

萧别离双拳突又握紧，眼角突然收缩，缓缓道："以前我能这么做，因为我有目的，因为我想保护马空群，想等那个人来杀了他！"

他的脸已因痛苦而扭曲，嗄声道："现在我已没什么可想，我怎么能再这样活下去！"

叶开吐出口气，淡淡道："那就是你自己的事，你应该问你自己。"

他微笑着站起来，转身走出去，他走得并不快，却没有回头，也没有停下来。

现在世上再也没有人能令他留在这里。

但萧别离却已只能留在这里。

他已无处可去。

看着叶开走出了门，他身子突然颤抖起来，抖得就像是刚从噩梦中惊醒的孩子。

他的确刚从噩梦中惊醒，但醒来时却比在噩梦中更痛苦。

夜更深，更静。没有人，没有声音，只有那骨牌还在灯下看着他。

他忽然抓起骨牌，用力抛出。

骨牌被抛出时，他的泪已落了下来……

一个人若已没有理由活下去，就算还活着，也和死全无分别了。

这才是一个人最悲痛的。

绝没有更大的。

东方已依稀现出了曙色。黑暗终必要过去，光明迟早总会来的。

青灰色的苍穹下，已看不见烟火，无论多猛烈的火势，也总有熄灭的时候。

救火的人已归去，叶开站在山坡上，看着面前的一片焦土。

他心里虽也觉得有点惋惜，却并不觉得悲伤。因为他知道大地是永远不会被毁灭的，就跟生命一样。

宇宙间永远都有继起的生命！大地也永远存在。

他知道用不着再过多久，生命就又会从这片焦土上长出来。

美丽的生命。

他眼前仿佛又出现了一片美丽的远景，一片青绿。

这时风中已隐约有铃声传来，铃声清悦，笑声也同样清悦。

丁灵琳已牵着那孩子向他走过来，银铃般笑道："这次你倒真守信，居然先来了。"

叶开微笑着，看着这孩子。

看到这孩子充满生命力的脸，他就知道自己的信念永远是正确的。

他走上去，拉起这孩子的手，他要带这孩子到一个地方去，将这孩子心里的仇恨和痛苦埋藏在那里。

他希望这孩子长大后，心里只有爱，没有仇恨！

这一代的人之所以痛苦，就因为他们恨得太多，爱得太少。

只要他们的下一代能健康快乐地活下去，他们的痛苦也总算有了价值。

石碑上的刀痕仍在，血泪却已干了。

叶开拉着孩子的手跪下去，跪在石碑前。

"这是你父亲的兄弟，你要永远记着，千万不能和这家人的后代成为仇敌。"

"我会记得的。"

"你发誓永远不忘记？"

"我发誓。"

叶开笑了，笑得从未如此欢愉。

"我知道你是个好孩子。"

"我想去找我爹爹和我姐姐，你带不带我去？"

"当然带你去。"

"你能找到他们？"

"你要记着，只要你有信心，天下本没有做不到的事。"

孩子也笑了。

笑容在孩子的脸上，就像是草原上马群的奔驰，充满了一种无比美丽的生命力，足以鼓舞人类前进。

但现在草原上却仍是悲怆荒凉，放眼望去，天连着大地，地连着天，一片灰暗。

万马堂的大旗，是不是还会在这里升上去？

风在呼啸。

叶开大步走过寂静的长街。

这些日子，他对这地方已很熟悉，甚至已有了感情，但现在他并没有那种比风还难斩断的离愁别绪。

因为他知道他必将回来的！